12 Meses para Enriquecer

Marcos Silvestre

12 Meses para Enriquecer

O Plano da Virada

1ª reimpressão

lua de papel

Direção editorial: Pascoal Soto
Editor: Pedro Almeida
Assistente editorial: Marília Chaves
Preparação de texto: Vivian Miwa Matsushita
Revisão: Marília Chaves
Projeto gráfico e diagramação: Rafael Alt
Capa: Osmane Garcia Filho
Foto da capa: Superstock/Grupo Keystone e Geff Reis/Grupo Keystone

DADOS INTERNACIONAIS DE CATALOGAÇÃO NA PUBLICAÇÃO (CIP)
(Câmara Brasileira do livro, SP, Brasil)

Silvestre, Marcos
12 meses para enriquecer : o plano da virada / Marcos Silvestre. – São Paulo : Lua de Papel, 2010.

ISBN 978-85-63066-25-1

1. Finanças pessoais 2. Poupança e investimento 3. Riqueza 4. Sucesso em negócios I. Título.

10–10647 CDD 650.12

ÍNDICE PARA CATÁLOGO SISTEMÁTICO
1. Enriquecimento : Sucesso financeiro : Administração 650.12

2010

Texto Editores Ltda. [Uma editora do grupo Leya]
Av. Angelica, 2163 – conj. 175/178 – 01227-200
Santa Cecilia – Sao Paulo – SP
Blog da Lua: www.leya.com.br/luadepapel
Twitter: @luadepapel_BRA / @EditoraLeya

Sumário

Para a amada Luciane, minha outra metade,
e meus preciosos filhos Rachel e Alexandre.

"Pois onde estiver o seu tesouro, aí estará também o seu coração."
Bíblia Sagrada. Livro de Mateus, capítulo 6: 21

Prefácio

"Quero um livro prático, simples e que realize um milagre!"

Não foram essas as palavras que usei na primeira reunião que tive com o professor Marcos Silvestre, mas foi o que pensei ao convidá-lo para um projeto no grupo Leya.

Especialista em finanças pessoais, com mais de vinte anos de experiência prestando consultoria para famílias, ele é o que posso chamar de autoridade, alguém capaz de ajudar os leitores a organizar sua vida financeira. Como editor de livros, sei que esse assunto pode afugentar muitas pessoas se parecer um tratado com diversas contas, índices e toda uma parafernália usada por matemáticos. Afinal, o que todos nós queremos é evitar o desperdício de dinheiro e entender o mínimo do jogo em que ele pode render mais.

E como ter as duas coisas num livro só: praticidade e resultados?

Essa "praticidade", para mim, significava algo fácil, que demandaria o menor esforço possível. Mas e os resultados?

Do início das conversas até o primeiro esboço foram três meses. Levamos mais seis meses ajustando pequenos detalhes, objetivos, necessidades dos leitores, exemplos ilustrados etc. Marcos me mostrou que, para publicar um livro que trouxesse uma parte prática, seria necessário ensinar o leitor a entender certas contas. Melhor ainda se ele aprendesse a fazer essas contas. Com cálculos simples, me mostrou que, se não é possível duplicar nosso ganho mensal, podemos quase duplicar nosso poder de compra. Para extrair mais do dinheiro que ganhamos, incluiu no livro técnicas para fazer algumas contas, motivo pelo qual propôs a inclusão de um CD com práticas calculadoras financeiras.

Com Marcos Silvestre, descobri que o mundo se divide em dois grupos: o de pessoas que pagam juros e o daqueles que ganham com os juros. E, para estar no segundo grupo, basta conhecer as regras do mercado e usar as ferramentas presentes neste livro.

São princípios simples, mas capazes de mudar radicalmente o curso das finanças de uma família. Esses princípios podem ser usados tanto por quem quer sair de um histórico de dívidas como por quem está em situação mais confortável e deseja aprender a tirar melhor proveito dela.

Em *12 Meses para Enriquecer*, o autor elabora um Plano da Virada rumo à sua independência financeira, a um mundo onde é possível deixar de ser refém de imprevistos, dívidas, juros e circunstâncias. O leitor pode fazer uso de todo o livro ou apenas da parte que lhe interessa e, mesmo utilizando somente algumas das ferramentas que o autor oferece, terá aprendido princípios que irão levá-lo a um novo patamar de aproveitamento de seus recursos financeiros.

O que o autor propõe não é um conjunto de teorias, mas um plano incrivelmente prático que você pode executar imediatamente.

Agora, você está a um passo dessa nova realidade!

O editor

Introdução

Um plano em busca da verdadeira riqueza

1 – TRÊS FONTES INOVADORAS PARA MULTIPLICAR SEU DINHEIRO

Este livro destina-se àqueles que desejam renovar e aperfeiçoar sua vida financeira, tornando-a mais organizada e próspera. Se você chegou até ele é porque compreende que, para estruturar sua vida no caminho do verdadeiro enriquecimento e da prosperidade duradoura, precisa de orientação especializada e transformadora em suas finanças pessoais. Isso é o que faço há duas décadas: auxiliar pessoas e famílias a transformar sua relação com o dinheiro, para que consigam multiplicá-lo e extrair dele mais qualidade de vida. O foco: enriquecer *de verdade*.

Os próximos 12 meses poderão significar uma completa revolução na forma como você *enxerga* o dinheiro e, principalmente, na maneira como *se relaciona* com ele. Neste período, você aprenderá *na prática* a enriquecer de formas surpreendentes, porém muito concretas e acessíveis. Basta conhecer e aplicar em sua vida o *Plano da Virada* (que integra a metodologia PROF – programa de reeducação e orientação financeira), que adoto em meus atendimentos particulares, abordo em meus programas de treinamento coletivo e agora trago até você, neste livro inédito.

Para começarmos, preciso que compreenda algumas noções importantes sobre como alcançar uma vida financeira mais bem-sucedida e gratificante.

Imagine o seguinte:

Um belo dia lhe aparece a Fada do Dinheiro, uma simpática criatura que, com uma improvável varinha de condão, promete *dobrar* seu dinheiro do dia para a noite. Ou melhor, *no mesmo dia*, pois a mágica será feita via TED (transferência eletrônica direta) para sua conta bancária.

Diante dessa inacreditável proposta, eis minha pergunta: você topa? Cuidado com sua resposta. Você sabe quão bom é ter dinheiro. Porém, antes de mais tudo, o que você deseja é *ser feliz*. Gostamos de dinheiro, não porque somos parentes do Tio Patinhas, mas porque sabemos que ele *tem potencial* para nos proporcionar uma vida com mais conforto e segurança, uma vida melhor e mais realizada, uma vida mais feliz. Mas esse potencial benéfico do dinheiro só se revela quando é corretamente explorado.

Então, para tentar amadurecer o súbito "sim" que você está prestes a dizer à Fada do Dinheiro, recorro a minha longa experiência como planejador financeiro pessoal para lhe fazer um alerta: quase todas as vezes em que eu presenciei uma boa bolada caindo subitamente no colo de alguém que não estava preparado para recebê-la, essa "fantástica" história de prosperidade instantânea não teve um final feliz.

Já testemunhei diversos casos em que a pessoa perdeu tudo depois, até mesmo o que tinha antes de tirar "a sorte grande". Mais dinheiro com pouco preparo para lidar com ele é uma combinação perigosa para o equilíbrio financeiro, porque os gastos podem repentinamente se tornar inchados e as dívidas passam a dominar. Sem mencionar investimentos "furados", que põem o dinheiro todo a perder com uma impressionante velocidade.

Mais dinheiro é muito bom, porém apenas quando vai para as mãos de alguém previamente dotado daquilo que eu denomino de uma *consciência financeira evoluída*. Refiro-me a um conjunto de *bons hábitos financeiros*, previamente absorvidos pela mente e profundamente assimilados em atitudes. Quando aplicados ao relacionamento diário com o dinheiro, esses bons hábitos governam as decisões de compra, consumo, endividamento e investimento rumo a uma vida melhor e mais realizada.

Portanto, até atingir o ponto de um entendimento mais elevado dos mecanismos de funcionamento das finanças pessoais propostos neste livro, não desejo que você receba muito mais dinheiro de uma hora para outra. Recomendo-lhe, por enquanto, que responda à graciosa Fada do Dinheiro de forma cautelosa: "Deixe-me pensar melhor..."

ENRIQUECIMENTO "INSTANTÂNEO": TÃO IMPROVÁVEL QUANTO ARRISCADO

Você pode retrucar: "Ah, pode deixar, saberei sim cuidar do dinheiro que vier rapidinho". Mas isso também de nada adianta, pois, como sabemos, fadas madrinhas endinheiradas pertencem ao mundo do faz de conta e só atendem gatas borralheiras.

Considere, então, outras possibilidades de conseguir mais dinheiro instantaneamente:

- Acertar na Mega-Sena, cuja probabilidade de acontecer é 400 vezes menor do que de ser atingido por um raio. Ou seja, bastante improvável, e você vai precisar estar muito bem preparado para gerenciar o novo patrimônio. (Enquanto desafia as estatísticas e cutuca a sorte fazendo suas apostas semanais, cuidado com os raios!)
- Receber a herança de uma tia centenária – e bilionária – que tem unicamente você como herdeiro. Sem saber administrar a fortuna, poderá perdê-la na mesma velocidade. (Cá entre nós: você não tem uma tia assim, a menos que seja personagem de novela.)
- Casar-se com uma pessoa rica. (Só vale para os solteiros, mas não recomendo comercializar sua felicidade por preço algum.)
- Especular na Bolsa de Valores para obter ganhos fulgurantes. Tente, se tiver "estômago" para isso – eu não tenho. (Prepare-se também para prováveis grandes tombos.)
- Assaltar um banco, tsc, tsc. (Não, definitivamente, o crime não compensa.)

Então estamos acertados: conseguir *mais dinheiro em um curto espaço de tempo* não lhe acontecerá por mágica ou por acaso. E, se esse improvável enriquecimento instantâneo realmente ocorrer, o despreparo para gerenciar a nova fortuna pode colocar tudo a perder.

GANHOS MENSAIS DO SEU TRABALHO: O ENRIQUECIMENTO EM LONGO PRAZO...

Tendo plena ciência da improbabilidade e dos riscos que envolvem o dinheiro instantâneo, há quem decida multiplicar seus ganhos de modo imediato, por vias mais tradicionais: no mundo corporativo, como funcionário, ou no universo empreendedor, com seu negócio próprio. Não seria nada mal extrair muito mais dinheiro de uma dessas fontes, mas... é viável conseguir isso tão rapidamente?

Tentar ganhar mais dinheiro com seu trabalho é o sonho de todos os que desempenham uma atividade profissional. Sonho muito justo, aliás. Se você se dedica a seu trabalho com afinco, se dispensa a ele as melhores horas, dos melhores dias, dos melhores anos de sua vida, é justo esperar o retorno merecido. Dentro do possível, quanto mais, melhor.

Sabemos, porém, que quase sempre o crescimento do salário virá *aos poucos*. Sejamos realistas: você pode ter um começo de carreira muito bem-sucedido e ser promovido rapidamente no início, mas daí em diante o caminho será naturalmente mais lento, e serão necessários vários anos para você evoluir positivamente. Conseguir uma promoção ou um novo emprego que *dobre* seu salário de um mês para o outro é algo bem pouco provável de acontecer. Um aumento de, digamos, 50% já é bastante difícil de obter, imagine algo superior a isso!

Se você é um empreendedor, dono do próprio negócio, diga-me: é possível dobrar seu faturamento de uma hora para a outra, passando simplesmente a cobrar o dobro dos clientes, assim, à queima-roupa? Ou reduzir seus custos pela metade de repente? Experimente propor a seus fornecedores que passem a cobrar apenas a *metade* do que lhe cobram hoje, sem diminuir a *quantidade* e a *qualidade* do que eles lhe fornecem atualmente. Tem cabimento?

Eu desejo, sem dúvida, que seus ganhos mensais cresçam o máximo possível. Porém, lembre-se de que isso só ocorrerá *ao longo de anos e dé-*

cadas da sua vida profissional. Estude, capacite-se, empregue o melhor de seus talentos e recursos na boa execução de sua atividade profissional, e você chegará lá. Mas, por gentileza, pare de cultivar a *ilusão* de que, no curto prazo, conseguirá extrair muito mais dinheiro do seu trabalho do que já faz hoje.

Portanto, por mais óbvio que pareça, o *dinheiro que você tem hoje é o dinheiro que você tem hoje*, nem mais nem menos, sem fadas madrinhas ou outras fontes "milagrosas". Aqueles X reais que você tem de ganhos mensais serão praticamente os mesmos nos próximos 12 meses, e não será isso que iniciará a virada para enriquecer de verdade. Aceitar essa realidade é o primeiro passo rumo ao desenvolvimento de uma *consciência financeira evoluída*: esqueça ganhos ilusórios e comece simplesmente a pensar em formas mais inovadoras, porém realistas e eficazes, de multiplicar o dinheiro que você verdadeiramente tem em mãos hoje.

Isso, sim, pode ser feito *de imediato*: você pode aprender a cuidar com mais competência do que tem hoje ao seu dispor, passando desde já a explorar o que eu chamarei aqui de *fontes inovadoras e abundantes* para multiplicar seu dinheiro e fazê-lo enriquecer, sempre. Essa é a proposta de caminho para o enriquecimento contínuo e a prosperidade duradoura que desejo lhe apresentar em detalhes.

GANHAR MAIS DINHEIRO X LIDAR MELHOR COM SEU DINHEIRO

Renato adora assistir a bons filmes e quer comprar uma TV HD 3D para ver seus títulos prediletos em casa, como se estivesse numa sala de cinema. Ele sabe exatamente as características do aparelho que deseja comprar, porque já pesquisou na internet. Na maior parte das lojas, a TV cobiçada está anunciada por 12 parcelas de R$ 399,90 (o que dá um total arredondado de R$ 4.800).

Mas Renato não gosta de fazer dívida. Com sua *consciência financeira evoluída*, traçou um plano de investimentos: durante 12 meses, aplicará R$ 350 mensais na caderneta de poupança (você verá adiante que existem opções ainda mais interessantes). No total, desembolsará 12 "mensalidades" de R$ 350 = R$ 4.200. Como a aplicação renderá juros de R$ 120 acumulados nesses 12 meses, ao fim de um ano Renato terá juntado R$ 4.320.

Fazendo pesquisa em diversas lojas, ele encontra o aparelho que deseja, a última peça (mas na caixa e com nota fiscal), com desconto de 10% para pagamento à vista. De R$ 4.800, o aparelho sai por exatos R$ 4.320 (valor equivalente ao que Renato havia acumulado), portanto R$ 480 ou 10% a menos que o preço inicial.

Um belo achado, certamente um ótimo negócio! Com o planejamento financeiro, Renato conseguiu multiplicar seu dinheiro: embolsou R$ 120 de *juros ganhos* na poupança e economizou R$ 480 com o *desconto na compra à vista*: um ganho total de R$ 600. Esse dinheiro *extra* que Renato salvou no orçamento, permitiu que ele comprasse um novo aparelho de DVD/ BLU-RAY para complementar seu "cinema em casa".

Fausto, chefe de Renato, ganha bem mais que ele. Todos imaginam que, por causa do salário maior, Fausto está melhor de vida. Porém, nas finanças pessoais, convém tomar cuidado, porque as aparências podem enganar.

Como acha que não precisa se preocupar tanto com dinheiro, Fausto compra sua TV HD 3D no puro impulso, sem nada daquele cuidado de planejamento financeiro que teve o Renato. Fausto não cultiva o bom hábito de juntar dinheiro. Adquire seu aparelho de TV parcelado no cartão, conforme aquela tentadora oferta de 12 prestações "sem juros" de R$ 399,90 (você verá que isso não existe!). Afinal, o que são meros R$ 400 mensais para adquirir um bem tão sedutor?

Infelizmente, esse tipo de raciocínio leva a decisões financeiramente equivocadas. Ao pensar dessa forma, Fausto gastou exatos R$ 4.800 apenas para levar a TV, privando-se de uma boa oportunidade para multiplicar seu dinheiro em R$ 600. Renato, com sua consciência financeira evoluída, fez seus R$ 4.200 valerem, na prática, o mesmo que os R$ 4.800 de Fausto. E com os R$ 600 adicionais ele ainda conseguiu fazer outra compra, expandindo seu poder aquisitivo de qualidade de vida. Mais *benefício* pelo mesmo *custo*.

Isso é enriquecer de maneira inteligente: Renato preferiu *multiplicar seu dinheiro*, agregando R$ 600, e para isso não precisou contar com qualquer mágica ou aumento em seu salário. Ele preferiu extrair esse dinheiro adicional de duas outras fontes mais realistas e eficazes: 1) seus ganhos na aplicação financeira e 2) o desconto na compra à vista bem pesquisada e bem negociada.

Ele enriqueceu simplesmente buscando formas inovadoras de lidar melhor com seu dinheiro. Algo que Fausto também poderia ter feito, se quisesse.

A diferença entre a vida financeira de Renato e Fausto infelizmente não se manifesta só na compra dessa TV, mas em *todas* as demais decisões financeiras que cada um deles toma no dia a dia. Imagine, ao longo de um ano inteirinho, o impacto no poder aquisitivo efetivo de cada família com as decisões acertadas de Renato e as descuidadas de Fausto?

Fausto e sua família gastam mal, compram tudo parcelado, e não têm o bom hábito de aplicar dinheiro para ganhar juros e poder realizar seus sonhos pagando à vista, com desconto. Pelo contrário: como nunca há dinheiro para quitar a fatura dos cartões de crédito sem avançar no rotativo, nem para cobrir os cheques predatados sem mergulhar no limite do especial, ou mesmo para pagar todas as contas sem apelar para dívidas mal planejadas, a família de Fausto acaba gastando somas elevadas com juros desnecessários. Na prática, a cada decisão errada, eles empobrecem, quando poderiam estar enriquecendo.

Por isso, Renato e sua família conseguem viver melhor na prática, apesar de seus ganhos ainda serem menores que os de Fausto. Renato está preocupado com seu chefe: trabalha demais e parece não viver uma boa vida...

Agora, uma pergunta: você quer estar na posição de Fausto, que *ganha mais*, ou na de Renato, que *sabe lidar melhor com seu dinheiro*? Ok, eu concordo: bom mesmo é ter o *salário* do Fausto com a *sabedoria financeira* do Renato. Mas, entre as duas opções, lembre-se de que a única disponível *de imediato* para você é desenvolver uma consciência financeira evoluída como a de Renato, a maneira mais rápida e eficaz de conseguir multiplicar seu dinheiro e enriquecer de verdade a curto prazo.

TRÊS FONTES INOVADORAS PARA COMEÇAR A ENRIQUECER DE IMEDIATO

Como vimos até aqui, para conseguir *mais dinheiro*, não adianta buscar nas fontes erradas, seja na *fonte seca* das formas "mágicas", seja na *fonte esgotada* de sua atual renda mensal, que já está dando o máximo para as circunstâncias do momento.

É preciso, sobretudo, desenvolver uma consciência financeira evoluída, passando *a adotar bons hábitos financeiros.* Aprender e assimilar hábitos financeiramente saudáveis deixará sua mente sempre alerta para as questões do dinheiro, afastando você dos tradicionais *vícios financeiros* que empobrecem o bolso das pessoas mal preparadas para lidar com o poder aquisitivo, seja ele qual for.

Há basicamente *três tipos* de bons hábitos financeiros a ser explorados em sua vida financeira, conjunto que batizei de *Tríade da multiplicação do dinheiro* (que integra a metodologia PROF – *programa de reeducação e orientação financeira*): refiro-me a três excelentes opções de *fontes inovadoras e abundantes para multiplicar seu dinheiro e enriquecer,* fontes para você descobrir e passar a explorar imediatamente, com o objetivo de conseguir *mais dinheiro* a partir do dinheiro que você já tem:

I. Investimentos mais dinâmicos: bons planos de investimentos combinados com aplicações frequentes, buscando rentabilidade diferenciada sem abrir mão de muita segurança. Com esse saudável hábito financeiro, você pode enriquecer por meio dos juros sobre juros ganhos em seus planos de investimentos e aplicações dinâmicas. *Veja só: investindo em boas ações de sólidas empresas brasileiras, bastarão R$ 400 de esforço investidor mensal, do início de sua carreira profissional até a aposentadoria, para acumular o equivalente a R$ 1 milhão. Você investirá cerca de R$ 200 mil (R$ 400 mensais x 12 meses/ano x 40 anos = R$ 192 mil), mas poderá receber cinco vezes esse valor por causa do enriquecimento com os ganhos dos juros sobre juros ao longo do tempo.*

II. Gastos mais econômicos: despesas e compras enxutas, bem focadas em suas verdadeiras prioridades e bem controladas por meio de um orçamento familiar organizado. Com esse bom hábito financeiro, você libera o dinheiro normalmente empatado em desperdício para outros gastos mais importantes, para bons investimentos e também para a eventual quitação de dívidas dominantes, das quais se manterá sempre afastado, se souber organizar e controlar direito seu orçamento. *Veja só: no orçamento de uma típica família brasileira de classe média, entre 10% e 30% da renda mensal pode ser economizada e liberada* *com grande facilidade, apenas detectando e eliminando maus gastos, que hoje não estão gerando qualidade de vida efetiva para a família.*

III. Dívidas mais prudentes: poucas dívidas, sendo de tamanho mais discreto, completamente reorganizadas e mais bem planejadas. Assim você consegue transformar em "dinheiro novo" aquele poder aquisitivo costumeiramente dispersado com os elevados juros pagos nas dívidas, redirecionando-o para bons gastos e bons investimentos. *Veja só: uma família brasileira de classe média pode chegar a empatar até um terço de seus ganhos mensais apenas para cobrir os juros de suas diversas dívidas. Elimine tais dívidas, a começar pelas mais preocupantes, e esse dinheiro poderá ser convertido de imediato em pura qualidade de vida, sendo disponibilizado para bons gastos e bons investimentos.*

Essa rica *tríade de fontes para o enriquecimento imediato* é normalmente mal aproveitada pela maioria das pessoas, por causa do nosso baixo nível de educação financeira; porém, se revela altamente eficaz no objetivo de colocar *mais dinheiro* no bolso de quem estiver disposto a explorá-la desde já.

O EFEITO MULTIPLICADOR DO DINHEIRO DEPENDE DA DESTINAÇÃO QUE SE DÁ A ELE

O objetivo principal deste livro é ensiná-lo a *multiplicar* seu dinheiro se valendo desses *três indispensáveis fatores multiplicadores*, fazendo crescer e frutificar de forma impactante aquele dinheiro já conquistado por meio de seu trabalho honesto e dedicado, para poder, assim, ampliar seu poder aquisitivo de forma concreta e impactar positivamente sua qualidade de vida, começando agora mesmo.

Vamos então nos debruçar sobre estas três importantes *áreas de preocupação e ação* em suas finanças pessoais: seus *investimentos*, seus *gastos* e suas *dívidas*. Esses são os três tipos de *pagamentos* (três principais formas de *desembolsar* o dinheiro) que disputam seus "cobres" entre si. Esses três vivem "brigando" dentro do seu bolso para ver quem vai levar mais.

Lembre-se de que você é o juiz da sua vida financeira: a decisão de *para onde deve ir* seu dinheiro é somente sua, e você não deve delegar a *destinação* dos seus pagamentos levianamente à sorte ou cegamente à má propaganda. É preciso, portanto, assumir a responsabilidade e ter cuidado: a forma como você *escolhe* destinar seu dinheiro para os seus diversos pagamentos selará seu destino e sua riqueza financeira. Ao fazer essas escolhas, busque sabedoria e cuide de afastar-se daqueles *péssimos vícios financeiros* que, ao invés de multiplicar, acabam por *dividir e pulverizar o dinheiro*:

Dívidas nocivas: abundantes, de grande volume financeiro, contraídas de forma emergencial e sem planejamento algum. Consomem enormes quantias em juros desnecessários, um dinheiro que simplesmente "vira pó" e não agrega nada a sua vida.

Gastos descontrolados: inchados, excessivos, desorganizados e mal focados. Levam um dinheirão embora, e não trazem qualidade de vida em troca.

Investimentos medíocres: esporádicos, de valores tímidos, que rendem pouco demais ou trazem riscos desnecessários, gerando perdas perfeitamente evitáveis.

Nenhum desses males vitimará seu bolso se, ao longo dos próximos 12 meses, você tiver a disposição de assimilar os bons hábitos financeiros que tenho para lhe propor neste *Plano da Virada* para sua vida financeira. Quem procura desenvolver uma consciência financeira evoluída, conhecendo e dando *empowerment* aos fatores multiplicadores do dinheiro, consegue sempre enriquecer de maneira eficaz e duradoura, mesmo sem ganhar um centavo a mais de salário ou de lucro/pró-labore do seu negócio próprio, e mesmo também sem ganhar na Mega-Sena ou coisa do tipo, apenas trabalhando melhor as três fontes inovadoras de conseguir mais dinheiro.

MAS... ENRIQUECER PARA QUÊ, MESMO?
QUALIDADE DE VIDA CUSTA DINHEIRO

Afinal, para que ficar tão assim preocupado em multiplicar seu dinheiro e enriquecer? Para poder acumular uma grande fortuna nessa vida? É disso que no fundo se trata o esforço de enriquecer?

Para que você não se iluda com o propósito deste livro, preciso lhe apresentar alguns conceitos interessantes sobre a *riqueza*, conceitos que pude absorver ao longo de minha vasta vivência profissional. Na vida, existem basicamente dois tipos de riqueza: a *verdadeira* e a *ilusória*.

Normalmente, quando pensamos em riqueza costumamos nos focar na ideia da *grande fortuna*. Muitos perseguem a grande fortuna, crentes de que o "acúmulo de milhões" é o único sentido de uma vida financeira bem-sucedida. Infelizmente, a maioria se decepciona nessa busca vã.

Quase sempre o grande esforço empreendido na procura da *riqueza ilusória* da grande fortuna consumirá grandes volumes de *tempo* e *energia*, seus recursos vitais mais preciosos. E talvez esse esforço todo jamais resultará no tão cobiçado "baú do tesouro". Poucos de fato atingem a grande fortuna e, mesmo quando se consegue chegar lá, o processo pode deixar um gosto amargo na boca.

Certa vez ouvi o seguinte de um empresário brasileiro "de sucesso", dono de uma grande fortuna, porém estressado e com uma vida pessoal desestruturada e infeliz: "Perdi minha juventude para construir meu império!" Na hora, pensei: "Se foi mesmo assim, que péssima troca, meu senhor!"

Uma grande fortuna dá coceira no bolso, é verdade. Porém eu insisto que dinheiro demais tem um tremendo potencial de gerar desilusões e preocupações sem fim. "Não posso dizer que seja ruim ter dinheiro. Mas, infelizmente, acho que dá muito mais dor de cabeça do que traz felicidade", chegou a dizer o lendário bilionário brasileiro Antônio Ermírio de Moraes, patriarca do Grupo Votorantim, um dos mais experientes e sábios empresários do País.

Perseguir a riqueza ilusória da grande fortuna é algo perigoso. Mas uma coisa é certa: você quer morar bem, comer bem, vestir-se bem, ter bons carros, viajar, poder aproveitar suas horas de lazer, ter prazer e satisfação nesta vida, e até mesmo poder ajudar quem precisa, sem para isso ter que assumir dívidas e mais dívidas.

Você almeja a *verdadeira riqueza* de uma vida com qualidade, prosperidade e tranquilidade. E você quer tudo isso *agora*, mas também deseja o mesmo *no futuro*, para daqui a dez, vinte ou trinta anos. Mas convém ressaltar que um alto teor de qualidade de vida não virá até você *de graça*, pelo menos não na maior parte das vezes. Em nosso mundo, de graça é *exceção*, não a regra.

A qualidade de vida que você deseja terá que ser *adquirida*, ou seja, deverá ser *comprada em troca de dinheiro*. E não há como negar: para maximizar sua qualidade de vida, você terá de encontrar e praticar formas inovadoras e mais viáveis de *fortalecer seu poder aquisitivo*. O que jamais deve ser encarado como sinônimo de perseguir incansavelmente a grande fortuna.

De qualquer forma, se você estiver mesmo intencionado (ou fadado) a tornar-se um multimilionário, terá de partir de onde se encontra hoje e passar a agir de forma proativa e inovadora em sua vida financeira, o que remete à importância de detonar o quanto antes seu *processo de enriquecimento contínuo*. Acredite-me: o que lhe trará felicidade e realização no relacionamento com o dinheiro é pôr em prática o processo de enriquecer em si, independentemente de onde você chegará em termos quantitativos. Não importa tanto quantos "zeros" comporão, no fim das contas, as cifras da sua vida financeira: estou mais preocupado em ajudar você a aumentar a quantidade de sorrisos que pode tirar de seu bolso, isso sim!

A VERDADEIRA RIQUEZA É A QUALIDADE DE VIDA PLENA

Ao refletir sobre o papel do dinheiro em sua vida, você pode num primeiro momento achar que *gosta* de dinheiro. Creio que isso seja verdade, mas o sentido não é assim tão direto. O que queremos em nossa luta para ter mais dinheiro é poder elevar nossa qualidade de vida, e mantê-la elevada ao longo do tempo, ou seja, conquistar *qualidade de vida com plenitude*.

Portanto, todo o esforço para multiplicar seu dinheiro e enriquecer tem um duplo objetivo: conquistar uma boa vida *hoje*, mas também possibilitar viver bem no *amanhã*. Somente o encontro do equilíbrio na distribuição de seu dinheiro entre o *presente* e o *futuro* poderá resultar na conquista da *verdadeira riqueza em sua vida financeira*, a riqueza de uma existência com *qualidade de vida plena*, de ponta a ponta, hoje, amanhã e depois. Para isso, é preciso conhecimento especializado.

Muita gente passa a vida na triste condição de "ignorante financeiro". São pessoas talentosas, trabalhadoras, que até sabem *fazer* dinheiro, mas, na prática, não sabem direito *o que fazer* com ele. Lidar com a grana não é tão simples, requer conhecimento específico, boas técnicas e ferramentas de planejamento e gestão das finanças pessoais. Na ausência desses recursos, muitos acabam se relegando a um processo de empobrecimento contínuo, condenando-se a viver bem abaixo de suas verdadeiras possibilidades. O que é lamentável.

O dinheiro é uma poderosíssima força em sua vida, e você precisa *compreendê-lo* para poder *dominá-lo e multiplicá-lo*. Com este *Plano da Virada*, quero muni-lo de um guia útil para descobrir e explorar as fontes inovadoras e abundantes para multiplicar seu dinheiro e enriquecer de verdade, partindo de seu verdadeiro potencial financeiro atual.

Você terá um ano inteiro para assimilar e colocar em prática os novos conhecimentos que lhe apresento a seguir. Após esses 12 meses de completa reeducação financeira, creio que sua qualidade de vida poderá ser elevada a um padrão nunca antes imaginado, e será possível mantê-la nesse patamar. Já vi isso acontecer com inúmeras famílias, e desejo o mesmo a sua. Conhecimento, proatividade e persistência são o segredo do sucesso em qualquer área da vida. Mãos ao bolso e sucesso!

2 – O CAMINHO DA VERDADEIRA RIQUEZA X AS ETAPAS DA VIDA

Você está satisfeito com sua vida financeira? Sente que ela está evoluindo como deveria rumo a um patamar elevado de plena qualidade de vida? Reflita um pouco sobre estas questões:

- **Desespero**: se as coisas não estão no curso evolutivo desejado, se você sente que está empobrecendo em vez de enriquecer, quais são os problemas e desafios financeiros que bloqueiam seu caminho rumo à verdadeira riqueza?
- **Desesperança**: por acaso existem grandes sonhos de compra e consumo que hoje lhe parecem distantes demais, quase impossíveis de alcançar, mas que você gostaria muito de poder garantir?
- **Letargia**: você por acaso tem a impressão de que pode estar deixando de aproveitar boas oportunidades financeiras de que outros têm se servido para enriquecer?

Afirmei há pouco que a verdadeira riqueza pode ser conquistada explorando fontes de multiplicação do dinheiro que lhe tragam qualidade de vida com plenitude. Ou seja, é preciso planejar seus gastos, suas dívidas e seus investimentos para viver com qualidade de vida no *presente*, atendendo de forma satisfatória a todas as suas *necessidades cotidianas*, mas também angariar qualidade de vida no *futuro*, conseguindo conquistar todos os seus principais *sonhos de compra e consumo*. O foco é relacionar-se com seu dinheiro de forma mais saudável para extrair dele mais qualidade de vida hoje, amanhã e depois, de forma equilibrada e plena.

Agora, proponho que você dê uma rápida olhada e medite um pouco sobre estes dois grandes momentos da sua qualidade de vida: o *presente* x o *futuro*. Tudo vai bem com essas dimensões da sua vida?

QUALIDADE DE VIDA NO PRESENTE: SATISFAÇA SUAS NECESSIDADES

Eis uma lista de desejos cotidianos muito comuns quando se pensa em obter qualidade de vida. Trata-se de uma série de necessidades triviais, porém que lhe demandam dinheiro, e que você deseja poder atender com folga no dia a dia. Tudo lhe vai bem hoje com relação ao atendimento dessas necessidades?

- Comprar roupas, acessórios, artigos pessoais e de tecnologia,
- Bancar saídas, shows, restaurantes, passeios e viagens curtas,
- manter seu(s) carro(s),
- Manter sua casa e imóvel(is) de lazer,
- Prover uma boa vida a seu(s) filho(s): educação + roupas & brinquedos + lazer + saúde,
- Bancar todos os gastos, contas e compras da família,
- Custear a cobertura de um bom plano/seguro saúde,
- Custear a cobertura de um bom seguro de vida,
- Oferecer doações e auxílio financeiro a parentes (pais/filhos/netos) e amigos, igrejas, organizações filantrópicas e assistenciais, ou terceiros.

QUALIDADE DE VIDA NO FUTURO: REALIZE SEUS GRANDES SONHOS

No amplo horizonte da qualidade de vida existem também aqueles sonhos mais "caros", que pedem tempo e esforço poupador e investidor. Do contrário, somente poderão ser viabilizados por meio de dívidas - um caminho penoso, ou então terão de ser sacrificados. Hoje está tudo bem encaminhado para os sonhos ainda não conquistados?

- Carro(s): compra do primeiro, troca, equipagem (*próprio x para os filhos*),
- Casamento com estilo, incluindo festança e/ou superviagem (*próprio x para os filhos*),
- Casa própria e imóvel(is) de lazer ou como investimento (*próprio x para os filhos*): compra do primeiro, troca, decoração, reforma,
- Filho(s): chegada ao mundo com segurança e conforto,
- Educação superior e profissionalizante de bom nível (*própria x para filhos*): faculdade, pós-graduação, curso de especialização, curso de idioma no exterior,
- Grandes celebrações e viagens (*próprias x para filhos*): festa de 15 anos para a(s) filha(s), aniversários de "décadas" e bodas etc.,
- Montagem de negócio (*próprio x para os filhos*),
- Manutenção da segurança financeira em período de desemprego,
- Conquista da tranquilidade financeira na aposentadoria,
- Legado e patrimônio bem planejados para seus herdeiros.

AS ETAPAS DO CAMINHO DA VERDADEIRA RIQUEZA

Nossa vida financeira naturalmente é composta por *fases evolutivas*, cada qual com desafios bastante peculiares de bom planejamento e boa gestão do dinheiro. Em todas essas etapas, permanece o duplo desafio de atender a todas as suas necessidades cotidianas e também de encaminhar todos os seus grandes sonhos de compra e consumo de forma equilibrada, trilhando o caminho da verdadeira riqueza da plena qualidade de vida.

São seis as principais etapas de nossa vida financeira, e cada fase apresenta uma dinâmica muito própria para o bom relacionamento com o dinheiro:

1ª FASE: CAPACITAÇÃO (até os 25 anos)
2ª FASE: CONSTRUÇÃO (25 a 35 anos)
3ª FASE: CONQUISTA (35 a 45 anos)
4ª FASE: CONSOLIDAÇÃO (45 a 60 anos)
5ª FASE: SUPERAÇÃO (60 a 80 anos)
6ª FASE: CONTEMPLAÇÃO (acima dos 80 anos)

Proponho examinarmos melhor cada uma das etapas da vida, identificando os principais desafios financeiros para enriquecer (e evitar empobrecer!) em cada uma delas. Independentemente de onde se encontra hoje, você terá um rápido *flashback* de sua vida financeira. Isso ajudará a colocar seu relacionamento com o dinheiro em perspectiva.

Depois disso, minha sugestão é que você faça uma rápida autoavalição de seu desempenho na *atual fase de sua vida*, visando identificar os ajustes de rota necessários para dar sua grande virada rumo à verdadeira riqueza, estruturando seu *Plano da Virada* de forma completa e assertiva.

1ª FASE: CAPACITAÇÃO (ATÉ OS 25 ANOS)

A primeira fase de sua vida financeira é a etapa da *Capacitação*.

Até aqui, se você nasceu com o conforto e a proteção financeira de um típico lar de classe média, não será necessário sacrificar-se para poder se sustentar. Seu principal desafio será, além de *viver bem* – pois o bem viver é sempre um imperativo! –, aproveitar esse período para se capacitar profissionalmente e, assim, conseguir atuar como *bom gerador de renda* nas etapas seguintes.

Outra sábia providência será aproveitar a "cuca fresca" e a maior disponibilidade de tempo para aprender tudo o que você puder sobre *planejamento financeiro* e *investimentos dinâmicos*: você ainda é bastante jovem, tem pela frente um longo horizonte de poupança e investimento, e pode chegar muito longe se souber se planejar para economizar e aplicar suas economias de forma criativa, inovadora, empreendedora, visando melhor *rentabilidade*, sem para isso ter que abrir mão de um bom nível de *segurança*, aprendendo a enriquecer com inteligência e solidez.

No mais, como você já será um *consumidor bastante ativo*, convém planejar seus gastos e suas compras com responsabilidade, mantendo-se afastado das dívidas preocupantes. Cuidado para não começar sua vida financeira "com o pé esquerdo", atolado em infindáveis prestações, afogado no pagamento de juros desnecessários, que só fazem lhe empobrecer. Desde sempre, coloque em prática um bom planejamento e uma boa gestão de seus gastos, contas e compras. Afinal, você terá que "vigiar" seu bolso a vida toda.

Não caia na besteira de, a partir deste ponto, querer se encostar financeiramente nos seus pais: eles provavelmente terão poucas condições efetivas de ajudá-lo financeiramente nas próximas fases da sua vida, devido aos desafios financeiros particulares que *eles* próprios enfrentarão na maturidade. Se esse tipo de "ajuda" estiver disponível, tente se abster dela, pois isso poderá minar sua capacidade de aprender a dar passos com as próprias pernas, ou seja, aprender a viver bem e a conquistar seus sonhos com seu próprio bolso. A riqueza dos seus pais é deles; com independência construa você a sua.

Ok, se lhe for oferecido, não recuse algum auxílio financeiro pontual, talvez para comprar o primeiro carro, dar entrada no financiamento de sua primeira casa própria ou então pagar uma pós-graduação de alto nível, quem sabe até no exterior. Mas aprenda, o quanto antes, a custear suas próprias despesas e a realizar seus próprios investimentos dinâmicos.

Para enriquecer rapidamente nas próximas fases, cuide de *educar-se do ponto de vista profissional e financeiro*, desenvolvendo em sua vida uma consciência financeira evoluída, o elevado "estado de espírito do seu bolso" que, daqui para frente, será o alicerce para todas as suas boas decisões com relação ao dinheiro. Comece com o "bolso direito" e vá longe em seu processo de enriquecimento para alcançar a plena qualidade de vida. Você está apenas começando, e o futuro promete!

2ª FASE: CONSTRUÇÃO (25 A 35 ANOS)

A mudança na dinâmica de seu relacionamento com o dinheiro será profunda na fase da *Construção*. Pela primeira vez em sua história pessoal você sentirá os *prazeres* e as *dores* de estabelecer-se "por conta e risco" com seu próprio bolso, tomando suas próprias decisões financeiras e delas colhendo os frutos disponíveis, sejam eles bons ou ruins.

A "grande aventura" de sua vida financeira está apenas começando. É nessa fase que muitos se estabelecem de forma autônoma na vida e iniciam suas famílias, construindo item por item sua estrutura básica de despesas: casa, carros, filhos etc. Para os que vêm de famílias mais abastadas, o desafio é começar a vida independente sem a sensação de empobrecimento. O perigo é tentar manter o antigo padrão bancando seus gastos e compras com dívidas. Cuidado, o crédito pessoal nunca foi tão fácil e abundante de se obter como hoje, e requer sabedoria financeira dobrada!

Como fazer o casamento dos sonhos, com uma linda festa e aquela memorável superviagem da lua de mel? Como conseguir comprar seu primeiro carro e, a partir daí, trocá-lo por automóveis cada vez melhores? Como adquirir sua primeira casa própria, podendo quitá-la o quanto antes, decorá-la completamente de acordo com o seu gosto e fazer uma grande reforma com importantes melhorias assim que possível? Como se preparar financeiramente para ter filhos com conforto e segurança? Tudo isso sem deixar de viver uma boa vida no dia a dia, com lazer e prazer, aproveitando o que a vida tem de melhor, e ainda por cima mantendo-se afastado das dívidas preocupantes?

Como conseguir enriquecer para dar conta desses numerosos desafios, que a cada dia parecem testar o seu bolso? Não é fácil, mas é possível, com muito trabalho – para ganhar dinheiro – e altas doses de *bom planejamento e boa gestão financeira* – para multiplicar seu dinheiro, assentando com solidez as bases da consciência financeira evoluída que levará você e sua família ao patamar de plena qualidade de vida que pretendem conquistar e usufruir nessa fase e também em todas as etapas seguintes de sua vida.

3ª FASE: CONQUISTA (35 A 45 ANOS)

É na etapa da *Conquista* que você vai fincar sua "bandeira" financeira, "marcar seu território" na dimensão financeira de sua vida. Na fase anterior, você *começou a tentar*, agora vai *conseguir* de fato. Nessa etapa, você provavelmente quitará sua primeira casa própria, terá seu último filho, fará aquelas memoráveis grandes viagens ao exterior – pelo menos uma delas – comprará carros melhores, talvez até um segundo imóvel, este apenas para os dias de lazer.

Aqui você atingirá sua maturidade profissional e maximizará as possibilidades de ganho de seu trabalho. É na fase da *Conquista* que você também definirá o *estilo de vida* que deseja ter, acompanhado do natural desafio de dar sustentabilidade financeira a ele. Você chegou à primeira versão daquilo que pode chamar de *uma boa vida*, e sabe muito bem que não chegou aqui por acaso, mas à custa de muito sacrifício. Você veio enriquecendo, e quer continuar nesse processo. Não vai querer voltar para a etapa anterior, vai?

Por isso, nessa fase você deverá começar a "preparar o terreno" para viver uma boa vida nas etapas seguintes. Já está mais que na hora de iniciar a preparação da sua *previdência financeira para a aposentadoria*, porque deixar para mais tarde vai encarecer demais o esforço poupador. E não convém ficar sem um bom *plano de saúde*, bem como um bom *seguro de vida*. Coisas ruins também podem acontecer com pessoas boas e, nesse caso, você não deseja estar descoberto do ponto de vista financeiro.

Na fase da *Conquista*, investir "pesado" para realizar seus principais sonhos de compra e consumo será sua única garantia de uma vida material plenamente realizada. E caso tenha *dívidas preocupantes*, esta é a hora de se livrar delas de uma vez por todas! Quem sabe inclusive montar um *negócio próprio* como alternativa inteligente para uma carreira corporativa eventualmente ameaçada. Ou, então, melhor ainda: estruturar sua própria empresa para explorar uma boa oportunidade que você tenha enxergado no mercado em todos esses anos de experiência profissional.

Nessa etapa, você descobrirá que o seu dinheiro não foi feito só para você. Sua visão de mundo será tremendamente ampliada com seu amadurecimento pessoal, e uma das coisas que aprenderá é que existem pessoas que precisam desesperadamente da sua ajuda. Uma folga maior planejada no orçamento familiar também lhe permitirá ser solidário e oferecer auxílio financeiro a quem precisa (membros de sua própria família, amigos ou pessoas carentes do meio social que o cerca, e até mesmo o próprio planeta).

4ª FASE: CONSOLIDAÇÃO (45 A 60 ANOS)

A etapa da *Consolidação* representa a *solidificação* de suas conquistas materiais: é nessa fase que você possivelmente almejará uma casa própria maior e mais bem localizada. Ou uma ampla reforma e redecoração de sua atual moradia. Quem sabe um segundo imóvel para lazer, como um apartamento na praia, ou até mesmo um terceiro imóvel para seu usufruto nas horas de folga, como uma casa de campo ou aquela chácara para simular o ideal idílico de uma vida simples no interior, mais perto da natureza.

Aqui você desejará andar bem-vestido, dirigindo carros top de linha, fazendo boas viagens e frequentando bons restaurantes. Enfim, todo o conforto e a conveniência que o seu dinheiro puder comprar, permitindo-lhe usufruir as conquistas colhidas com o sacrifício do trabalho e da dedicação que você empenhou até esse momento de sua vida.

Ao mesmo tempo, é nessa etapa que você deve redobrar o cuidado, para não se deslumbrar com gastos excessivos e dívidas descontroladas. Até agora, você veio num processo de enriquecimento contínuo, que não deve ser interrompido. Mas é justamente nesse momento que poderá surgir um rebaixamento do seu nível de renda, em função de uma eventual recolocação no mercado de trabalho, em que passará a ganhar menos do que estava acostumado a receber, já que o mercado de trabalho costuma taxar profissionais maduros como "caros demais". Então convém estar financeiramente preparado para o eventual desemprego crônico.

Além disso, o grosso do seu pé-de-meia para a aposentadoria deverá ser acumulado nessa etapa, aproveitando seu maior poder aquisitivo e a menor necessidade de empregar recursos para construir sua estrutura básica de vida, que já estará devidamente assentada. Mas seu futuro financeiro estará perigosamente ameaçado se os gastos rolarem soltos e houver o inevitável apelo para as más dívidas.

Continue poupando regularmente e tocando com afinco seus diversos planos de investimentos ainda não concretizados, aprimorando cada vez mais sua consciência financeira desenvolvida, que até o momento tem sido (e será sempre!) a base de sólidas decisões no seu relacionamento saudável com o dinheiro.

Apesar das conquistas consolidadas, novos desafios para o seu bolso naturalmente surgirão na fase de *Consolidação*. Para quem teve filhos, é agora que a prole passará a demandar ainda mais: desde uma belíssima festa (ou uma megaviagem) de 15 anos para sua filha até aquele novo carro (0 km, de preferência!) para seu filho que acaba de entrar na faculdade.

E, claro, com a faculdade, há o inevitável aumento da mesada do(s) seu(s) filho(s) universitário(s), para bancar uma vida social mais intensa, com maior necessidade de andar na moda, viajar com a galera... ufa! Mas, se você estiver financeiramente bem planejado, poderá extrair um grande senso de realização pessoal ao continuar provendo o melhor para seus descendentes – agora mais "exigentes" – seguindo o elevado padrão de provimento paternal/maternal que você se propôs a bancar até agora.

5ª FASE: SUPERAÇÃO (60 A 80 ANOS)

A etapa da *Superação* corresponde ao momento de sua vida financeira em que todos os seus principais sonhos já terão sido conquistados. É hora de continuar vivendo bem, com conforto e segurança, podendo inclusive ajudar eventualmente quem necessita de seu auxílio financeiro, sejam pais idosos, filhos "estreantes" na vida profissional, netos desassistidos ou pessoas carentes da sociedade a sua volta.

De certa forma, a sensação é de *missão cumprida*, mas, para sua surpresa, o placar ainda pode estar aberto, e a bola rolando em campo. É uma fase que pode lhe reservar agradáveis novidades em sua vida como um todo, particularmente na área financeira.

Até a geração de nossos avós, "aposentar-se" significava sair de campo, vestir o pijama e acomodar-se na frente da TV. Felizmente, não é mais assim; pelo menos *não precisa* ser assim se você não quiser. Passando dos 60 anos, você – que tem a expectativa bastante razoável de viver até os 100! – ainda pode ter muita coisa a fazer nesse mundo. Seu processo de enriquecimento contínuo não precisa necessariamente se interromper por aqui. Existe sua experiência, tanto pessoal quanto profissional, acumulada nas últimas décadas de vida e de trabalho. E pode existir a disposição física e mental para continuar ativo no jogo.

Assim, nessa fase você talvez acabe optando por começar uma nova carreira, eventualmente se estabelecendo como *consultor especializado de "inteligência"* em sua tradicional área de atividade profissional, quem sabe como *empreendedor*, dono de um negócio próprio, até mesmo em um segmento bem distinto daquele em que você costumava atuar.

Pois essa importante decisão sobre *novos rumos profissionais* terá impacto expressivo sobre sua vida financeira, e isso pode ser muito positivo, desde que você providencie essa evolução toda com boas doses de planejamento, calcado na avançada cultura financeira que você terá cultivado em sua vida até então. E, independentemente de ganhar dinheiro de seu plano de aposentadoria financeira ou de sua atividade profissional renovada, sua vida continuará sendo tocada com base nos bons hábitos financeiros que o trouxeram ao elevado patamar de qualidade de vida em que se encontra hoje.

Para quem teve filhos, esta ainda será uma fase de gratificantes oportunidades para ajudá-los em seus primeiros passos na vida financeira adulta. Você pode querer auxiliá-los no custeio do casamento e na compra de um primeiro imóvel próprio. Ou no "financiamento a fundo perdido" de um bom curso de pós-graduação, inclusive no exterior. Pode até doar certo capital financeiro para que seu (promissor e bem planejado) filho inicie um (promissor e bem planejado) negócio próprio. O que conquistou para si, você agora quer para os seus.

Essa será a hora de planejar de forma competente o *legado financeiro* que você pretende deixar para seus entes queridos, inclusive com eventuais doações e a possível transmissão de patrimônio feita ainda em vida. Não lhe terá custado pouco conquistar tudo o que conseguiu até aqui, porque o processo de enriquecimento contínuo sempre envolve sacrifícios.

Então, é natural que você queira passar tudo isso da forma financeiramente mais inteligente e segura para a posteridade daqueles que ficarem após sua ida, evitando o desnecessário pagamento de impostos de transmissão e honorários de inventário, pesados custos que poderão dilapidar boa parte do patrimônio que você pretende transferir às próximas gerações.

6ª FASE: CONTEMPLAÇÃO (ACIMA DE 80 ANOS)

A etapa da *Contemplação* é a fase mais evoluída de sua vida como um todo, e também a de plenitude máxima das conquistas na sua vida financeira.

Os grandes sonhos já foram todos materializados e as boas batalhas, vencidas, muitas delas com "honra ao mérito". Você terá vivido uma existência verdadeiramente rica!

Aos 80 anos, é hora de conformar-se com o fato de que o jogo em si está praticamente encerrado: por natural decorrência da longa vida com que você foi agraciado, sua energia física e mental sofrerá uma redução significativa, e provavelmente você desejará assumir uma postura mais *contemplativa* com relação à vida. Como será bom olhar a sua volta e constatar que, partindo muitas vezes "do nada", tanta coisa foi realizada, para si e para aqueles que você ama!

Nessa fase, trabalhar para ganhar dinheiro e, assim poder bancar suas contas, muito provavelmente estará fora de seus planos. Ou, para sermos bem realistas, fora de suas concretas possibilidades. No entanto, seu planejamento financeiro – providenciado e cultivado de forma cuidadosa nas fases anteriores – lhe garantirá respaldo para dar continuidade a uma vida de consumo ativo, com conforto, comodidade, alguma mordomia e, sobretudo, *plena qualidade de vida*!

3 – SUA VIDA FINANCEIRA: ONDE VOCÊ ESTÁ X AONDE QUER CHEGAR?

Agora lhe proponho um teste rápido, com o qual você poderá identificar se está vivendo com plena qualidade de vida hoje, tanto no que se refere a ter uma boa administração financeira para atender suas necessidades cotidianas quanto no que diz respeito a ter um bom planejamento financeiro para conquistar seus grandes sonhos de compra e consumo. Dá para dizer que sua vida financeira vai bem? Para valer?

Escolha a fase etária que corresponde ao seu momento de vida atual e faça a autoavaliação nas próximas páginas. Para ampliar sua visão financeira da vida, invista um pouco do seu tempo e dê também uma olhada nas etapas anteriores, principalmente, nas fases que ainda estão por vir.

Deixe a resposta em branco se um determinado item do teste não fizer sentido para suas circunstâncias, mas se esforce para preencher todos os demais de forma honesta e comprometida consigo mesmo. O objetivo aqui não é "ganhar uma medalha de honra ao mérito" por seu eventual excelente desempenho, muito menos "ser deportado para o inferno dos financeiramente mal planejados" em função de uma performance ruim.

Apenas proponho fazer esse exercício no intuito de aumentar sua percepção sobre sua vida financeira *hoje* – seu ponto de partida – identificando quais as *principais áreas de enfoque* e os *ajustes de rota* que terão de ser providenciados logo na sequência, na estruturação competente de seu *Plano da Virada*. Afinal, você está apenas começando a grande guinada em sua vida financeira. Avante!

CAPACITAÇÃO (ATÉ OS 25 ANOS)

NECESSIDADES COTIDIANAS

☹ **Nada**
😐 **Um pouco**
☺ **Satisfatoriamente**
☻ **Em excelente nível**

☹ 😐 ☺ ☻ Gerar um bom nível de renda mensal.
☹ 😐 ☺ ☻ Curtir a boa vida de solteiro.
(*Ainda mora com pais e recebe ajuda deles.*)
☹ 😐 ☺ ☻ Poder comprar artigos de tecnologia, roupas e acessórios de grife.
☹ 😐 ☺ ☻ Bancar com tranquilidade meus passeios, shows e baladas.
☹ 😐 ☺ ☻ Poder bancar viagens curtas frequentes.
(*Normalmente com amigos.*)
☹ 😐 ☺ ☻ Conseguir sustentar os custos do meu carro.
(*Próprio, dado pelos pais ou emprestado deles.*)
☹ 😐 ☺ ☻ Pagar minha própria faculdade sem problemas.
(*Alguns recebem auxílio dos pais.*)
☹ 😐 ☺ ☻ Conseguir manter-me afastado das dívidas preocupantes.
☹ 😐 ☺ ☻ Poder auxiliar financeiramente meus pais (*se este for o caso*).

GRANDES SONHOS DE COMPRA E CONSUMO

☹ **Parado**
😐 **Devagar**
☺ **Evoluindo**
☻ **Conquistado**

☹ 😐 ☺ ☻ Comprar meu primeiro carro (*alguns ganham dos pais*).
☹ 😐 ☺ ☻ Realizar viagem(ns) de grande porte (*talvez inclusive ao exterior*).
☹ 😐 ☺ ☻ Herdar ou montar um próspero negócio próprio.
(*Talvez com capitalização dos pais.*)
☹ 😐 ☺ ☻ Livrar-me das dívidas mais preocupantes (*quando havia*).

AUTOAVALIAÇÃO DE SUA VIDA FINANCEIRA

No geral, como você enxerga a evolução de sua vida financeira nessa fase?

☹ Atrasada
☹ Parada
😐 Caminhando
☺ Satisfatória
☻ Acelerada

CONSTRUÇÃO (25 A 35 ANOS)

NECESSIDADES COTIDIANAS

☹ **Nada**
😐 **Um pouco**
☺ **Satisfatoriamente**
☻ **Em excelente nível**

☹ 😐 ☺ ☻ Gerar bom nível de renda mensal.
☹ 😐 ☺ ☻ Poder lidar bem com uma eventual situação de desemprego. (*Voluntário ou não.*)
☹ 😐 ☺ ☻ Viver bem a boa vida de recém-casados, ou então...
☹ 😐 ☺ ☻ Poder curtir a boa vida em "carreira solo". (*Prolongação da vida de solteiro.*)
☹ 😐 ☺ ☻ Conseguir financiar meu projeto de me mudar da casa de meus pais.
☹ 😐 ☺ ☻ Poder bancar a decoração e equipagem da minha primeira moradia.
☹ 😐 ☺ ☻ Conseguir comprar os artigos de tecnologia, roupas e acessórios de grife que quero.
☹ 😐 ☺ ☻ Poder bancar tranquilamente meus passeios, shows e restaurantes preferidos.
☹ 😐 ☺ ☻ Conseguir bancar viagens curtas e frequentes sem problemas.
☹ 😐 ☺ ☻ Conseguir sustentar os gastos com meu(s) carro(s).
☹ 😐 ☺ ☻ Conseguir sustentar com folga as despesas de minha casa.
☹ 😐 ☺ ☻ Poder pagar sem restrições minha pós-graduação, meu curso de especialização ou de línguas.
☹ 😐 ☺ ☻ Ter o suficiente para contratar um bom seguro de vida.
☹ 😐 ☺ ☻ Conseguir manter-me afastado das dívidas em geral.

GRANDES SONHOS DE COMPRA E CONSUMO

☹ **Parado**
😐 **Devagar**
☺ **Evoluindo**
☻ **Conquistado**

☹ 😐 ☺ ☻ Poder casar-me "com estilo" (*com festança e/ou superviagem*), ou então...

☹ 😐 ☺ ☻ Optar por prolongar minha solteirice.

☹ 😐 ☺ ☻ Comprar minha primeira casa própria. (*Alguns ganham um imóvel dos pais ou o recebem "à disposição".*)

☹ 😐 ☺ ☻ Conseguir fazer a troca do(s) meu(s) carro(s) por modelo(s) melhor(es).

☹ 😐 ☺ ☻ Conseguir realizar viagem(ns) de grande porte (*talvez ao exterior*).

☹ 😐 ☺ ☻ Iniciar minha previdência financeira para a aposentadoria.

☹ 😐 ☺ ☻ Livrar-me das dívidas mais preocupantes (*quando havia*).

☹ 😐 ☺ ☻ Ter meu primeiro filho e, quem sabe, meu segundo filho. (*Dependendo das aspirações do casal.*)

☹ 😐 ☺ ☻ Conseguir abrir meu próprio negócio, ou fiz deslanchar um já existente.

AUTOAVALIAÇÃO DE SUA VIDA FINANCEIRA

No geral, como você enxerga a evolução de sua vida financeira nesta fase?

☻ **Atrasada**
☹ **Parada**
😐 **Caminhando**
☺ **Satisfatória**
☻ **Acelerada**

CONQUISTA (35 A 45 ANOS)

NECESSIDADES COTIDIANAS

☹ **Nada**
😐 **Um pouco**
☺ **Satisfatoriamente**
☻ **Em excelente nível**

☹ 😐 ☺ ☻ Gerar bom nível de renda mensal.
☹ 😐 ☺ ☻ Poder lidar bem com uma eventual situação de desemprego. (*Voluntário ou não.*)
☹ 😐 ☺ ☻ Viver bem a boa vida em família.
(*Apesar do "peso" dos gastos com os filhos.*)
ou então...
☹ 😐 ☺ ☻ Curtir com tranquilidade financeira a boa vida "em carreira solo".
☹ 😐 ☺ ☻ Sustentar sem problemas minha casa e meu(s) carro(s).
☹ 😐 ☺ ☻ Pagar "religiosamente" meu seguro de vida, sem me privar de nada.
☹ 😐 ☺ ☻ Manter-me afastado das dívidas em geral.

P*ara quem tem filho(s) e pais vivos*:
☹ 😐 ☺ ☻ Oferecer bom padrão de vida ao(s) meu(s) filho(s): educação, roupas, brinquedos, lazer, saúde.
☹ 😐 ☺ ☻ Oferecer auxílio a meus pais (*quando necessário*).

GRANDES SONHOS DE COMPRA E CONSUMO

☹ **Parado**
😐 **Devagar**
☺ **Evoluindo**
☻ **Conquistado**

☹ 😐 ☺ ☻ Poder já quitar minha primeira casa própria.
☹ 😐 ☺ ☻ Fazer a(s) troca(s) do(s) meu(s) carro(s) por modelo(s) melhor(es).

☹ 😐 ☺ ☻ Realizar viagem(ns) de grande porte (*talvez ao exterior*).
☹ 😐 ☺ ☻ Poder realizar, quando quis, grandes tratamentos de saúde e estética (*cirurgias plásticas, terapias intensivas, implantes dentais etc.*).
☹ 😐 ☺ ☻ Ter investido com regularidade em previdência financeira para a aposentadoria.
☹ 😐 ☺ ☻ Poder livrar-me das dívidas mais preocupantes (*quando havia*).
☹ 😐 ☺ ☻ Conseguir finalmente montar meu próprio negócio, ou ampliar o que já existia.

A depender das circunstâncias:
☹ 😐 ☺ ☻ Ter nosso segundo ou terceiro filho (*ou mais...*).
☹ 😐 ☺ ☻ Conseguir conquistar reequilíbrio financeiro após minha separação conjugal.
☹ 😐 ☺ ☻ Engajar-me no segundo casamento sem restrições financeiras.

AUTOAVALIAÇÃO DE SUA VIDA FINANCEIRA

No geral, como você enxerga a evolução de sua vida financeira nesta fase?

☻ **Atrasada**
☹ **Parada**
😐 **Caminhando**
☺ **Satisfatória**
☻ **Acelerada**

CONSOLIDAÇÃO (45 A 60 ANOS)

NECESSIDADES COTIDIANAS

☹ **Nada**
😐 **Um pouco**
☺ **Satisfatoriamente**
☻ **Em excelente nível**

☹ 😐 ☺ ☻ Produzir um bom nível de renda mensal.
☹ 😐 ☺ ☻ Poder lidar com tranquilidade financeira um eventual período de desemprego.
☹ 😐 ☺ ☻ Ter condições financeiras de viver bem no auge, "nivelar por cima" e poder usufruir minhas conquistas.
☹ 😐 ☺ ☻ Não ter nenhuma dificuldade para sustentar minha casa, carro(s) e imóvel(is) de lazer.
☹ 😐 ☺ ☻ Pagar "fielmente" meu seguro de vida, sem restrições de ordem financeira.
☹ 😐 ☺ ☻ Ter plenas condições de manter-me afastado das dívidas em geral.

Para quem tem filho(s) e pais vivos:
☹ 😐 ☺ ☻ Poder oferecer bom padrão de vida ao(s) filho(s) que ainda é(são) dependente(s).
☹ 😐 ☺ ☻ Conseguir oferecer o auxílio financeiro necessário aos meus pais.

GRANDES SONHOS DE COMPRA E CONSUMO

☹ **Parado**
😐 **Devagar**
☺ **Evoluindo**
☻ **Conquistado**

☹ 😐 ☺ ☻ Conseguir trocar meu(s) carro(s) por modelo(s) *top* de linha.
☹ 😐 ☺ ☻ Conseguir comprar uma casa própria maior e melhor.

☹ 😐 ☺ ☻ Também conseguir comprar um (ou mais) imóvel(is) de lazer. (*Na praia, no campo, ou em ambos.*)

☹ 😐 ☺ ☻ Reformar sem restrições minha casa própria ou imóvel(is) de lazer.

☹ 😐 ☺ ☻ Poder realizar grandes tratamentos de saúde e estética sem fazer dívidas, sempre que quis. *(Plásticas, terapias intensivas, implantes dentais etc.)*

☹ 😐 ☺ ☻ Realizar viagem(ns) de lazer de grande porte (*inclusive ao exterior*).

☹ 😐 ☺ ☻ Investir o suficiente em previdência financeira para minha aposentadoria.

☹ 😐 ☺ ☻ Livrar-me das dívidas mais preocupantes (*quando havia*).

☹ 😐 ☺ ☻ Conseguir expandir e solidificar meu negócio próprio, ou ainda...

☹ 😐 ☺ ☻ Conseguir finalmente me estabelecer por conta própria, como consultor e prestador de serviços em minha área profissional, ou então...

☹ 😐 ☺ ☻ Ter plenas condições financeiras de finalmente montar meu negócio próprio, no mesmo ramo profissional ou em uma área totalmente diferente da minha.

Para quem tem filho(s):

☹ 😐 ☺ ☻ Poder oferecer uma linda festa (ou viagem) de 15 anos para minha(s) filha(s).

☹ 😐 ☺ ☻ Conseguir bancar faculdade(s) de primeira linha para meu(s) filho(s).

☹ 😐 ☺ ☻ Ter condições de oferecer o primeiro carro para meu(s) filho(s) (*doado ou emprestado*).

AUTOAVALIAÇÃO DE SUA VIDA FINANCEIRA

No geral, como você enxerga a evolução de sua vida financeira nesta fase?

☻ **Atrasada**
☹ **Parada**
😐 **Caminhando**
☺ **Satisfatória**
☻ **Acelerada**

SUPERAÇÃO (60 A 80 ANOS)

NECESSIDADES COTIDIANAS

☹ **Nada**
😐 **Um pouco**
☺ **Satisfatoriamente**
☻ **Em excelente nível**

☹ 😐 ☺ ☻ Ter gerado bom nível de renda mensal.
☹ 😐 ☺ ☻ Se o desemprego me pegar, encontrará excelente preparação financeira.
☹ 😐 ☺ ☻ Continuar vivendo bem a boa vida de "aposentado".
☹ 😐 ☺ ☻ Ter como sustentar com tranquilidade minha casa, carro(s) e imóvel(is) de lazer.
☹ 😐 ☺ ☻ Poder concluir o pagamento de meu seguro de vida sem qualquer problema.
☹ 😐 ☺ ☻ Conseguir bancar um bom plano de saúde.
☹ 😐 ☺ ☻ Manter-me afastado das dívidas em geral.

E, ainda, quando necessário...
☹ 😐 ☺ ☻ Estar conseguindo restabelecer meu reequilíbrio financeiro após a viuvez.
☹ 😐 ☺ ☻ Ter condições de oferecer auxílio a meus pais.
☹ 😐 ☺ ☻ Poder também oferecer, sem restrições, auxílio a filhos/netos necessitados.

GRANDES SONHOS DE COMPRA E CONSUMO

☹ **Parado**
😐 **Devagar**
☺ **Evoluindo**
☻ **Conquistado**

☹ 😐 ☺ ☻ Iniciar minha aposentadoria com perfeita tranquilidade financeira, ou então...

☹ 😐 ☺ ☻ Conseguir realizar a sucessão de meu negócio próprio. (*Iniciar transferência, com segurança, para a próxima geração.*)

☹ 😐 ☺ ☻ Conseguir finalmente me estabelecer por conta própria. (*Como consultor e prestador de serviços PJ na sua área.*)

ou então...

☹ 😐 ☺ ☻ Ter plenas condições financeiras de montar meu negócio próprio. (*No mesmo ramo profissional ou em uma área diferente.*)

☹ 😐 ☺ ☻ Realizar viagem(ns) de lazer de grande porte. (*Inclusive ao exterior.*)

☹ 😐 ☺ ☻ Poder realizar grandes tratamentos de saúde e estética quando quis (*Plásticas, terapias intensivas, implantes dentais etc.*)

☹ 😐 ☺ ☻ Livrar-me das dívidas mais preocupantes (*quando havia*).

E, possivelmente... para quem tem filhos:

☹ 😐 ☺ ☻ Ter plena condição financeira de oferecer um belo casamento para meu(s) filho(s).

☹ 😐 ☺ ☻ Poder oferecer a primeira casa, ou apartamento, para meu(s) filho(s). (*Doada ou colocada "à disposição".*)

☹ 😐 ☺ ☻ Conseguir oferecer uma pós-graduação e/ou especialização de bom nível para meu(s) filho(s).

☹ 😐 ☺ ☻ Ter oportunidade de oferecer a meu(s) filho(s) capital para montar seu negócio próprio.

☹ 😐 ☺ ☻ Conseguir consolidar meu patrimônio para meus herdeiros.

AUTOAVALIAÇÃO DE SUA VIDA FINANCEIRA

No geral, como você enxerga a evolução de sua vida financeira nesta fase?

☻ **Atrasada**
☹ **Parada**
😐 **Caminhando**
☺ **Satisfatória**
☻ **Acelerada**

CONTEMPLAÇÃO (ACIMA DOS 80 ANOS)

NECESSIDADES COTIDIANAS

☹ **Nada**
😐 **Um pouco**
☺ **Satisfatoriamente**
☻ **Em excelente nível**

☹ 😐 ☺ ☻ Ter um bom nível de renda mensal.
☹ 😐 ☺ ☻ Viver a boa vida de cidadão sênior, conduzindo bem o desejável prolongamento da minha vida com qualidade, mantendo minha saúde, mobilidade, prazer e algum nível de mordomia.
☹ 😐 ☺ ☻ Sustentar com tranquilidade minha casa, carro(s), imóvel(is) de lazer.
☹ 😐 ☺ ☻ Poder celebrar a vida e comemorá-la com almoços, jantares e festas.
☹ 😐 ☺ ☻ Conseguir bancar um bom plano de saúde, apesar dos custos com a idade avançada.
☹ 😐 ☺ ☻ Ter condições de bancar tratamentos médicos particulares intensivos (*se necessários*).
☹ 😐 ☺ ☻ Poder custear uma assistência médica doméstica especializada (*quando necessária*).
☹ 😐 ☺ ☻ Manter-me perenemente afastado das dívidas em geral.

GRANDES SONHOS DE COMPRA E CONSUMO

☹ **Parado**
😐 **Devagar**
☺ **Evoluindo**
☻ **Conquistado**

☹ 😐 ☺ ☻ Poder bancar todas as grandes celebrações que quis. (*Aniversários de "décadas" e bodas*).
☹ 😐 ☺ ☻ Poder realizar grandes tratamentos geriátricos. (*Preventivos e/ou corretivos.*)

☹ 😐 ☺ ☻ Livrar-me das dívidas mais preocupantes que porventura tive.

AUTOAVALIAÇÃO DE SUA VIDA FINANCEIRA

No geral, como você enxerga a evolução de sua vida financeira nesta fase?

☹ **Atrasada**
☹ **Parada**
😐 **Caminhando**
☺ **Satisfatória**
☻ **Acelerada**

VAMOS PARTIR PARA A VIRADA?

Promovendo essa autoavaliação da sua vida financeira no ponto em que ela se encontra hoje, você pode ter chegado a diferentes conclusões:

- Que, infelizmente, está atrasado, empacado ou até mesmo retrocedendo. ☹
- Que caminha, mas não evolui como gostaria e deseja encontrar novas formas de enriquecer para logo poder passar às conquistas da próxima fase, mas está difícil evoluir de forma satisfatória. 😐
- Que vai bem, mas quer ir mais rápido, enriquecer mais aceleradamente, "turbinar" seu atual desempenho. ☺
- Que está muito bem posicionado no caminho da verdadeira riqueza, mas se der para melhorar alguma coisa e enriquecer ainda mais, está disposto a fazer o possível para isso. ☻

Se, atualmente, você está endividado e empobrecendo de forma acelerada em função dos juros pagos, este livro servirá como uma providencial corda para tirá-lo dessa situação. E, assim que tiver organizado melhor suas finanças do dia a dia, funcionará como uma corda boa e forte para ajudá-lo escalar os mais altos picos na sua vida financeira, com bons planos de investimentos e aplicações financeiras dinâmicas, que irão enriquecê-lo desde já.

Mesmo que tenha obtido um bom resultado no teste, concluindo que sua vida financeira já está razoavelmente bem planejada e administrada, creio que ainda poderá se beneficiar significativamente ao conhecer formas inteligentes e inovadoras de multiplicar seu dinheiro, enriquecer e impulsionar sua vida financeira por meio do *Plano da Virada* que lhe apresento a seguir. Explore as próximas páginas com alegria e determinação: o melhor ainda está por vir!

4 – O PLANO DA VIRADA: 12 MESES PARA ENRIQUECER DE VERDADE!

Ao longo de um ano inteiro de *reflexão* e *ação*, você poderá revolucionar sua relação com o dinheiro e renovar completamente sua vida financeira.

Ao adotar o *Plano da Virada*, poderá atingir – no período aproximado de 12 meses – um patamar de qualidade de vida plena muito superior, multiplicando seu dinheiro e enriquecendo sem precisar contar com um aumento nos ganhos mensais de seu trabalho ou com formas ilusórias de enriquecimento instantâneo.

Não se acomode em uma vida financeira medíocre, abaixo de suas verdadeiras possibilidades de sucesso! O *Plano da Virada* viabilizará uma *mudança profunda* na forma de *pensar* e na forma de *agir* quanto a seus gastos, dívidas e investimentos, para que você consiga multiplicar seu dinheiro de imediato, colocando-se em um processo de enriquecimento contínuo rumo à prosperidade duradoura.

Como já mencionei antes, nesse pl*ano* eu lhe proponho enfocar três principais áreas de *reflexão e ação* nas suas finanças pessoais, acionando progressivamente as fontes da *Tríade da Multiplicação do Dinheiro*:

- **Fonte I – Investimentos mais dinâmicos** – estruture bons planos de investimentos e faça aplicações mais dinâmicas. Investimentos mais frequentes e inteligentes são a maior garantia de enriquecimento para ter uma boa vida no futuro, a única certeza de poder juntar o necessário para conquistar todos os seus sonhos de compra e consumo mais importantes, pagando-os sempre à vista e com desconto.

- **Fonte II – Gastos mais econômicos** – organize seu orçamento, ajuste o foco das despesas, enxugue e controle melhor seus gastos pessoais e familiares, aprendendo a evitar os desperdícios que empobrecem seu bolso, procurando empregar seu poder de compra de forma a ter uma boa vida no presente, partindo sempre de suas verdadeiras possibilidades, atendendo de forma equilibrada a todas as suas necessidades do dia a dia.

- **Fonte III – Dívidas mais prudentes** – planeje novamente seus débitos preocupantes, de preferência elimine-os de vez, evitando o empobrecimento pelo pagamento de juros desnecessários. Corrija suas pendências financeiras mais urgentes, livrando-se de todos os compromissos do passado que ainda podem impedi-lo de avançar no seu relacionamento com o dinheiro, ter mais recursos e ser mais feliz com os disponíveis.

Neste livro, vamos explorar em detalhes essas três vias de enriquecimento imediato. E para que a *virada* nas suas finanças seja completa e sem volta, é necessário que você aprenda também um pouco de *matemática financeira*, nada além (nem aquém!) do suficiente.

Nem todos dominam essa área tão importante do conhecimento prático, algo que aqui será apresentado a você de modo bastante descomplicado e acessível. Trata-se de uma poderosa ferramenta com a qual os ricos de verdade têm plena familiaridade, pois é quase impossível multiplicar seu dinheiro sem enxergar – na ponta do lápis! – o que está acontecendo com ele, ou seja, sem saber fazer a conta certa pela "matemática do dinheiro".

Garanto: matemática financeira é mais fácil do que você imagina (não se subestime!), e conhecê-la terá um impacto decisivo sobre a evolução positiva de sua vida financeira. Quem eventualmente consegue enriquecer sem conhecer matemática financeira pode até chegar a amealhar uma grande fortuna, mas dificilmente conseguirá segurá-la em suas mãos, ainda mais no complexo mundo financeiro de hoje.

RECURSOS QUE ESTE LIVRO TRAZ PARA AUXILIÁ-LO RUMO À VIRADA

Ao longo de todo este guia de planejamento e autogestão de suas finanças pessoais, quero lhe transmitir um conjunto de *conceitos inovadores, boas ideias* e *dicas úteis* para você *refletir* e adquirir uma *nova consciência financeira* rumo à verdadeira riqueza. Esses *insights* de sabedoria financeira poderão levá-lo muito longe.

Agora, se é verdade que boas ideias ajudam muito, reconheço que elas podem não ser o suficiente para transformar sua vida *em profundidade*. Como um experiente planejador financeiro pessoal, eu *sei* disso: a teoria é bela, mas a prática pode acabar sendo outra... E não por falta de saber *o que* fazer, mas por falta de saber *como* fazer, por onde começar, que instrumentos utilizar e quais caminhos seguir *na prática*.

Ciente das inevitáveis limitações de um conteúdo simplesmente meditativo, desejo ir além com você neste livro: aqui eu também lhe ofereço um conjunto de *técnicas testadas e aprovadas* para *agir* de fato em suas finanças pessoais, bem como um *kit de ferramentas práticas* à mão para *transformar* verdadeiramente sua vida, em profundidade. Se assim desejar, é claro.

Trata-se das SMARTCALCS, nossas calculadoras inteligentes, superpráticas e muito úteis, desenvolvidas especialmente para a realidade financeira dos brasileiros. Esse kit de calculadoras financeiras interativas permitirá a você fazer sempre a conta certa antes de tomar cada uma de suas decisões com o dinheiro, bem como manter o "conjunto da obra" de sua vida financeira sob um saudável controle.

Os recursos que trago até você neste livro integram o PROF. Trata-se da consagrada *metodologia de educação financeira* que desenvolvi ao longo de minha frutífera carreira como planejador financeiro pessoal.

Com o PROF, ajudei algumas centenas de famílias a quem tive o prazer de atender *pessoalmente* nas últimas duas décadas. Outros milhares passaram por nossos *programas de treinamento* em todos esses anos. Com o conhecimento adquirido, essas pessoas puderam empreender uma *grande transformação positiva* no plano de seu relacionamento com o dinheiro, enriquecendo de verdade e revolucionando seu padrão de qualidade de vida presente e futura.

12 MESES PARA A VIRADA: MAS POR QUE NÃO SEIS MESES? OU 24?

Pela minha experiência prática, você levará cerca de *um ano* para implementar seu *Plano da Virada* e "arrumar o bolso" de ponta a ponta.

Um ano é um prazo interessante: não traz a falsa promessa da transformação instantânea, do dia para a noite, mas você verá que passa mais rápido do que imagina, principalmente se você começar a agir logo. Daqui a um ano, você olhará para trás e mal acreditará em tudo o que fez e conquistou nos últimos 12 meses. Daqui a um ano, você terá enriquecido de maneira significativa, e já estará solidamente assentado sobre os trilhos da prosperidade duradoura.

Este guia traz um conteúdo bastante extenso, eu reconheço. Mas, coerentemente com o que eu prego aqui, quis lhe oferecer o máximo possível em retorno pelo dinheiro desembolsado na compra do livro. Sei que você há de "me cobrar" pela relação custo-benefício destas páginas, e por isso resolvi caprichar.

Para facilitar a exploração do conteúdo, organizei os capítulos em quatro seções:

O SEGREDO DA TRÍADE DO DINHEIRO
FONTE I: INVESTIMENTOS MAIS DINÂMICOS
FONTE II: GASTOS MAIS ECONÔMICOS
FONTE III: DÍVIDAS MAIS PRUDENTES

A ordem de apresentação das seções segue um critério lógico: a provável quantidade de leitores interessados em cada assunto. Assim, por exemplo, o assunto *investimentos mais dinâmicos* é tratado antes de *dívidas mais prudentes*, creio que todos os leitores deste guia certamente terão interesse em enriquecer fazendo investimentos melhores, ao passo que nem todos têm hoje uma situação de endividamento preocupante, que requeira atenção imediata para evitar o empobrecimento iminente.

As seções poderão ser lidas também na ordem que for melhor para suas necessidades e expectativas. Normalmente, começamos por onde "o calo aperta mais", e não há nada de errado com isso, muito pelo contrário.

De qualquer forma, fique tranquilo: este livro está organizado para que, independentemente da *ordem* em que você decida navegar pelo seu conteúdo, sua compreensão seja fácil e imediata, sem que se perca "o fio da meada". E vamos em frente, porque seu bolso e sua qualidade de vida não podem esperar!

O segredo da tríade do dinheiro

Explore o poder dos juros para fazê-lo enriquecer

Capítulo 1

Ganhe juros e fortifique seu poder aquisitivo

Até aqui, você já pôde refletir um pouco sobre *as três verdadeiras fontes de enriquecimento imediato* que se encontram prontamente ao seu dispor para serem melhor exploradas, a *Tríade da Multiplicação do Dinheiro*:

- Fonte I – Investimentos mais dinâmicos
- Fonte II – Gastos mais econômicos
- Fonte III – Dívidas mais prudentes

E qual o *segredo* da fertilidade desta tríade?

Quando você se esforça para evitar em seu orçamento os *gastos inchados e descontrolados*, consegue se manter afastado das *dívidas imprudentes* – que sempre lhe tomam muito dinheiro na forma de *juros pagos* – e também consegue realizar *bons investimentos* – que sempre lhe põem *mais dinheiro* no bolso na forma de *juros ganhos*, inclusive juros ganhos *sobre juros*.

Aí está o segredo da tríade do dinheiro: colocar para trabalhar a seu favor o *poder enriquecedor dos juros do dinheiro*!

Quando se conhece e se compreende o mecanismo dos juros compostos, e quando se coloca tal mecanismo para funcionar no lado certo da sua vida financeira – para *ganhar* juros nos seus investimentos, ao invés de *pagá-los* em suas dívidas – você libera uma enorme energia financeira, outrora desperdiçada, e pode passar a enriquecer de imediato.

Poucos conhecem e empregam essa chave de acesso rápido ao enriquecimento verdadeiro, porém os ricos modernos reconhecem seu valor e jamais deixam de usá-la. E, melhor: não custa nada, basta o esforço de aprender e colocar em prática o quanto antes. Você sairá na frente se a partir de agora fizer bom uso da incrível energia enriquecedora dos juros compostos!

PASSE JÁ PARA O LADO DE QUEM GANHA JUROS

Realizar seus sonhos de compra & consumo é sempre bom. Melhor ainda é conseguir conquistar cada um deles pagando-os sempre *à vista* e *com desconto*.

Isso é inquestionavelmente mais vantajoso do ponto de vista financeiro, pois na prática tudo ficará muito mais barato para você. No final das contas, seu dinheiro *acaba podendo mais*; o que representa, na prática, um enriquecimento concreto. E não há prazer de consumo que se compare à satisfação de levar para casa algo que está *completamente pago*, sem nenhuma dívida pendurada!

Mas tem um detalhe: conseguir isso parece cada vez mais difícil... Juntar o suficiente para pagar aquela megaviagem à vista? Para comprar um carro com dinheiro pronto? Um imóvel com puro *cash*?

Para bancar suas maiores conquistas à vista e com desconto, você terá de dispor de *expressivas reservas financeiras*, uma para cada um dos seus grandes sonhos. Reservas de valor substancial não se formam num estalar de dedos: elas têm de ser construídas *progressivamente*, por meio de aportes financeiros mensais consecutivos.

Para chegar lá, os investimentos devem ser frequentes e cumulativos, destinados a boas aplicações realizadas todo santo mês, com disciplina e perseverança, por meses e meses a fio, até se atingir o prazo final planejado para acumular aquela grande soma totalizada que irá finalmente cacifar seu sonho à vista e com desconto.

Parece um caminho penoso, e você se questiona se realmente vale a pena, se não é mais fácil logo apelar para compras parceladas/financiadas. Então eu lhe sugiro que faça agora algo que faremos persistentemente ao longo deste livro: pergunte à ponta do lápis. Nada como a conta certa para nos clarear o raciocínio e desatar nós em nossa vida financeira.

Veja este exemplo: com uma reserva estratégica de R$ 45 mil, você compra aquele tão sonhado carro zero à vista. O tal carro custa R$ 50 mil na tabela, mas você o levará com um desconto de R$ 5 mil, justamente porque o pagará à vista. Um bom negócio, uma transação financeira que irá deixá-lo R$ 5 mil mais rico, porque *dinheiro não gasto* com bobagem (= dinheiro salvo com inteligência financeira) é igual a *dinheiro ganho*!

Mas... de onde terá vindo essa bela bolada de R$ 45 mil para viabilizar este negócio desta forma?

Eu sei o caminho, e fiz as contas para você: se aplicar R$ 1.111 a cada 30 dias, regularmente, durante 36 meses, numa modalidade de investimento conhecida por Tesouro Direto, terá acumulado a reserva de R$ 45 mil, quantia suficiente para arrematar o carro à vista, permitindo-lhe realizar este seu "sonho sobre quatro rodas" em grande estilo financeiro, com zero de dívida, pagando zero de juros, e ainda por cima com um bom desconto, botando no bolso uma bela quantia economizada.

Agora, repare bem o seguinte: fazendo mais contas na ponta do lápis, apuramos que 36 X R$ 1.111 equivalem a R$ 40 mil, bem menos que os R$ 50 mil pedidos na concessionária pelo carro. Por acaso minha conta inicial está errada? Não, aqui está justamente a beleza da multiplicação do dinheiro bem planejado e bem administrado:

> **1º Efeito multiplicador do dinheiro:** R$ 5 mil a menos equivalem ao tamanho do *desconto* (de 10% sobre o valor de tabela do auto) que você terá conseguido pelo fato de ter a reserva total necessária para quitar a compra integralmente à vista.

> **2º Efeito multiplicador do dinheiro:** Os outros R$ 5 mil *off* equivalem aos *juros ganhos sobre juros* nos três anos de aplicação financeira via Tesouro Direto (mais à frente você aprenderá exatamente como fazê-lo você mesmo).

Trata-se do seu dinheiro ganhando *mais dinheiro* para você e enriquecendo seu bolso. Para "os outros", o carro custa R$ 50 mil; para você, que faz bom planejamento e boa autogestão financeira, ele terá saído por R$ 40 mil, portanto R$ 10 mil mais barato. (Não é para qualquer um, só para *VIPs: Very Intelligent Planners.*)

Agindo dessa forma, você terá se feito concretamente mais rico em R$ 10 mil! Oras, R$ 10 mil sobre R$ 40 mil dá 25% de ganho sobre o valor pago pelo carro, um belo efeito multiplicador do seu dinheiro, não? Com R$10 mil se faz uma bela viagem ao exterior!

De outro lado, para alguém que terá optado pelo *financiamento* do mesmo carro em 60 prestações, com zero de entrada e juros de 1,69% ao mês (condições relativamente comuns de se ver por aí no mercado, e normalmente encaradas como convidativas), esse automóvel terá custado 60 X R$ 1.333 = R$ 80 mil.

Não se assuste com esta constatação: para o comprador que optou pela via da *dívida* do financiamento, o automóvel custou precisamente *o dobro*. Já para você, que tem uma consciência financeira evoluída, saiu por apenas R$ 40 mil, *metade do preço*! Estamos falando de *50% off* de verdade, um megadesconto ganho por você na ponta do lápis! Comparando-se com a pessoa que escolheu a divida, você pode afirmar sem qualquer exagero que sua decisão diferenciada o fez duas vezes mais rico neste momento, ainda que ambos ganhem o mesmo salário.

Enquanto o consumidor que prioriza a *dívida* consegue adquirir *apenas um* carro, você consegue comprar *dois*, com exatamente o mesmo esforço poupador mensal, só que direcionando este esforço para *boas aplicações financeiras*, ao invés das parcelas do financiamento. Isso não é *mágica* não: trata-se apenas do *efeito multiplicador dos juros ganhos sobre juros* atuando a favor do seu processo de enriquecimento.

Para os ricos e milionários, a força dos juros sobre juros não é um "segredo", mas uma *certeza*, uma convicção prática que acaba lhes servindo como uma de suas principais alavancas para a riqueza, fazendo seu dinheiro se multiplicar continuamente. Dinheiro chama dinheiro, e quem tem sabe muito bem disso.

Agora, quem financia esse processo na outra ponta? Não quem tem dinheiro, mas quem tem pressa demais, quem se deixa levar pelo desejo incontrolável de ter um bem que *hoje* ainda não poderia comprar à vista com desconto, sujeitando-se então a pagar elevados juros por causa de sua precipitação.

Você quer saber mais a respeito do mecanismo dos juros sobre juros e como ele pode lhe ajudar a enriquecer a partir de agora? Vamos adiante.

JUROS FORTALECEM OU ENFRAQUECEM SEU PODER AQUISITIVO: VOCÊ DECIDE!

Afinal de contas, qual é a decisão mais importante que você terá de tomar na sua vida financeira, aquela que mais irá aproximá-lo – ou afastá-lo – de viver bem no dia a dia e ainda realizar seus grandes sonhos?

Sua primeira resposta talvez seja "a escolha profissional". Sem dúvida, a escolha de sua carreira no mundo corporativo – ou a escolha de seu negócio próprio – será uma decisão importante, que terá realmente muito a ver com a quantidade de dinheiro que entrará no seu bolso por meio do seu trabalho ao longo de toda a sua vida profissional.

Porém, a escolha mais crucial, do ponto de vista do impacto sobre seu poder aquisitivo, será a seguinte: de que lado você se posicionará com relação aos *juros do dinheiro*? Você *quer* (e, portanto, *decide*) estar do lado de quem *ganha* juros e enriquece, ou do lado de quem *paga* juros e empobrece?

Pois se você não planejar suas finanças para poder investir regularmente, ganhar juros, enriquecer e acumular reservas expressivas para conquistar seus sonhos à vista e com desconto; se você, pelo contrário, deixar desandar seus gastos e contrair uma série de dívidas nocivas no afã de realizar suas conquistas de qualquer modo, na base de ignorância financeira, permanecerá sempre *pagando juros* sobre o dinheiro emprestado de terceiros e jamais terá como sair vitorioso dessa história.

Com esse lamentável jeito de tocar sua vida financeira, o poder aquisitivo efetivo dos seus ganhos mensais sairá fatalmente achatado, despachando os juros para longe de si, ao invés de atraí-los com o ímã do bom planejamento financeiro. Trata-se, portanto, daquela fundamental escolha que está sempre a seu critério: *empobrecer* ou *enriquecer* através dos juros do dinheiro.

Para ilustrar o efeito dos *juros pagos* X dos *juros ganhos* sobre seu poder aquisitivo, vou me valer de um conjunto muito simples de gráficos. Para começar, imagine que o *atual poder aquisitivo* de um indivíduo, aquele R$ X de dinheiro que a pessoa ganha com seu salário, ou com lucros do seu negócio próprio ao longo de um mês, possa ser representado pelas moedinhas enfileiradas abaixo. Esse R$ X é hoje o tamanho exato do seu *poder de aquisitivo mensal.*

Vamos imaginar que esse R$ X se trate de R$ 6 mil do seu salário líquido mensal, já abatidos impostos e descontos obrigatórios (cada uma das moedinhas abaixo representa R$ 1 mil.)

1. Seu poder aquisitivo:
seu poder de compra & consumo

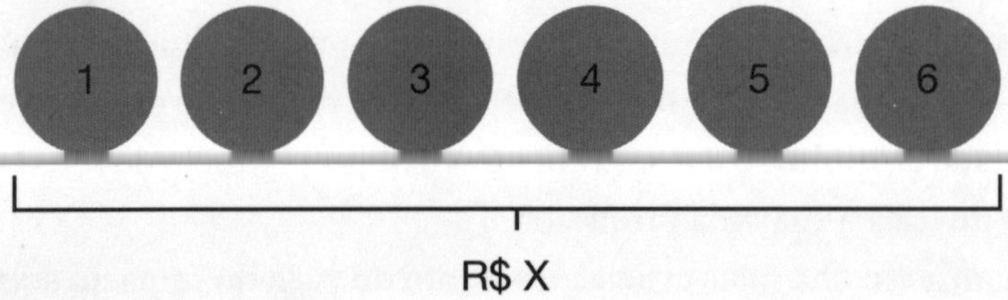

Naturalmente, a pessoa imagina que seria ótimo se esses R$ 6 mil fossem R$ 7 mil, talvez R$ 8 mil, idealmente R$ 10 mil ou, já que é para sonhar, por que não logo *o dobro*, R$ 12 mil? Como seria melhor a vida ganhando todos os meses o dobro do que se ganha hoje... O sujeito certamente se sentiria um tanto quanto enriquecido frente a sua condição atual.

O sonho de qualquer pessoa é ver seu R$ X crescer. Nós já conversamos que, por meio do seu trabalho, raramente haverá como fazer seu ganho espichar muito de uma hora para outra. Infelizmente, essa é a realidade. Também já entramos em acordo que não há fórmulas mágicas para fazer essa multiplicação acontecer repentinamento.

Pois é justamente aí que entra a importantíssima escolha do que fazer com relação aos *juros*, *ganhá-los* ou *pagá-los*, e o provável impacto que sua escolha terá em termos de *encolhimento* ou *expansão* imediata no poder aquisitivo do seu dinheiro.

DÍVIDAS COBRAM JUROS E ACHATAM SEU PODER AQUISITIVO

Vamos imaginar que, insatisfeito com o tamanho do R$ X, crente de que ele seja insuficiente para pagar suas contas do mês a mês e ainda bancar todos os seus grandes sonhos, o sujeito resolva então fazer *dívidas* para viabilizar suas aquisições de maior valor, como casa e carro, por exemplo. Pior ainda: ele decide até mesmo apelar para as dívidas para cobrir inclusive as despesas de menor valor, gastos comuns do dia a dia, como pagar a compra de supermercado e o combustível do carro.

Este é o argumento que eu ouço muito por aí da parte de quem opta quase automaticamente pelo caminho das dívidas para tentar defender sua qualidade de vida: "Como não tinha o suficiente, o único jeito de conseguir as coisas foi recorrer às dívidas".

O curioso (e triste!) dessa história é que, fatalmente, esse é um tiro que acaba saindo pela culatra: as mesmas dívidas que foram feitas num primeiro momento sob a alegação de "complementar seu poder aquisitivo", em um segundo momento (e daí por anos e anos a fio!), representam um grave *achatamento* no seu poder de compra & consumo.

A coisa ficará mais clara se você observar o próximo gráfico: ao decidir destinar uma parte dos seus ganhos mensais para as *dívidas*, a pessoa imediatamente terá tomado a decisão gêmea de destinar uma parte substancial do seu poder aquisitivo para o *pagamento de juros*.

O dinheiro que se gasta com juros pagos é um dinheiro que não se poderá gastar com nada *mais concreto* para sua qualidade de vida. O pedaço do R$ X destinado ao pagamento de juros é uma parte que se terá efetivamente *subtraído* do seu poder aquisitivo, achatando na prática esse poder, fazendo-o encolher para um volume ainda menor do que o "pouco" que o sujeito reclamava que já era. A isto chamamos de *empobrecimento*...

No nosso exemplo, da renda mensal R$ 6 mil, o sujeito financeiramente mal planejado acabou se arranjando dívidas de curto e longo prazos somadas no valor de R$ 2 mil, com juros embutidos de R$ 1 mil (parece muito, mas parte dos juros pode perfeitamente chegar a ser mais da metade do ônus das suas dívidas). No final das contas, seu poder aquisitivo *efetivo* ficou em apenas R$ 5 mil, portanto quase 20% mais baixo que antes, quando ainda não existiam as dívidas (e a pessoa já reclamava da "renda achatada").

Pior: o poder aquisitivo *livre*, aquele dinheiro que continua à disposição a cada mês para gastar com o que quiser, terá ficado em apenas R$ 4 mil, somente 2/3 da condição inicial de R$ 6 mil, uma vez que R$ 2 mil terão sido "engessados" com as dívidas, não podendo ser empregados em mais nada que adicione qualidade de vida à família.

2

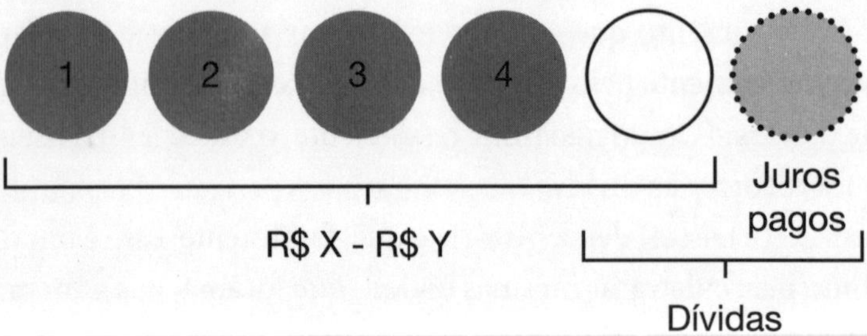

Seu novo poder aquisitivo achatado

INVESTIMENTOS PAGAM JUROS E AMPLIAM SEU PODER AQUISITIVO

Agora, imagine um outro caminho radicalmente diferente desse das dívidas: uma vida financeira pautada em *planejar e administrar melhor seu orçamento familiar* para poder 1) viver bem com parte do R$ X que está ao seu dispor todos os meses, e 2) dar uma *melhor destinação* àquela parcela que seria carimbada com *dívidas*, reorientado-a rumo a *investimentos dinâmicos*, que colocarão *dinheiro a mais* no seu bolso.

Veja no gráfico abaixo como o poder aquisitivo da pessoa, além de *não diminuir* com o pagamento de juros de dívidas, acaba efetivamente *crescendo*, porque se estará ganhando juros com seus investimentos. Isso se chama *enriquecimento*...

No nosso exemplo, ao invés de empatar R$ 2 mil em dívidas, a pessoa com uma consciência financeira evoluída planejou suas finanças corretamente e decidiu destinar esta parcela da renda mensal a boas aplicações, ganhando outros R$ 1 mil de juros (50% a mais de juros), com seus investimentos de longo prazo.

É lógico que uma rentabilidade como essa não se obtém de uma hora para a outra com uma aplicação qualquer, mas com aplicações dinâmicas feitas de forma assídua ao longo de meses e anos a fio. Mas isso é algo perfeitamente viável para quem segue os caminhos do bom planejamento e das aplicações diferenciadas que eu lhe indicarei mais à frente neste livro.

Assim, no final das contas seu poder aquisitivo terá se ampliado para R$ 7 mil, o que dá 40% *a mais* do que na situação anterior daquele outro indivíduo que fez sua opção pelo caminho das dívidas (poder aquisitivo = R$ 5 mil)! E ninguém falou aqui em aumento de salário, que continua rigorosamente o mesmo para ambos. Aplicar seu dinheiro desta forma não lhe parece uma excelente maneira de multiplicar sua grana e ampliar seu poder aquisitivo, ao invés de achatá-lo?

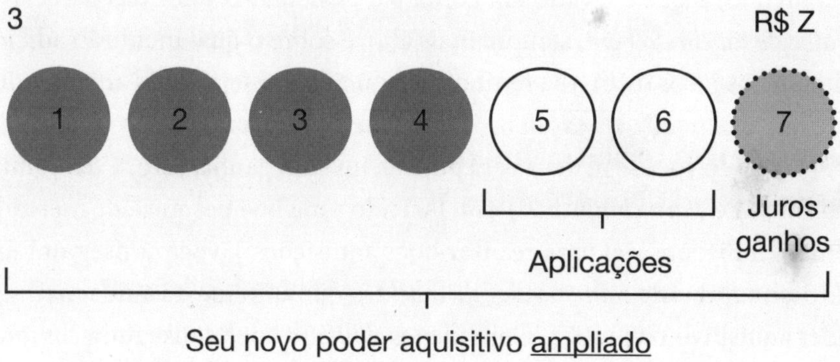

Veja a enorme vantagem de *ampliação de poder aquisitivo* que a pessoa que optou pelo caminho dos *investimentos* terá com relação àquela que optou pela via das *dívidas*! Tudo por causa de sua sábia decisão de *ganhar juros*, ao invés de *pagar juros*!

Não se esqueça de que estamos comparando dois indivíduos que ganham exatamente a mesma coisa por mês, ou seja, têm exatamente o mesmo R$ X de dinheiro a sua disposição a cada mês para fazerem cada um o que bem entender.

A explicação da tremenda diferença no poder aquisitivo dos dois não vem da sua renda mensal idêntica, mas da sua consciência financeira diferenciada, da forma distinta de *pensar* e *agir* em sua vida financeira. Enquanto o primeiro, mesmo sem querer, acabou fazendo desaforo para seu dinheiro ao optar pelas *dívidas* e por *pagar juros*, o segundo, disciplinado e dotado de *bons hábitos financeiros*, escolheu o caminho dos *investimentos*, para *ganhar juros*. Pois foram suas escolhas opostas que selaram o destino de cada um: o empobrecimento ou o enriquecimento. Partindo do mesmo salário...

COMPRE À VISTA, PEÇA BONS DESCONTOS E AMPLIFIQUE SEU PODER AQUISITIVO

O impressionante *efeito multiplicador do dinheiro* obtido ao optar por *investimentos*, ao invés de *dívidas*, não pára por aí. É sabido que, quando se vai comprar um bem de valor mais elevado através de um parcelamento (de uma dívida), o que é levado em conta para calcular o valor das parcelas é o *valor de tabela do bem*, sempre mais alto, e sobre o qual incidirão adicionalmente os juros da dívida (embutidos ou não, ou seja, juros adicionados de forma disfarçada ou explícita; tanto faz, eles sempre estarão lá!).

Já quando você se planeja para poupar, investir, ganhar juros e ter a *grana viva em mãos para comprar à vista*, fazendo uma boa pesquisa de mercado (sempre indispensável para realizar boas aquisições!), você conseguirá um *belo desconto à vista sobre o valor de tabela*, o que amplificará ainda mais seu poder aquisitivo na prática. Com *menos dinheiro* você conseguirá *comprar a mesma coisa*, o que equivale a dizer que, com a *mesma renda mensal*, você conseguirá *comprar ainda mais*, (= terá enriquecido), como mostra o gráfico abaixo.

Vamos ao nosso exemplo numérico: os R$ 7 mil do sujeito bem planejado financeiramente, por estarem sempre disponíveis para compras à vista e com desconto, nas mãos de um bom negociador poderão garantir descontos médios de 10% nas várias compras que se fará com esse dinheiro.

Oras, 10% de desconto numa renda mensal de R$ 7 mil dá R$ 700. Isso significa que seu poder de compra & consumo efetivo sobe para R$ 7.700 (quase R$ 8 mil), quase *o dobro* do poder aquisitivo *livre* do sujeito que terá optado pelas dívidas (R$ 4 mil)! Esse é o grande estímulo do poupador: uma vez que ele compreende esta incrível força enriquecedora dos juros ganhos sobre juros, já não consegue agir de outra forma, já não consegue apelar precipitadamente para as dívidas como teima em fazer a maioria.

4

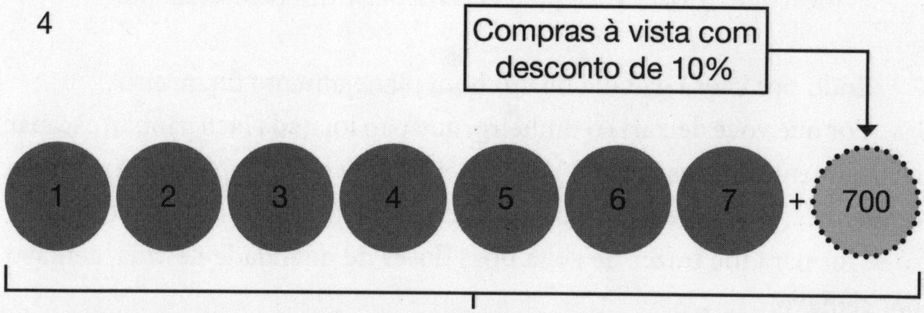

R$ X^2: seu novo poder de compra ainda mais amplificado

PRIORIZE GASTOS MAIS ECONÔMICOS E POTENCIALIZE SEU PODER AQUISITIVO

Além disso, se você for um comprador criterioso e um consumidor consciente, na hora de gastar seu dinheiro, só o destinará a itens de compra & consumo que lhe tragam o *maior teor possível de qualidade de vida*, evitando o desperdício do dinheiro gasto com coisas que não lhe agregam. Isto será perfeitamente possível se você planejar e administrar bem seu orçamento pessoal e familiar.

Quando me refiro a manter-se longe do desperdício, refiro-me a evitar bobagens que lhe consomem dinheiro bom, típicos vacilos financeiros comuns de se ver por aí, pequenos erros cotidianos, "discretas" más decisões financeiras do dia a dia, enganos do tipo:

- Para que pedir duas pizzas e acabar jogando fora mais de meia?
- Para que pagar o condomínio atrasado, com multa e juros?
- Para que gastar com a academia de ginástica, se não está mesmo podendo frequentar?
- Para que pagar a lavanderia por peça avulsa, quando um pacote de serviços sairia bem mais barato?

- Para que pagar seguro de carro mensal, quando o anual sairia bem mais em conta?
- Para que parcelar o IPTU da casa ou IPVA do carro, quando o pagamento à vista com desconto seria bem mais vantajoso?
- Para que parcelar em 3 X, em 6, 10 ou 12 vezes, se insistindo num desconto à vista você poderia embolsar um belo desconto?

Tudo por causa da falta de um bom planejamento financeiro...

Por que você deixaria o dinheiro, que não foi nada fácil ganhar, escapar levianamente das suas mãos? Você deseja *dividir* ou *multiplicar* seu precioso dinheiro? Quer *empobrecer* ou *enriquecer*? Ora, desfazer-se do seu dinheiro, só se for para lhe trazer de volta boas doses de qualidade de vida, centavo por centavo!

Tomando este cuidado, você poderá *potencializar ainda mais o efeito multiplicador dos juros do dinheiro sobre seu poder aquisitivo*, com tremendo impacto positivo para sua qualidade de vida. Compare a situação do gráfico a seguir com a dos gráficos anteriores, e verá o tamanho do "milagre" que acabou realizando com seu poder de compra & consumo ao evitar as dívidas, realizar bons investimentos e boas compras/gastos. (E lembre-se: tudo isto considerando sempre o mesmo salário!)

5

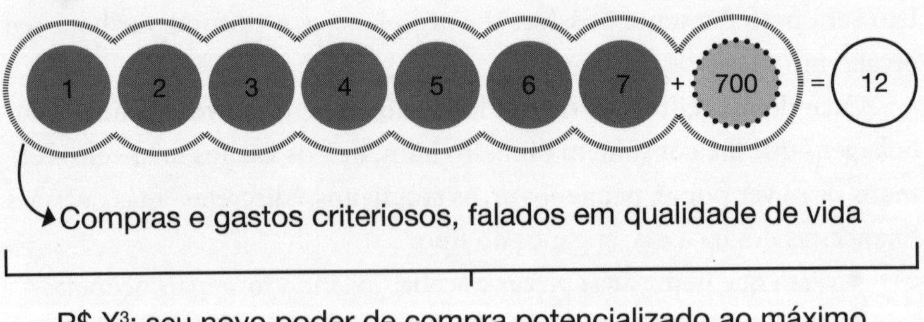

No nosso exemplo, os R$ 7.700 contarão bem mais para sua qualidade de vida do que "apenas" esse valor poderia lhe indicar, porque serão *bem*

gastos. Esse sujeito poderá viver tão bem quanto (ou até melhor do que) alguém que ganha bem mais, digamos R$ 12 mil (o dobro dos R$ 6 mil!), principalmente se a pessoa com o salário mais alto resolver pautar sua vida em um ou mais daqueles típicos *vícios financeiros* que empobrecem tanta gente por aí:

1. Apelar recorrentemente para as *dívidas*, sempre pagando juros.
2. Evitar na prática os *investimentos*, privando-se de ganhar juros.
3. Privar-se também de aproveitar bons *descontos* nas compras à vista, por não ter o dinheiro pronto.
4. Gastar seu dinheiro de forma mais solta e relapsa, sem bom foco, com menor teor de qualidade de vida, desperdiçando boa parte de seu poder aquisitivo.

Isto tudo posto, eu sugiro que você *memorize* e, de hoje em diante jamais esqueça, o mais fundamental princípio financeiro que deve colocar em prática para dar uma virada na sua vida financeira, conseguindo multiplicar seu dinheiro e assim reforçar seu poder aquisitivo de qualidade de vida, ou seja, enriquecer concretamente, partindo de suas verdadeiras possibilidades:

juros ganhos nos investimentos aumentam seu poder aquisitivo
X
juros pagos nas dívidas diminuem seu poder aquisitivo

Capítulo 2

Para multiplicar seu dinheiro, juros compostos!

Agora que você conhece a importância de *ganhar juros*, em vez de *pagar juros*, está na hora de conhecer melhor o *princípio dos juros compostos*, o poderoso "fermento financeiro" que pode enriquecê-lo e ampliar ainda mais seu poder aquisitivo de qualidade de vida.

GANHAR JUROS SOBRE JUROS É COMO PLANTAR MILHO

Vamos pensar em um agricultor que tenha trabalhado para um determinado fazendeiro e, como pagamento por seu trabalho, tenha recebido *duas espigas de milho*. O que ele deve fazer com essas espigas que tem em mãos? Felizmente, não se trata de um sujeito afoito: primeiro ele quer *pensar*, consultar sua *consciência evoluída*, para depois *agir*.

Por um lado, ele sabe que pode *comer as duas*. E, depois de se fartar plenamente, a ele restará apenas esperar morrer de fome, já que seu milho terá acabado por completo no começo da história!

Não, isso não lhe parece sensato. De outro lado, ele pode pensar em *plantar as duas*. Mas então ficará sem ter o que comer hoje, e morrerá de fome antes de poder fazer sua colheita. Isso também não vai funcionar.

Nesse momento, esse inteligente agricultor se lembra de duas coisas que seu sábio pai costumava lhe dizer: "filho, Deus nos permite plantar para podermos comer e viver bem", e também: "filho, quem planta, colhe". O mais indicado, portanto, acaba lhe parecendo ser comer *uma* espiga, para o seu sustento presente, e *plantar a outra*, para poder colher mais adiante. Raciocinando com sabedoria, ele procede dessa forma aparentemente muito equilibrada.

Responsável que é, o tal agricultor arrenda uma boa terra, planta sua espiga com confiança no futuro, espanta os corvos que ameaçam levá-la embora, dá tempo ao tempo e, passados os meses previstos da safra, esse dedicado trabalhador do campo colherá de volta duas espigas.

"Ah, sim! Agora estou satisfeito com meu esforço! Recuperei a espiga que havia plantado, e ainda por cima ganhei *mais* outra. Estou gostando dessa história! Quer saber? Ainda não sinto fome e, em vez de comer uma espiga agora e plantar a outra, vou logo replantar as duas!" Aí está um sujeito que sabe fazer conta e enxergar a vantagem de se fazer uma "boa aposta" no futuro, e que tem a disciplina para realmente aproveitar essa oportunidade!

Sim, essa é uma história de visão diferenciada, de proatividade e perseverança acima da média, portanto, uma história de *sucesso*, uma legítima história de *prosperidade*! Exatamente como reza o ditado: "Quem planta, colhe!". Você não estaria feliz se estivesse na posição desse agricultor, sentindo-se devidamente recompensado por ter apostado, de maneira sábia, na prosperidade do futuro?

Agora lhe pergunto: quantas espigas ele esperará colher daqui a alguns meses, no tempo certo da safra? *Duas*? Não, obviamente o agricultor desejará colher *quatro*, valendo-se do mesmo *efeito multiplicador* que ele utilizou na primeira vez. "Veja que beleza: recuperei aquela única espiga que eu tinha lá no início, recuperei também a espiga extra que eu havia colhido da primeira vez, e consegui mais *duas*!" Animado com seu enriquecimento, o próspero agricultor parte para uma nova iniciativa de plantio.

Passado o tempo certo, ele consegue colher oito espigas. Mais uma safra e ele passa de oito para dezesseis espigas. Mais três frutíferas tentativas e o agricultor alcançará 128 espigas! Assim a coisa prosseguirá para todo o sempre, enquanto ele continuar fazendo a escolha certa. E, no fim, ele se tornará aquilo que podemos chamar de um megaprodutor agrícola, próspero e, naturalmente, muito rico.

"Pois veja só que maravilha: hoje tenho uma enorme plantação, com milhares de hectares produtivos! Posso comer quanto 'milho' quiser, e ainda me sobrará uma montanha! E pensar que tudo começou com uma única espiga..." Essa é, sem dúvida, uma linda história financeira, e esse bem afortunado agricultor merece meus parabéns!

Quem observa o sucesso desse sujeito pode achar seu feito incrível: como é mesmo que ele conseguiu esse enriquecimento todo? Como conseguiu tornar-se dono de uma vasta propriedade produtiva, tendo começado quase "do nada"?

Não foi por milagre, não. Observe que tamanho êxito não lhe veio tampouco por acaso. Com base em uma inegável lei da natureza (quem planta, colhe), o tal agricultor edificou uma série de acertos que o levaram ao excelente resultado de sua iniciativa plantadora:

1. Ele abriu mão de consumir a totalidade de seus recursos na hora em que os recebeu em mãos, logo no começo do processo.

2. Ele decidiu apostar proativamente no futuro.

3. Ele escolheu uma boa terra e uma aplicação segura para investir seu dinheiro.

4. Ele espantou os corvos e evitou riscos desnecessários, prezando pela segurança de seus investimentos.

5. Ele foi paciente, esperou o tempo passar e deu o devido tempo ao mecanismo dos juros sobre juros.

6. Ele replantou os frutos de suas colheitas e deu-se a oportunidade de colher juros sobre juros, sobre juros, sobre juros... continuamente!

Esse exemplo de bom planejamento e boa autogestão daquilo que se tem em mãos teria o mesmo sucesso se, em vez de espigas, estivéssemos falando de *dinheiro de verdade*, continuamente investido e reinvestido para gerar mais e mais dinheiro, permitindo ao investidor enriquecer e acumular uma grande reserva financeira! O "segredo" do efeito multiplicador é o mesmo.

JÁ QUE A NATUREZA GARANTE, QUE TAL "PLANTAR" DINHEIRO?

Veja, na figura a seguir, o verdadeiro "milagre" que esse inteligente trabalhador do campo conseguiu realizar, e que também pode ser desfrutado por qualquer pessoa que se planeja e administra bem sua vida financeira e sabe tirar proveito de bons investimentos para enriquecer, formar grandes reservas financeiras e conquistar seus maiores sonhos:

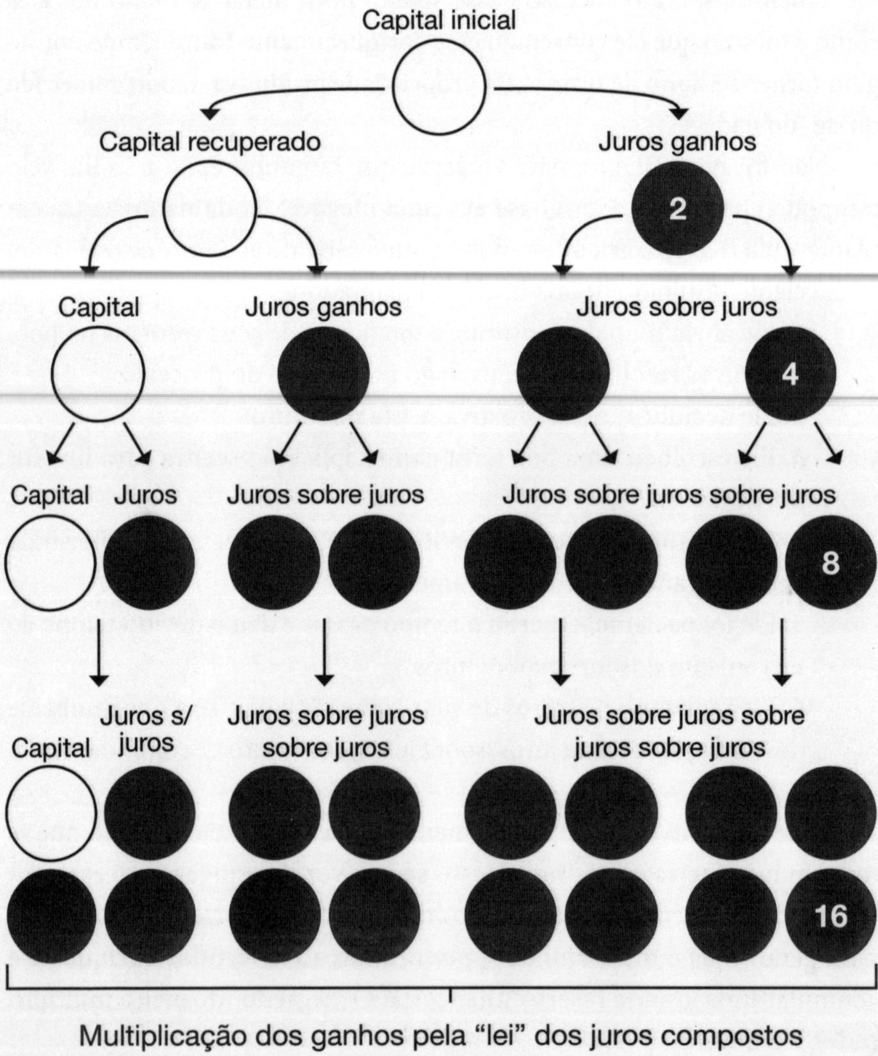

"Quem planta, colhe. E colhe mais do que plantou." A mesma lei da natureza, que vale para o milho, para a soja, para o arroz ou café, para a criação de gado e qualquer atividade multiplicadora, aplica-se igualmente ao dinheiro.

Embasado nessa mesma infalível lei da natureza, o bom investidor providencia para seu dinheiro uma série de acertos que o levam ao inevitável sucesso de sua iniciativa investidora:

1. Ele abre mão de consumir todo o dinheiro quando o recebe, ou seja, sabe *economizar/poupar*.

2. Ele decide apostar proativamente no futuro, optando por *investir*.

3. Ele escolhe uma (ou mais) *boa(s) aplicação(ões)*.

4. Ele mantém o olho em sua aplicação, *evitando correr riscos* desnecessários.

5. Ele é paciente, espera o tempo passar, para poder ganhar *juros sobre juros*.

6. Ele reinveste os frutos de seus investimentos, dando-se a bela oportunidade de ganhar *juros sobre juros, sobre juros, sobre juros, sobre juros*... os *admiráveis juros compostos*!

Sim, eu os chamo de *admiráveis* apenas se for para você *ganhá-los*, é lógico. Afinal, a mesma lei da "cumulatividade" na multiplicação do dinheiro, que rege os juros que *ganhamos* em nossos *investimentos*, governa também os juros que *pagamos* em nossas *dívidas*. Só que, nesse caso, o correto será chamá-los de (tremendamente) *lamentáveis*...

Imagine se, em vez de investir aquela primeira moeda e posicionar-se como *investidor*, o sujeito tivesse vestido a carapuça de *devedor*, resolvendo *tomar emprestada* aquela singela moedinha. Em seguida, ele teria progressivamente rolado sua dívida por vários períodos, vindo a dever uma fortuna acumulada como uma bola de neve, pela simples moedinha que um dia havia tomado por dívida...

Uma das frases que mais ouço em minha profissão é: "Eu não faço a menor ideia de como consegui acumular essa dívida. Nunca gastei esse dinheiro todo! Essa conta deve estar errada!". Normalmente, a conta não está errada: talvez a pessoa não tenha gasto o dinheiro todo com coisas que lhe adicionassem qualidade de vida, mas gastou com juros, e pior: incorreu em *maus gastos sobre maus gastos*, pagando desnecessariamente *juros sobre juros*!

BOAS AMIZADES SEMPRE AJUDAM: FAÇA AS PAZES COM OS JUROS COMPOSTOS!

Eu ainda vejo muita gente se queixando dos *juros sobre juros*. E, na realidade, eu sei bem o porquê. A pessoa toma emprestados R$ 1 mil no cheque especial, vai rolando essa dívida mês após mês, vai deixando acumular os juros sobre juros (à base de 8% ao mês) e assim, depois de apenas dez meses, mesmo que não tenha tomado sequer um centavo adicional do cheque especial, já estará devendo R$ 2 mil. A dívida terá dobrado de valor em menos de um ano, e a explicação estará justamente nos juros compostos, aqueles que foram sendo devidos, e não pagos, acumularam-se uns sobre os outros e fizeram a dívida dobrar por inércia cumulativa.

Você acha isso incorreto? Pois questione a taxa de 8% ao mês, se quiser (de fato, é elevadíssima). Mas, por gentileza, não queira questionar o *princípio dos juros compostos* que está por trás dessa dívida. Ou de *qualquer* dívida. Não se esqueça de que tal princípio não só vale para *dívidas* como também para *investimentos* (vale para qualquer conta que envolva *dinheiro*). Se você aplicar R$ 1 mil hoje na caderneta de poupança, e não depositar mais nada depois, somente por conta dos juros acumulados sobre juros, terá direito a resgatar R$ 2 mil daqui a dez anos (imaginando uma taxa mensal de 0,58% de juros ganhos).

Nesse momento você pode questionar: "Que injustiça! Se fico devendo R$ 1 mil hoje no cheque especial, vou ter que pagar R$ 2 mil em menos de um ano! Mas se invisto R$ 1 mil levarei dez anos para ter R$ 2 mil!". Ok, nos dois lados dessa moeda existe uma lamentável desproporção, eu também acho, mas aqui cabem dois comentários:

1. Uma vez que *é assim*, na pele de quem você prefere estar? Na esfolada pele do *devedor*, que sofre com o efeito devastador dos juros sobre juros de uma taxa elevada, espremendo seu dinheiro, ou na pele do *investidor*, que se beneficia paulatinamente (mas se beneficia!) de uma taxa que, mesmo não sendo nenhuma maravilha, *põe mais dinheiro* no bolso?

2. Outra coisa: se você não gosta da poupança e de sua rentabilidade pouco atraente, pode muito bem tentar uma aplicação *mais dinâmica*, perfeitamente acessível, até mesmo para pequenos aplicadores. Os mesmos R$ 1 mil investidos em uma boa ação de uma sólida empresa brasileira, comprada pela internet por meio do sistema *home broker* da Bovespa, teriam provavelmente se transformado em algo próximo de R$ 2 mil após apenas *sete* anos, portanto, *três* anos antes do que o investidor levaria se investisse na caderneta de poupança (supondo uma rentabilidade líquida projetada em torno de 1% ao mês, algo perfeitamente possível de se esperar quando se investe no longo prazo – cinco anos ou mais – em ações de empresas de primeira linha).

Então, ficamos acertados: não perca seu tempo reclamando dos juros sobre juros. Você jamais terá como revogar essa inescapável lei da natureza das finanças. Muito pelo contrário: alegre-se porque ela existe, pois ela pode ajudá-lo a enriquecer. Basta se planejar para evitar as dívidas, fazer bons planos de investimentos, e colocar a inegável força dos juros compostos para trabalhar a favor da sua riqueza e da conquista de seus grandes sonhos de compra e consumo!

O PODER DOS JUROS COMPOSTOS: MAIS EXEMPLOS NA PONTA DO LÁPIS

Para reforçar esse raciocínio, lhe darei mais um exemplo. Vamos supor que você queira comprar um imóvel hoje anunciado pelo valor de R$ 350 mil. Daqui a quinze anos, por exemplo, esse imóvel terá subido de valor, passando a custar R$ 700 mil. Você precisará, portanto, de aproximadamente R$ 650 mil para comprá-lo à vista e com desconto daqui a 180 meses (ou quinze anos).

Muito bem, fazendo um bom plano de investimentos, partindo do zero e investindo todos os meses uma determinada quantia em um bom *plano de previdência privada dinâmico*, ou então em *boas ações* de sólidas empresas brasileiras (com ganho líquido mensal projetado de 1%), você precisará investir todos os meses a quantia de R$ 1.300 para juntar os R$ 650 mil.

Fazendo a conta de R$ 1.300 x 180 parcelas, vemos que você terá aplicado, no total, R$ 234 mil. E de onde terão vindo os R$ 416 mil restantes para chegar aos R$ 650 mil (valor do imóvel)? Dos juros ganhos sobre juros nessa interessante aplicação financeira que você terá feito! Note bem: quase dois terços do dinheiro necessário terão vindo dos juros compostos ganhos, enquanto apenas um terço terá vindo de seu esforço poupador e investidor. Nesse caso, seus investimentos dinâmicos terão sido duas vezes mais responsáveis pelo seu enriquecimento do que o seu próprio trabalho!

"Ah... mas terei que esperar quinze anos para ter o imóvel!" Está bem, então você prefere fazer um financiamento? Encontre pelo menos R$ 35 mil para dar de entrada (10% do valor do imóvel), e se proponha pagar R$ 4.150 de prestação todos os meses, durante 180 meses (juros prefixados de 1,15% ao mês, mais correção). O mesmo imóvel terá lhe custado: R$ 35 mil (da entrada) + R$ 747 mil (180 parcelas x R$ 4.150) = R$ 782 mil. Quer pagar R$ 234 mil ou R$ 782 mil (334%) pelo mesmo imóvel? Você é quem sabe, o dinheiro é seu...

Mas você ainda poderá argumentar que, na primeira hipótese, esperando para comprar o imóvel à vista daqui a quinze anos, terá de pagar R$ 1.300 de aluguel mensal por um imóvel idêntico ou compatível. Ok, então vamos colocar mais essa despesa na conta:

Custo do imóvel para você no plano de investimentos:
R$ 234 mil (prestações) + R$ 234 mil (aluguel) = R$ 468 mil

X

Custo do imóvel para você pela via do financiamento:
R$ 35 mil (entrada) + R$ 747 mil (prestações) = R$ 782 mil

Na ponta do lápis: na *dívida* do financiamento do imóvel, em que você *paga juros sobre juros*, desembolsará R$ 314 mil a mais (R$ 728 mil – R$ 468 mil), o que equivale a um acréscimo de 67% sobre todos os custos somados da opção anterior, ou seja, o custo do esforço poupador e investidor mensal, mais o custo do aluguel mensal nesses 180 meses, da opção de alugar o imóvel e investir assiduamente para comprá-lo à vista depois.

Enxergando pela ponta inversa, isso equivale a dizer que, na opção do aluguel + investimento mensal (a mais vantajosa do ponto de vista financeiro), a economia é de 41% do valor total, ou seja, (R$ 314 mil / R$ 782 mil) x 100. Esse é o invejável percentual que você ganha colocando a matemática dos *juros compostos* para atuar a seu favor nesse caso!

Que tal enriquecer dessa forma? A lógica é simples: escolha entre *ganhar* ou *pagar* juros compostos. Claro que convém sempre avaliar todas as suas opções, mas acumular o dinheiro por meio de uma boa aplicação financeira, para adquirir qualquer bem à vista e com desconto, fará com que você pague muito menos por ele. Sempre.

Agora que você já domina o *princípio dos juros compostos*, e sabe avaliar o grande impacto que ele pode ter – para o *bem* ou para o *mal* – sobre o seu poder aquisitivo de qualidade de vida, que tal dominar também os cálculos da matemática do dinheiro, aprendendo a fazer as contas certas para enriquecer e colocar-se definitivamente no caminho da prosperidade duradoura?

MATEMÁTICA FINANCEIRA? FÁCIL, EXTREMAMENTE FÁCIL!

Você já conhece a incrível *força* dos juros sobre juros *ganhos*, de um lado, e a terrível *ameaça* dos juros compostos *pagos* devido ao *uso mal calculado* de seus recursos financeiros, do outro. Você já enxerga claramente que os juros compostos podem atuar decisivamente *a favor* ou *contra* seu objetivo de enriquecer. Então, não há como escapar do seguinte: *Você tem que se tornar um craque em fazer contas com juros compostos!* Você simplesmente *precisa* dominar aquela disciplina que nas faculdades de Administração, Economia, Contabilidade e afins é conhecida como *matemática financeira*, a interessante (e valiosa!) *matemática do dinheiro*.

Até este ponto eu lhe apresentei os resultados de uma série de contas que fiz em minha surrada calculadora financeira (cuja bateria, no entanto, está novinha em folha, porque vivo trocando). Desde que ingressei no curso de Economia há 25 anos, beneficiando-me então das impagáveis aulas do professor Valente, essas contas passaram a fazer parte da minha vida financeira, e eu posso testemunhar a você que elas sempre me ajudaram de forma decisiva nos momentos mais críticos. Por saber fazer a conta certa, sempre pude encontrar os caminhos mais sensatos e ponderados, tanto para as pequenas como para as grandes decisões financeiras da minha vida. E dou graças a Deus por ter tido acesso a esse tipo de conhecimento logo cedo em minha vida. Isso me permitiu enriquecer de forma natural, sem viver obcecado pelo dinheiro.

E para você, também seria importante aprender a fazer esse tipo de conta? Será que isso está ao alcance do seu intelecto? Pois muita gente pode pensar: "Ah! Você é economista, tem especialização em finanças, para você isso é natural, é muito fácil!".

Antes que pense em pular fora, com satisfação eu devo lhe dizer que não é *nada complicado*. Com uma base simples você conseguirá resolver essas questões rapidamente e tomar decisões mais acertadas. Prossiga com a leitura desta seção, aposto que vai se surpreender.

O mais interessante: você não precisará gastar um centavo comprando uma calculadora financeira, pois este livro traz uma supercalculadora financeira que desenvolvi especialmente para ser usada de imediato: ela é superprática e fácil de utilizar. Está no CD que acompanha o livro, junto com uma série de outras ferramentas que irão ajudá-lo a revolucionar sua relação com o dinheiro.

Então, mãos à obra, chegamos à parte prática: de agora em diante você vai aprender a fazer suas contas de qualidade de vida *na ponta do lápis*! Se este não for seu foco neste exato momento, tudo bem, pule o próximo capítulo e siga em frente. Depois, você poderá voltar a este ponto, e isso não vai atrapalhar sua leitura e seu aprendizado.

Capítulo 3

Faça a conta certa pela matemática do dinheiro

Depois de conhecer todos os exemplos anteriores, você já pode perceber que esse negócio de saber fazer conta com juros compostos é fundamental para se dar bem com o dinheiro. Por isso, vou utilizar este capítulo para lhe ensinar a fazer seus próprios cálculos financeiros.

Você aprenderá a utilizar a matemática do dinheiro aplicada às circunstâncias particulares da *sua* vida financeira. Bons exemplos genéricos como os que vimos até aqui ajudam, é verdade. Melhor ainda é poder fazer *suas próprias contas*, aqueles cálculos financeiros decisivos que o ajudarão a alçar sua vida a um novo patamar de qualidade!

Aprenda a "falar calculadorês", a mais fácil das línguas estrangeiras

Antes de prosseguirmos, um aviso: você não precisa ser bom em matemática, não precisa *saber fazer conta*, apenas aprender a usar a calculadora financeira que incluí neste livro. Isso é bem mais simples do que imagina, basta aprender a "falar sua linguagem", e logo você se tornará um verdadeiro craque na matemática do dinheiro!

Em resumo, há cinco expressões básicas para resolver 95% dos problemas com uma boa calculadora financeira:

- Valor Presente
- Valor Futuro
- Número de períodos
- Taxa de juros
- Pagamento periódico

Talvez você ainda não tenha nenhuma familiaridade com esses termos e, por isso, estes lhe pareçam difíceis, feito a língua de um país longínquo. Peço-lhe um pouquinho de paciência e perseverança: o significado exato dessas expressões e como utilizá-las de forma descomplicada é o que veremos a seguir. Na realidade, você só precisará compreender o significado dos termos acima, as cinco palavrinhas básicas do "calculadorês", porque, depois, a calculadora fará todo o trabalho praticamente sozinha.

VAMOS FAZER NEGÓCIO!

Visando facilitar seu aprendizado prático, vou me valer de uma *operação de matemática financeira* que proponho fazermos juntos, eu e você. Na realidade, trata-se de uma *dívida* que eu pretendo contrair junto a sua pessoa, ou melhor, junto ao seu bolso.

Acontece que eu ouvi dizer que, guardadinhos lá no fundo, existem hoje R$ 1 mil livres, um dinheiro que você não pretende gastar tão cedo. Levando em consideração minha atual situação de pai de um bebê recém-nascido, com todos aqueles gastos que um novo filho traz para o orçamento da família, digamos que eu resolva lhe pedir essa grana emprestada. Fique tranquilo, não é doação, apenas um "pequeno" empréstimo. Entre amigos.

Eu lhe asseguro a restituição do dinheiro em um ano e, para minha sorte, na sua análise de crédito particular, você acaba não duvidando de minha firme intenção de lhe devolver essa soma no tempo acertado. No entanto, mesmo assim você não está muito satisfeito com minha proposta original, e propõe que adicionemos alguma coisa, por conta de juros, a minha proposta inicial de devolução dos mesmos R$ 1 mil.

Ok, sem problemas, é justo você me cobrar juros, porque, afinal de contas, ao me emprestar a soma, estará abrindo mão de investi-la em alguma boa aplicação financeira e com ela ganhar juros. A questão agora está em *quanto* você me cobrará de juros, o que se mostra uma dúvida cruel.

Seu bolso quer pedir juros tremendamente lucrativos, mas, ao mesmo tempo, sua ética deseja algo que seja justo para ambas as partes. Você não deseja "me esfolar", cobrando a mesma taxa de um cheque especial qualquer, mas também não quer pedir menos do que aquela porcentagem que ganharia se mantivesse esses R$ 1 mil aplicados na caderneta de poupança, por exemplo.

Então você acaba dando um "chute", propondo a devolução de R$ 1.480 daqui a 12 meses. Foi uma ideia que lhe ocorreu, mas, na verdade, você não está certo de ter me feito uma contraproposta adequada, tanto do ponto de vista do meu bolso como do seu.

"Puxa" – penso eu com meus botões – "R$ 480 de juros em um ano!" Fazendo as contas de cabeça: (R$ 480 / R$ 1 mil) x 100 = 48%. Pagar 48% de juros acumulados em um ano não me parece pouco. De outro lado, sei que preciso do dinheiro... Pois eu também acabei ficando em dúvida: será que se eu pedisse esse dinheiro emprestado no banco pagaria uma taxa maior? Será que se você aplicasse esse dinheiro em um fundo de investimentos talvez ganhasse mais? Meu pobre bolso quer muito pedir a taxa mais baixa possível, mas minha ética não admite que eu possa estar lhe prejudicando financeiramente.

Matematicamente falando, minha dúvida e a sua são exatamente a mesma: esses R$ 480, ou 48% de juros acumulados em 12 meses, quanto isso dá de porcentagem de juros *ao mês*? Sim, porque tendo a taxa mensal nas mãos poderemos compará-la com referenciais de mercado e concluir se estamos fazendo uma operação justa e equilibrada para ambos.

A fim de chegar ao número da *taxa mensal*, sua primeira intuição é dividir os 48% por 12 meses, obtendo uma taxa ao mês que, nesse nosso exemplo, seria equivalente a 4%. Só que essa conta não está correta, porque os 48% no fim dos 12 meses foram compostos de juros *sobre* juros, ou seja, juros *multiplicados* por juros, e não somente juros *mais* juros.

Na linguagem da matemática, dizemos que os 48% de juros foram acumulados por uma *progressão geométrica* das taxas de juros mensais (n% x n% x n% x n%...), e não uma simples *progressão aritmética* (n% + n% + n% + n%...). As equações de progressão geométrica envolvem cálculos com logaritmos, algo muito complicado para a maior parte de nós (até para mim, que me formei em Economia e tive bons professores de cálculo!).

Fique tranquilo: este é o momento de colocarmos em ação nossa supercalculadora financeira! Vamos deixar para ela a parte difícil do trabalho, nosso desafio será unicamente aprender os termos do "calculadorês", para "conversarmos" direito com nossa calculadora, contando a ela o problema financeiro que temos em mãos, dessa forma, ela poderá utilizar suas equações logarítmicas embutidas para resolver tal problema e nos dar a resposta correta num piscar de olhos.

MATEMÁTICA FINANCEIRA, O PRESENTE: VALOR PRESENTE (PV)

Diga-me uma coisa: nesta operação financeira que estamos realizando, quanto valem, *hoje*, estes R$ 1 mil que estou lhe pedindo emprestado e você está me disponibilizando? A resposta parece óbvia: os R$ 1 mil valem, hoje, R$ 1 mil, este é o **VALOR PRESENTE** dessa operação financeira.

Na maior parte das calculadoras financeiras, assim como na famosa HP 12C (a calculadora financeira portátil mais utilizada nas últimas quatro décadas), os termos aparecem em *inglês*. Mas você não precisa saber inglês para memorizar tais termos, porque eles são muito parecidos com os termos em português, começando pelo Valor Presente (*Present Value*), que abreviaremos por **PV**.

PV

VALOR PRESENTE

PRESENT VALUE

(+ OU -)

Então, nesta nossa operação financeira, **PV = 1 mil**. Agora, seriam "mais" mil ou "menos" mil? Qual seria o sinal matemático desses R$ 1 mil? Em matemática financeira, o sinal que um valor recebe é muito importante, porque ele mostra se o dinheiro está *entrando* ou *saindo* do bolso. Por exemplo, do ponto de vista do *seu* bolso, podemos dizer que PV = – 1 mil (com sinal negativo), pois essa quantia estará, hoje, *saindo* da sua carteira, certo? Já do ponto de vista das *minhas* finanças, serão + R$ 1 mil (com sinal positivo que, normalmente, não é escrito), porque essa soma estará, hoje, *entrando* no meu bolso.

MATEMÁTICA FINANCEIRA, O FUTURO: VALOR FUTURO (FV)

Muito bem, outra informação necessária: o valor dessa soma que vale hoje R$ 1 mil, só que projetada para daqui a 12 meses, será esses mesmos R$ 1 mil? Não, porque você não aceitou que eu lhe devolvesse somente R$ 1 mil depois um ano, e me contrapropôs que eu lhe restituísse R$ 1.480.

Assim, podemos dizer que o **VALOR FUTURO (FV)** em nossa operação financeira é **FV = 1.480**. Quer dizer: + R$ 1.480 do *seu* ponto de vista, porque a grana *entrará* no seu bolso daqui a 12 meses (pelo menos assim você espera). (De maneira contrária, seriam - R$ 1.480 do *meu* ponto de vista, porque esse dinheiro *sairá* do meu bolso daqui a um ano.)

PV	FV
VALOR PRESENTE	VALOR FUTURO
PRESENT VALUE	*FUTURE VALUE*
(+ OU -)	(+ OU -)

Você reparou que os sinais foram invertidos com o passar do tempo? Do meu ponto de vista, os + R$ 1 mil que haviam *entrado* se transformaram em – R$ 1.480 *saindo* 12 meses depois. Já do seu prisma, os – R$ 1 mil que tinham *saído* resultaram em + R$ 1.480 *entrando* um ano depois. Afinal, assim como na vida, também nas finanças pessoais tudo que *entra*, *sai* (ou seja, tudo o que é *positivo*, depois fica *negativo*). E vice-versa. Não se esqueça, portanto, de utilizar os sinais corretos conforme o ponto de vista que você quer retratar, o do *tomador* do empréstimo (quem recebe o dinheiro – eu, neste caso), ou do *credor* (quem cede o dinheiro – você, neste caso).

MATEMÁTICA FINANCEIRA, O TEMPO: NÚMERO DE PERÍODOS (N)

Agora só falta mais uma informação: o prazo, que será sempre medido em **NÚMERO DE PERÍODOS (n)** – a letra *ene* minúscula – sendo que podemos tomar como referência qualquer período que desejarmos. Por exemplo, se estivermos falando em *anos*, o número será n = 1. Se pensarmos em *meses*, teremos n = 12. E, por fim, se pensarmos em *dias*, teremos n = 365 (ano calendário) ou 360 (ano comercial).

Normalmente, queremos saber das coisas em termos de *meses*. Veja só: nesse nosso exemplo, justamente o que precisamos saber é a *taxa de juros mensal* embutida na operação que estamos realizando, para podermos compará-la com outras *taxas mensais de referência* (rentabilidade da poupança, dos fundos de investimento financeiro, ou as taxas cobradas no empréstimo pessoal bancário, no cheque especial, bem como outras modalidades de crédito). Portanto, vamos ficar com **n = 12** (subentendido aqui que se trata de meses).

Bem, já dispomos da seguinte informação para "contar" à calculadora (a seguir, vamos apresentar os sinais do *meu* ponto de vista):

PV = + 1.000 FV = – 1.480 n = 12 (meses)

PV	n	FV
VALOR PRESENTE	NÚMERO DE PERÍODOS	VALOR FUTURO
PRESENT VALUE	*NUMBER* *meses... dias... períodos...*	*FUTURE VALUE*
(+ OU -)	(Nº SIMPLES)	(+ OU -)

MATEMÁTICA FINANCEIRA, OS JUROS: A TAXA DE JUROS (I)

Mas o que desejamos saber da calculadora financeira, então? A **TAXA DE JUROS mensal** embutida na operação, sempre *em porcentagem*.

Em "calculadorês", vamos chamar essa taxa de **(i)** – a letra *i* minúscula. Seguiremos adotando como padrão o inglês (para você poder fazer suas contas com conhecimento e segurança em qualquer lugar do mundo, com qualquer calculadora financeira que tiver em mãos). Em inglês, o termo juros é *interest*, que, em português, pode ser traduzido como "interesse".

Pensando bem, o nome dos juros em língua inglesa até que faz bastante sentido. Afora a amizade, que *interesse financeiro* você teria em me emprestar os R$ 1 mil? Certamente, o interesse dos *juros* a ganhar! E eu também deveria ter especial *interesse financeiro* nesse número: afinal, terei de pagá-lo a você, faça chuva, faça sol...

Assim, nossa operação de matemática financeira fica montada desta forma:

PV = + 1.000   FV = - 1.480   n = 12 (meses)   i = ? (%)

PV	i	n		FV
VALOR PRESENTE	TAXA DE JUROS	NÚMERO DE PERÍODOS		VALOR FUTURO
PRESENT VALUE	*INTEREST* *ao mês...* *ao dia...* *ao período...*	*NUMBER* *meses...* *dias...* *períodos...*		*FUTURE VALUE*
(+ OU -)	(+ OU -)	(Nº SIMPLES)		(+ OU -)

(Obs.: repare que, no esquema acima, há um espaço. É proposital, não se preocupe; daqui a pouco iremos preenchê-lo com o conteúdo correto. Por ora, contenha sua natural curiosidade a respeito.)

SEU DINHEIRO PEDE A CONTA CERTA, COM TOTAL VISIBILIDADE FINANCEIRA

Agora você já está devidamente preparado para ser apresentado a nossa SMARTCALC (ferramenta que integra a metodologia PROF).

A calculadora se encontra disponível no CD que acompanha este livro e foi desenvolvida no Microsoft Excel 2003, sob o nome *Ferramenta Eletrônica 1 – Calculadora de Matemática Financeira*. Você não precisa ter conhecimentos desse programa para utilizar a calculadora (basta seguir as instruções aqui apresentadas), embora precise tê-lo instalado em seu computador.

Você notará que a calculadora tem *cinco* diferentes áreas e que, na realidade, equivale a cinco diferentes calculadoras financeiras em uma só. Feito canivete suíço, com várias funções em uma só ferramenta. Porém, agora nós iremos utilizar apenas a segunda área, contando de cima para baixo, aquela que equivale à calculadora de **TAXA DE JUROS (i)**.

Repare que todos os campos de cada uma das cinco diferentes áreas são iguais: o que varia é apenas o campo destacado em *fundo cinza*

CONTA CERTA NA PONTA DO LÁPIS

CALCULADORA DE MATEMÁTICA FINANCEIRA

PV
VALOR PRESENTE

PV	R$ 0,00	PMT			
i		FV			
n		FIM END		COMEÇO BEG	

i
TAXA DE JUROS

PV		PMT			
i	0,00%	FV			
n		FIM END		COMEÇO BEG	

n
NÚMERO DE PERÍODOS

PV		PMT			
i		FV			
n	0,0 períodos	FIM END		COMEÇO BEG	

PMT
PAGAMENTO PERIÓDICO

PV		PMT	R$ 0,00		
i		FV			
n		FIM END		COMEÇO BEG	

FV
VALOR FUTURO

PV		PMT			
i		FV	R$ 0,00		
n		FIM END		COMEÇO BEG	

SMARTCALCS® *por* PROF. MARCOS SILVESTRE *para* 12 MESES PARA ENRIQUECER

Metodologia PROF® Programa de Reeducação e Orientação Financeira V.1008020929

claro, indicando ser justamente esta a variável que desejamos descobrir em cada caso. Na segunda área, por exemplo, o campo correspondente a **(i) TAXA DE JUROS** está destacado com fundo cinza claro. Os demais campos estão com *fundo branco*, sinalizando que eles devem ser preenchidos.

Então, acesse sua calculadora no CD e preencha os campos adequados da segunda área com as informações de que já dispomos: imediatamente, eis que aparecerá **(i) TAXA DE JUROS**. Detalhe: como você ainda não sabe o que é PMT, e também desconhece os campos FIM (END) e COMEÇO (BEG), simplesmente deixe-os em branco. Você notará que, imediatamente ao preenchimento dos campos em branco (PV) e (n), o campo de resposta **(i)**, destacado com fundo cinza claro, mostrará a informação correta: 3,32%.

i TAXA DE JUROS				
PV	R$ 1.000,00	PMT	R$ 0,00	
i	3,32%	FV	-R$ 1.480,00	
n	12,0 períodos	FIM END		COMEÇO BEG

Observação importante: para inserir as informações de maneira adequada na calculadora, basta começar digitando o sinal correto (indicar somente quando o sinal for de *menos*, pois, quando for sinal de *mais*, não é necessário determinar, já que o programa entende automaticamente que se trata de um número com valor positivo), digitando em seguida o número simples, sem cifrões ou pontos (o programa já está formatado para fazer isso corretamente por você).

Quando digitar um valor negativo, para facilitar sua visualização, o programa apresentará tal valor destacado em *letras vermelhas*. E não se preocupe: os campos que contêm fórmulas e formatações necessárias estão devidamente protegidos, para que você não apague ou altere involuntariamente essas formatações e acabe estragando sua calculadora.

Se, por engano, você acabar inserindo nos campos abertos (em branco) da sua *calculadora de matemática financeira* alguma outra coisa além do número simples com o sinal correto, ela apresentará erro no campo de resultado. Nesse caso, apague tudo e insira novamente as informações solicitadas. É como se, ao "contar sua história" para a calculadora, você sem querer começasse a falar uma língua diferente da que ela entende, deixando-a temporariamente confusa. Basta apagar tudo e começar de novo.

Mais uma observação: e se tivéssemos feito todos esses cálculos do *seu* ponto de vista, em vez do *meu*? Mudaria o resultado da taxa de juros embutida, a porcentagem obtida como resultado da conta feita pela calculadora? Não, em absoluto, a taxa seria exatamente a mesma, pois é a taxa *da operação*, qualquer que seja o prisma do qual a estejamos enxergando. Experimente essa via e você comprovará.

De qualquer forma, utilizar os sinais corretos sempre nos ajuda a lembrar de que ponto de vista estamos fazendo os cálculos: do ponto de vista do *devedor* (eu) ou do *credor/investidor* (você). Nunca se esqueça, portanto, de inserir os sinais corretos em suas questões de matemática financeira.

Voltando às contas de nossa calculadora, apuramos que o resultado correto de **TAXA DE JUROS mensal (i)** para a nossa operação financeira é **3,32%.**

PV = + 1.000 FV = - 1.480 n = 12 (meses) i = 3,32 (%)

SABER LER, ENTENDER E USAR O RESULTADO DA CONTA CERTA

Você está vendo como o resultado da calculadora diferiu daqueles 4% obtidos pela simples divisão por 12 meses dos 48% de juros acumulados ao ano? Isso se explica justamente pelo princípio dos juros compostos, que sua calculadora financeira conhece melhor do que ninguém!

Uma taxa de juros mensal de 3,32% acumulada durante 12 meses pelo princípio dos juros compostos *não* resulta na simples soma de 12 quantias iguais de 3,32% (o que daria 39,84% ao ano), mas sim em 48%, porque os juros terão sido acumulados ou compostos, *não* em simples progressão *aritmética*, porém em progressão *geométrica*.

Mas, uma vez que você já compreendeu o princípio da coisa, não precisa esquentar a cabeça com essa história de progressão aritmética x progressão geométrica. É só "conversar direito" com sua calculadora, confiar nela, e prestar bastante atenção no que ela irá lhe contar como resultado de seus cálculos precisos e corretos.

Nesse caso, a calculadora nos contou que a taxa de juros mensal embutida na nossa operação financeira de empréstimo é (i) = 3,32 (%) ao mês. De fato, uma informação bastante útil, tanto para mim quanto para você. À luz dessa informação bem calculada é que orientaremos nossas decisões financeiras a partir daqui.

De meu lado, olhando essa taxa de juros mensal de 3,32%, posso concluir que você está me pedindo uma taxa de juros menor do que meu banco solicitaria para me conceder um *empréstimo pessoal qualquer* (média de 5% de taxa de juros ao mês). No entanto, isso é mais do que me pediriam em um *empréstimo consignado com desconto em folha de pagamento* (média de 2,50% ao mês), e bem mais do que seria solicitado para me emprestarem a mesma quantia de R$ 1 mil no *cheque especial* (média de 8% de juros ao mês). Enxergando dessa forma, com a conta certa na mão, concluo que sua proposta não é tão ruim, mas ela poderia ser um pouco melhor.

De seu lado, você conclui que até que está sendo camarada comigo, porque se eu tentasse pedir a mesma quantia emprestada no *crédito rotativo do cartão de crédito*, pagaria várias vezes esse valor (média de 12% de taxa de juros mensal). E, por outro lado, você ganhará nada menos que *seis vezes* o que a caderneta de poupança lhe paga hoje. Ter a conta certa em mãos lhe terá permitido concluir que você não é exatamente um usurário sovina, mas sabe muito bem conseguir um bom retorno para o seu capital.

NEM TUDO O QUE RELUZ É OURO: A CONTA CERTA SEPARA O JOIO DO TRIGO

Animado com esse rendimento tão diferenciado, você quer prosseguir com o empréstimo. Lembre-se: enriquecer é o seu objetivo. Mas então você percebe que eu estou cabisbaixo, preocupado, incerto de que este seria mesmo o melhor negócio financeiro para mim. Nesse momento, sua brilhante mente financeira acaba concebendo uma forma superinteligente de me trazer de volta para esse negócio do empréstimo! (Quer dizer, superinteligente *para você*, conforme veremos a seguir.)

"Bem professor, como nós temos certa amizade, vou 'aliviar' a coisa para meu 'amigão'! Em vez de me pagar R$ 1.480 daqui a 12 meses, você me pagará 'apenas' 12 parcelas de R$ 120 por mês. Desse modo, o empréstimo ficará mais leve para o seu bolso, porque você irá quitá-lo em suaves prestações. No mais, você pode somar as prestações, veja que o empréstimo vai lhe sair por menos do que antes: 12 x R$ 120 = R$ 1.440, ou seja, ainda estou lhe dando R$ 40 de desconto com relação aos R$ 1.480 da proposta original. É pegar ou largar!"

Você acaba de tornar o negócio bem mais interessante para mim, pelo menos essa é a impressão que tenho à primeira vista, com duas aparentes vantagens em relação à proposta anterior: 1) pagamento em "suaves" parcelas, e 2) desconto de R$ 40.

Mas será que eu devo topar sua contraoferta? Em nossa vida financeira, esta é uma das perguntas mais importantes e deveríamos fazê-la sempre, embora na prática isso não aconteça: "Será que eu devo topar?". Quantas más decisões com o dinheiro poderíamos evitar se nos colocássemos essa questão com mais frequência!

Agora, também não adianta se fazer uma pergunta dessas se não for para procurar a melhor resposta na ponta do lápis, fazendo a conta certa. Assim como em outras áreas de nossa vida, também na vida financeira as aparências podem enganar, mas os números jamais mentem. Uma bela proposta – com pinta de "negócio imperdível" – pode acabar revelando sua real natureza de proposta indecente se for devidamente passada a limpo em uma boa calculadora financeira.

Ciente disso, eu coleto as suas novas condições, agradeço momentaneamente e peço-lhe "um minutinho" para, antes, conversar com minha fiel e inseparável calculadora: "Qual é a verdadeira **TAXA DE JUROS mensal (i)** embutida nessa nova proposta?".

MATEMÁTICA FINANCEIRA, AS PARCELAS: PAGAMENTO PERIÓDICO (PMT)

Para fazer a conta certa, precisaremos preencher aquela lacuna que estava faltando nos cinco termos do "calculadorês": o **PAGAMENTO periódico (PMT).**

PV	i	n	PMT	FV
VALOR PRESENTE	TAXA DE JUROS	NÚMERO DE PERÍODOS	PAGAMENTO	VALOR FUTURO
PRESENT VALUE	*INTEREST*	*NUMBER*	*PAYMENT*	*FUTURE VALUE*
(+ OU -)	*ao mês...* *ao dia...* *ao período...*	*meses...* *dias...* *períodos...*	*mensal...* *anual...* *por período...*	(+ OU -)
	(+ OU -)	(Nº SIMPLES)	(SINAL + OU -)	

O que você me propõe agora é anular o pagamento do **VALOR FUTURO (FV)**, que originalmente era de – R$ 1.480 e agora passará para R$ 0 (ou seja, minha dívida ficará totalmente quitada ao final de 12 meses, após os quais não lhe deverei coisa alguma), em troca de um **PAGAMENTO** periódico mensal de – R$ 120, enfim, uma *parcela mensal* desse valor durante os próximos doze meses.

PV = + 1.000 FV = 0 n = 12 PMT = – 120 i = ?

Os novos números compensam para mim? Eis o que me responde minha sábia calculadora: o resultado correto é **TAXA DE JUROS mensal (i) = 6,11 (%).**

i TAXA DE JUROS				
PV	R$ 1.000,00	PMT	-R$ 120,00	
i	6,11%	FV	R$ 0,00	
n	12,0 períodos	FIM END		COMEÇO BEG

"Não posso acreditar! A nova taxa de juros mensal embutida nessa operação é quase o dobro da anterior (3,32%), mostrando claramente que essa operação é duas vezes pior para mim! Não é possível, essa conta só pode estar errada!", penso eu, com meus cabelos brancos ficando ainda mais sem cor.

Pois é... é possível, *sim*... a conta não está incorreta, *não*. O que estava errada era a minha impressão inicial sobre sua nova proposta de empréstimo. Mas se a calculadora está mostrando que essa proposta é bem pior para mim do ponto de vista financeiro, é melhor eu *acreditar* e procurar *entender* direito o porquê. Somente esse entendimento me levará à decisão financeiramente correta de dizer um sonoro "NÃO" para essa segunda proposta.

SE A TAXA AUMENTA, CUIDADO: TEM "COELHO NESSE MATO"!

Para desvendar essa intrigante confusão, vou comparar a operação financeira que estamos fazendo, com a situação do *aluguel de uma casa*. Digamos que você encontre para alugar uma casa com 12 cômodos, pelo prazo de um ano inteiro, ao valor total de R$ 14.800. De acordo com a oferta inicial, você deverá pagar essa quantia ao locador em uma única parcela, pelo ano todo, somente ao fim desse período de 12 meses.

Você está achando um pouco caro. O proprietário, querendo fechar o negócio a qualquer custo, vem com a seguinte contraproposta: para ficar mais leve para o seu bolso, ele sugere que, todo mês, você pague uma parcela de apenas R$ 1.200. E você pode fazer a conta: 12 meses x R$ 1.200 = R$ 14.400! Então, na prática, o locador afirma que está lhe dando um desconto de R$ 400.

Só que, a cada mês, juntamente com o aluguel devido, fica acertado que você terá de devolver um cômodo da casa: num mês devolverá um quarto, noutro um banheiro, noutro a sala, e por aí vai... A intenção do proprietário é alugar os cômodos devolvidos a outras pessoas que estejam interessadas.

Achou estranho? Pois eu lhe pergunto: não é muito pior para você devolver a casa aos poucos, de forma "parcelada", do que devolvê-la inteirinha somente ao fim do 365º dia? Esse "parcelamento" que o proprietário lhe propôs não está lhe aliviando coisa alguma, está, isso sim, lhe complicando a vida! Na prática, você usufruirá muito menos do imóvel nessa segunda proposta. E terá uma redução total do aluguel muito pequena em troca disso.

Então, apesar do desconto de R$ 400 na conta final, nessa segunda hipótese você pagará proporcionalmente muito mais caro por metro quadrado alugado. E o proprietário, além de ganhar em cima de você, também lucrará com os cômodos avulsos alugados para novos inquilinos. Para ele, essa segunda proposta realmente será muito mais lucrativa, ou seja, a taxa de ganho para o proprietário será muito maior dessa forma.

Bem diferente disso, seria ele ter lhe proposto parcelar o pagamento para *depois* do primeiro ano de usufruto do imóvel, mas lhe foi proposto o tal parcelamento para *durante*, garantido ao proprietário, na prática, o direito de reaver o imóvel todo em um prazo médio muito inferior ao da primeira proposta.

Pois idêntica "maravilha" foi o que você, na prática, acabou me propondo nessa sua segunda oferta de empréstimo pessoal para eu comprar as fraldas do meu filho: restituir seu dinheiro todo em um prazo bem inferior, *na média*. Na primeira proposta, estava certo que eu "alugaria" os R$ 1 mil por um ano inteirinho, utilizando-os integralmente durante 12 meses e do jeito que eu bem entendesse, tendo somente a obrigação de restituir-lhe essa quantia, acrescida de R$ 480 de juros, no fim de 12 meses.

Já na segunda proposta, passados 30 dias eu estaria obrigado a lhe devolver precocemente R$ 120. E daí a mais 60 dias, eu seria forçado a lhe restituir mais R$ 120. E ao fim de outros 90 dias, eu teria de lhe antecipar mais R$ 120, e assim por diante, sempre lhe devolvendo um tanto todo mês, tornando o esforço da devolução da grana muito mais acelerado para mim.

Se fosse mesmo para eu ter de disponibilizar R$ 120 ao fim de cada mês, melhor do que entregá-los a você seria eu aplicar em algum investimento financeiro e ganhar juros até o fim de um ano, o que me ajudaria a pagar parte dos juros que eu estaria então lhe devendo ao fim de 12 meses. Quer dizer, na realidade, apesar do desconto de R$ 40 no cômputo total dos juros devidos, eu acabaria lhe pagando *proporcionalmente* muito mais por cada R$ 1 "alugado", daí a taxa de juros apresentada pela calculadora para essa segunda operação ser bem mais alta.

Quanto ao seu lado da história, você espertamente pegaria cada uma das parcelas de R$ 120 que eu fosse lhe restituindo, e imediatamente emprestaria a outro, ganhando juros sobre essa pessoa também. Francamente, mas que negócio da China (para você!).

A CONTA CERTA TAMBÉM PERMITE SEPARAR O QUE É RUIM DAQUILO QUE É AINDA PIOR

Imagine que eu não tivesse feito a conta certa e, iludido, tivesse topado de pronto a sua segunda proposta. Então, para fechar com chave de ouro (para o seu lado!), você me viria com esta apunhalada final: pagar-lhe em 12 parcelas de R$ 1.200, sim, só que... para me conceder esse privilégio, a primeira teria de ser paga de imediato, no ato do fechamento do negócio!

Bem, o pior cego financeiro é o aquele que não quer enxergar o que vai dentro de seu bolso... Se eu tivesse feito a conta certa para essa terceira proposta (sim, financeiramente falando, há uma importante distinção), perceberia que, quando algo está ruim para o seu bolso, pode ficar ainda pior. A princípio, a conta que deve ser feita nos parece exatamente a mesma:

PV = + 1.000   FV = 0   n = 12   PMT = - 120   i = ?

Só que, na nossa calculadora de matemática financeira há dois campos especiais que ainda estão em branco: um que diz FIM (ou END, como costuma aparecer nas calculadoras financeiras), e outro que diz COMEÇO (ou BEG, abreviação de BEGINNING). Isso diz respeito ao vencimento das parcelas: se é no *começo* do período, por exemplo, no dia 1º de cada mês, ou no *fim*, no dia 30 ou 31.

Pense bem, o que é mais sacrificante para mim: ter que devolver os R$ 120 no dia 1º ou somente no dia 30 ou 31? E isso para todos os meses, não só para o primeiro! Quer dizer: quando você me fez a terceira proposta, propondo adiantar a primeira parcela, forçou também a antecipação do pagamento de *todas* as demais parcelas. Se a primeira parcela deve ser paga no ato, a segunda não será somente daí a 60 dias (dois meses), mas daí a 30 dias (depois de apenas um mês), e a terceira parcela não será paga daí a 90 dias (três meses), mas depois de 60 dias (dois meses), e por aí vai...

Você duvida que, fazendo a conta certa, a taxa de juros embutida nessa nova operação vá aumentar em relação, inclusive, àqueles 6,11% da segunda proposta? Pois para relatar corretamente essa terceira proposta a nossa calculadora, basta fazer um X no espaço de **COMEÇO (BEG)**, sinalizando que os pagamentos periódicos serão feitos sempre no começo do mês.

Assim procedendo, veja o que a calculadora nos mostra:

i TAXA DE JUROS	PV	R$ 1.000,00	PMT	-R$ 120,00		
	i	7,45%	FV	R$ 0,00		
	n	12,0 períodos	FIM END		COMEÇO BEG	X

(Em tempo: nossa calculadora de matemática financeira foi programada para trabalhar sempre no modo **FIM [END]**, caso você se esqueça de assinalar um X no espaço correto. Se, por engano, marcar X tanto em **FIM [END]** como em **COMEÇO [BEG]**, as contas serão feitas considerando o modo **FIM [END]**, que é sempre o mais comum de se observar no mercado de crédito ou de investimentos.)

O quê??? 7,45% de taxa de juros mensal embutida??? Ora, ora, meus "parabéns"! Ao bolar essa terceira operação financeira você acaba de ser promovido de *talentoso prestamista amador* a *gênio profissional das finanças*! Vá saber faturar assim na casa do Tio Patinhas!

Mas, pensando bem, nessa história você não tem culpa alguma, só está fazendo a *sua parte*, que é tentar ganhar *mais dinheiro* dentro de suas possibilidades. Eu é que não posso deixar de também fazer *a minha* parte: fazer a *conta certa*, utilizando corretamente a calculadora, para ter o conhecimento adequado, ampliar minha consciência financeira e, assim, tomar a decisão correta, para dar o devido valor ao meu dinheiro, jamais aceitando propostas financeiramente indecentes como essa, pelo simples fato de que não desejo empobrecer à toa.

Moral da história:

Quem não sabe fazer a conta certa com o dinheiro,
nunca sabe se está fazendo bom ou mau negócio,
não sabe se está enriquecendo ou empobrecendo.

Qual das decisões mais expressivas em sua vida financeira, aquelas que verdadeiramente mexem com o seu bolso, podem ser tomadas sem um bom cálculo prévio? Absolutamente nenhuma, sob pena de enfraquecer, ao invés de reforçar, seu poder aquisitivo para obter qualidade de vida.

Em seguida, veremos exemplos de como utilizar os cálculos da matemática financeira para ajudar você a tomar a decisão financeiramente mais adequada em diferentes circunstâncias da sua vida: nas compras, nas dívidas e nos investimentos.

A CONTA CERTA NA COMPRA DE UM NOVO AUTOMÓVEL

Talvez você esteja *precisando* adquirir um automóvel e não tenha dinheiro para comprá-lo *à vista e com desconto* (situação ideal do ponto de vista financeiro). Mas vamos supor que, dessa vez, você ainda não tenha feito um bom plano de investimentos para realizar o sonho da compra do carro à vista e com desconto, sendo portanto obrigado a apelar para uma nova *dívida*, no caso, um financiamento de automóvel.

Se precisa ser assim, escolha dos males o menor. É sempre um péssimo negócio optar por um financiamento de automóvel com *prazo longo demais*, porque, mesmo que a taxa de juros cobrada não lhe pareça das mais altas, os juros incidirão uns sobre os outros de forma cumulativa, resultando naquilo que já conhecemos como *juros compostos*, fazendo com que o montante total de juros pagos no financiamento seja uma enormidade.

Meu objetivo agora é chamar sua atenção para o fato de que, se você for mesmo financiar um carro, além pesquisar a *menor taxa* de juros disponível, também deverá se esforçar para financiar o veículo de *menor valor* possível, dando a *maior entrada* que puder e financiando o saldo pelo *prazo mais curto* que conseguir. Todos esses cuidados devem ser tomados para se pagar o mínimo de juros possível no cômputo geral do financiamento.

Convenhamos, não é isso que um brasileiro típico faria: ele procuraria a menor taxa, sim, pois isso parece óbvio, mas provavelmente daria preferência ao *maior valor* de financiamento possível ("Puxa, estão me dando mais crédito!"), com a *menor entrada* possível ("Mal posso acreditar: sem entrada? Uau, isso é demais!"), e pelo *prazo mais longo* possível ("Nossa, que maravilha: quanto maior for o prazo, mais suaves serão as parcelas, certo?"). Quem raciocina dessa forma certamente ainda não sabe fazer a conta certa, na ponta do lápis.

Suponhamos que você vá comprar um carro usado, financiado, no valor de R$ 25 mil. Você vai à feira de automóveis, ou quem sabe àquela rua de comércio especializado lá do seu bairro que tem várias lojas de veículos usados.

Logo na primeira loja, você encontra o carro que está procurando, e ele custa os R$ 25 mil que está disposto a pagar. A proposta que lhe fazem é dar 20% de entrada, ou seja, R$ 5 mil, e financiar o saldo restante, de R$ 20 mil (PV = + 25.000 – 5.000 = + 20.000), em 24 parcelas (n = 24), a juros de 2,99% ao mês (i = 2,99).

Atente para o fato de que o PV = + 20.000 está com sinal positivo, certo? Mas, por quê? Bem, do ponto de vista financeiro, essa é a soma de dinheiro que o banco ou a financeira *fará entrar* no seu bolso por meio do financiamento. Afinal de contas, se já tivesse esses R$ 20 mil, você os juntaria aos R$ 5 mil que deverão ser desembolsados com a entrada e compraria o carro à vista, com desconto, provavelmente por um preço entre R$ 24 mil e R$ 23 mil.

Então, se é verdade que esses R$ 20 mil, após entrarem em seu bolso, irão imediatamente sair, isso não tem a ver com a *operação financeira* do financiamento do automóvel em si (que está fazendo *entrar* dinheiro no seu bolso), mas com a *operação comercial* de compra do carro (que fará o dinheiro *sair* logo em seguida).

Em tempo: o FV naturalmente deve ser igual a zero, porque, após ter quitado as 24 parcelas, o saldo adicional que você terá a pagar naquele momento futuro será exatamente zero (ou seja, sua dívida estará plenamente quitada após o pagamento de todas as parcelas, não sobrando nenhum residual a pagar.)

PV = + 20.000 FV = 0 n = 24 PMT = ? i = 2,99

Essa é a *conta certa* e, para resolvê-la, vamos selecionar a calculadora de **(PMT) PAGAMENTO PERIÓDICO:**

PMT PAGAMENTO PERIÓDICO				
PV	R$ 20.000,00	PMT	-R$ 1.179,68	
i	2,99%	FV	R$ 0,00	
n	24,0 períodos	FIM END	X	COMEÇO BEG

Pois, fazendo a conta certa, vemos que resultará em 24 parcelas mensais de **R$ 1.180** (fazendo um ligeiro arredondamento para cima). Pouco animado com essa oferta, você procura outra loja, com uma taxa mais baixa, de 2,49% ao mês (n = 2,49). Essa segunda loja não lhe pede nada no ato, ou seja, lhe propõe zero de entrada, financiando, portanto, o valor integral do veículo (PV = + 25.000), e ainda oferece parcelamento no dobro do prazo proposto pela primeira loja, ou seja, em 48 vezes (n = 48). Conforme a conta abaixo:

PV = + 25.000 FV = 0 n = 48 PMT = ? i = 2,49

Para encontrar a resposta correta, novamente teremos de nos valer da calculadora financeira de **(PMT)**:

PMT PAGAMENTO PERIÓDICO				
PV	R$ 25.000,00	PMT	-R$ 898,41	
i	2,49%	FV	R$ 0,00	
n	48,0 períodos	FIM END	X	COMEÇO BEG

As parcelas, nesse caso, ficarão em um valor bem mais baixo que no caso anterior, cravando em **R$ 898** mensais. Então você sai dessa outra loja todo satisfeito! Afinal, conseguiu uma *taxa menor*, um *valor de empréstimo maior* e um *prazo mais longo*, com uma *prestação menor*! Parece o melhor dos mundos!

AS APARÊNCIAS PODEM ATÉ ENGANAR... MAS A CONTA CERTA JAMAIS MENTE!

Cuidado, já lhe disse que, em nossa vida financeira, as aparências enganam. Fazendo a conta certa *na ponta do lápis*, agora com a ajuda de uma simples calculadora aritmética, apurei que você pagaria o seguinte na primeira hipótese:

24 prestações x R$ 1.180 = R$ 28.320 total das prestações
R$ 28.320 total pago – R$ 20.000 financiados = R$ 8.320 de juros totais
(R$ 8.320 de juros / R$ 20.000 financiados) x 100 = 41,60% de juros totais

No entanto, ao optar pela segunda oferta, aquela que a princípio lhe parecia mais vantajosa, você acabou pagando muito mais juros sobre juros, veja só:

48 prestações x R$ 898 = R$ 43.104 total das prestações
R$ 43.104 total pago – R$ 25.000 financiados = R$ 18.104 de juros totais
(R$ 18.104 de juros / R$ 25.000 financiados) x 100 = 72,40% de juros totais

Veja, na primeira opção, o carro lhe custará, no total, R$ 33.320:

R$ 5.000 entrada + R$ 28.320 prestações = R$ 33.320 custo total

Enquanto na segunda opção, mais sedutora, o carro lhe custará R$ 43.104:

R$ 0 entrada + R$ 43.104 prestações = R$ 43.104 custo total

Na segunda opção, você pagará quase R$ 10 mil a mais pelo carro, que lhe custará praticamente 30% a mais que o valor total pago pelo veículo na primeira opção. Eu lhe disse: sem a conta certa, as aparências podem enganar.

Isso acontece justamente por causa do mecanismo dos *juros sobre juros*, que fazem o *cômputo geral dos juros pagos* ser muito maior (quase 120% maior!) na segunda opção (juros totais de R$ 18.104), que tem zero de entrada e o dobro de prazo de financiamento, apesar da taxa menor.

Os juros compostos também existem na primeira opção (juros totais de R$ 8.320), com entrada de 20% e metade do prazo de financiamento. Mas, apesar da taxa mais alta, os no cômputo geral os juros pagos serão bem mais baixos, porque terão se acumulado por *menos tempo* e sobre um saldo financiado *menor*.

Apenas a título de reforçar esse importante aprendizado sobre o dinheiro com que a matemática financeira acaba de nos presentear: quando for *financiar* qualquer bem, faça a conta certa e planeje-se financeiramente para conseguir:

- a *menor taxa*,
- a *maior entrada* = o menor saldo a financiar, e
- o *menor prazo* = o menor número de prestações.

Essa é a única forma de garantir o menor pagamento possível de juros compostos no cômputo geral da operação de empréstimo. Se você não cuidar sempre de fazer a conta certa, usando e abusando de seus preciosos conhecimentos de matemática financeira, acabará gastando muito mais com juros, como consequência sobrará muito menos para gastar com coisas que verdadeiramente lhe interessam, o que enfraquecerá seu poder aquisitivo de qualidade de vida.

MELHOR QUE FAZER UMA DÍVIDA É INVESTIR PARA COMPRAR À VISTA

Em nosso exemplo anterior, o objetivo era comprar um carro de R$ 25 mil. No financiamento em 48 prestações com zero de entrada, as parcelas sairiam por R$ 898. Quem assume uma dívida dessas, deve estar 100% seguro de que terá esses R$ 898 disponíveis em seu orçamento pessoal para honrar o compromisso todos os meses, durante longos quatro anos. Do contrário, num determinado momento o sujeito poderá ficar inadimplente, perderá o carro, tudo o que pagou, e ainda terá de carregar a dívida de um carro que não existe mais na sua vida, e talvez chegue ao extremo de inclusive sujar seu bom nome e seu crédito na praça.

Mas se a pessoa tem, de fato, esses R$ 898 para pagar todos os meses a prestação da dívida, não teria essa mesma quantia para *aplicar* mensalmente, com o objetivo de juntar o dinheiro necessário durante um período, ganhando juros sobre juros, para então poder comprar o carro à vista e com desconto? Se tiver *disciplina financeira*, é lógico que sim!

"Ah, mas disciplina é algo difícil de se ter... Assumindo uma dívida, a gente se obriga a pagar, e a grana acaba aparecendo de algum modo. Já se for se propor a aplicar o mesmo dinheiro todos os meses, é capaz de gastar essa quantia antes de mandá-la para a aplicação..."

Antes que você comprometa severamente seu processo de enriquecimento e sua qualidade de vida pensando assim por toda uma vida, deixe-me fazer mais algumas contas para lhe mostrar na ponta do lápis a enorme vantagem financeira de trocar uma dívida por um investimento.

Vamos tentar descobrir quanto tempo a pessoa levaria para acumular os R$ 25 mil necessários para comprar o carro à vista (FV = + 25.000), se optasse por investir R$ 898 todos os meses (PMT = – R$ 898) em um bom título da dívida pública brasileira adquirido através do Tesouro Direto. Essa opção de aplicação financeira dinâmica, que trataremos mais adiante, lhe proporcionaria uma rentabilidade líquida de 0,75% ao mês (i = 0,75). Então a conta ficaria da seguinte maneira:

PV = 0 FV = + 25.000 n = ? PMT = – 898 i = 0,75

Lembre-se de que PV = 0, porque estamos supondo que, quando você começa a juntar sua reserva financeira, não terá absolutamente nada já previamente acumulado. E também vale notar que o PMT tem valor negativo porque, apesar de não se tratar propriamente de uma dívida, esse valor mensal de R$ 898 *sairá* do seu bolso todos os meses com destino à aplicação financeira escolhida. O objetivo é fazer esses pagamentos periódicos acumularem juros sobre juros e retornarem como um *valor cheio* equivalente a R$ 25 mil no momento futuro (por isso o FV recebe valor positivo nessa conta).

Para resolver esse desafio, utilizaremos a calculadora financeira de **(n) NÚMERO DE PERÍODOS**:

n NÚMERO DE PERÍODOS	PV	R$ 0,00	PMT	-R$ 898,00
	i	0,75%	FV	R$ 25.000,00
	n	25,4 períodos	FIM END X	COMEÇO BEG

Eis o resultado: **(n) = 25,4 (meses)**. Isso dá pouco mais de *dois* anos, contra *quatro* anos pagando o mesmo valor todos os meses no financiamento! Pela via do investimento, você terá de desenvolver a cada mês o mesmo sacrifício poupador e investidor, só que por apenas metade do tempo total que levaria na via da dívida!

Quer dizer, se você tiver os R$ 898 por mês durante quatro anos, optando pela via do investimento conseguirá comprar *dois* carros em vez de apenas um, desenvolvendo exatamente o mesmo esforço. Isso não lhe parece inteligente? E não é "mágica", simplesmente a força dos juros sobre juros atuando a seu favor, conforme comprovado pela conta certa na ponta do lápis!

Você pode até argumentar que, se comprar o carro por meio de uma dívida, poderá desfrutá-lo desde já. É verdade. Mas também é verdade que, daqui a dois anos, esse carro será dois anos mais velho, ao passo que o automóvel adquirido com seus investimentos somente daqui a dois anos será dois anos mais novo.

Em tempo: você também pode pensar: "Hoje, o carro custa R$ 25 mil mas esse preço vai aumentar nos próximos dois anos, e daí corro o risco de não conseguir mais comprá-lo". A primeira parte desse raciocínio (preço do carro vai subir) é verdadeira, mas a segunda (você não conseguirá comprá-lo com R$ 25 mil) é falsa. Talvez o preço do carro aumente para R$ 27 mil (alta de 8%) daqui a dois anos, mas com os R$ 25 mil em mãos você conseguirá um desconto na compra à vista que lhe permitirá levar o carro tranquilamente para sua garagem? Compreendeu?

Jamais deixe sua visão financeira turvar-se por meras aparências e preconceitos, sem apurá-los devidamente por meio da conta certa. O objetivo é um só, e não poderia ser mais nobre: fortalecer seu poder aquisitivo de qualidade de vida, enriquecer seu bolso, extrair maior usufruto do dinheiro que você tem, sem depender de ganhar na Mega-Sena para resolver a vida.

Eu digo e repito: para quem deseja enriquecer, conhecimento financeiro vale mais que dinheiro no bolso!

QUEM INVESTE E COMPRA À VISTA VAI MAIS LONGE COM SEU DINHEIRO

Rapidamente, para fecharmos esta seção, quero lhe dar uma dica final com nossa calculadora de matemática financeira. No exemplo anterior, a pessoa que quisesse hoje levar para casa um veículo de R$ 25 mil, teria de pagar 48 prestações de R$ 898.

Mas e se essa pessoa estivesse disposta a esperar os mesmos 48 meses (n = 48), partindo do zero (PV = 0) e aplicando mensalmente R$ 898 no Tesouro Direito (PMT = – 898), com juros líquidos de 0,75% ao mês (i = 0,75)? Quanto esse investidor teria ao fim de quatro anos (FV = ?)? Que carro poderia comprar com esse dinheiro? Muito provavelmente um automóvel melhor, mas... exatamente *quanto melhor*?

Essa outra conta ficaria assim:

PV = 0 FV = ? n = 48 PMT = – 898 i = 0,75

Utilizaremos nossa calculadora financeira de **(FV) VALOR FUTURO**:

FV VALOR FUTURO				
PV	R$ 0,00	PMT	-R$ 898,00	
i	0,75%	FV	R$ 51.653,60	
n	48,0 períodos	FIM END	X	COMEÇO BEG

Atente bem para o resultado: **(FV) = 51.654**! Quer dizer, **mais do que R$ 50 mil**, ou seja, mais que o dobro do valor daquele carro financiado, o que equivale a um carro *duas vezes melhor*! E isso exatamente com *o mesmo esforço*, apenas tomando cuidado para não se precipitar, aguardando os quatro anos para dar uma forcinha para os juros sobre juros se acumularem, resultando numa superforça adicional ao seu poder aquisitivo!

O que você quer para daqui a quatro anos? Um *carrinho* que valia R$ 25 mil quando você o comprou há 48 meses, e que hoje não valerá nem R$ 15 mil, ou um *carrão* zero km, tinindo de novo, ao preço de R$ 52 mil (comprado à vista e com desconto)? O futuro é seu, a escolha é sua. Só não deixe, jamais, de fazer a conta certa para avaliar o verdadeiro impacto que suas decisões financeiras podem ter sobre seu poder aquisitivo de qualidade de vida plena!

Fonte I

Investimentos mais dinâmicos

Faça bons planos de investimentos e aplicações dinâmicas

Capítulo 4

Conquiste seus grandes sonhos de compra & consumo

Quem chegou até aqui depois de ler a seção anterior, sobre o poder os juros compostos e a matemática do dinheiro, já compreendeu o seguinte:

- O segredo da força dos juros ganhos sobre juros na sua vida financeira.
- A importância de usar os juros a favor de seu *enriquecimento*, nos investimentos, e não de seu *empobrecimento*, nas dívidas.
- Já aprendeu a fazer a conta certa para multiplicar seu dinheiro e enriquecer continuamente.

Se você ainda não se ateve à seção anterior, não se preocupe. Ela não é indispensável para acompanhar o raciocínio a seguir, sobre como estruturar seus bons planos de investimentos.

O BOM INVESTIDOR CONTA COM A "SORTE": BOA PREPARAÇÃO E BOAS OPORTUNIDADES

Pela autoavaliação proposta no começo deste livro, você já identificou em que ponto encontra-se hoje com relação a seus *grandes sonhos de compra e consumo*. Aposto que há muita coisa para melhorar, e tais providências deverão ser cuidadosamente planejadas em seu *Plano da Virada*. A seguir, vamos tratar de conhecer e explorar melhor o potencial multiplicador da fonte dos *investimentos mais dinâmicos*, uma excelente forma de enriquecer rumo à conquista de seus maiores desejos.

Há quem pense que conseguir realizar seus sonhos é uma questão de sorte. Só acredito nisso se levarmos em conta a combinação da *preparação* do investidor com as *boas oportunidades* no mercado financeiro.

Ao elaborar seus bons planos de investimentos - a *preparação* - e ao buscar aplicações financeiras dinâmicas - as *oportunidades* - você logo será chamado de "um cara de sorte". Algumas pessoas podem até se ofender com isso, pois se trata, na realidade, de um bom tanto de dedicação e trabalho. Como os resultados são mais que compensadores, nem se aborreça. Muita gente age assim porque desconhece como esse mecanismo é simples e acessível a qualquer pessoa, ignorando seu imenso potencial transformador rumo à verdadeira riqueza.

TODO BOM INVESTIDOR É UM BOM PLANEJADOR

Certas pessoas acreditam que talvez exista alguma aplicação "milagrosa", que apresentará excelente rentabilidade com baixíssimo risco. Há anos, a pergunta que sempre me fazem é: "Qual é o melhor investimento?!" Minha resposta é invariavelmente a mesma: "FIF".

Não, não se trata de um novo Fundo de Investimento Financeiro, mas FIF equivale à sigla de uma grande lição financeira: "Faça Investimentos Frequentes", não importa quais forem. Investimento bom é aquele feito com *frequência*.

Poucos são os que já seguem essa orientação. Como resultado, no afã de viabilizar suas conquistas, a maioria das pessoas acaba apelando para o péssimo caminho das dívidas recorrentes, arcando com o pesado ônus dos juros pagos. Quem deseja enriquecer de verdade deve se esforçar para trocar o vício financeiro das dívidas pelo hábito saudável de fazer bons planos de investimentos.

Um exemplo: a maioria dos motoristas (60%) prefere trocar de carro através de um financiamento. Por esse esquema de troca, o comprador dá seu carro usado de entrada, recebe um mais novo e financia a diferença para pagá-la em dois ou três anos. Quitado o financiamento, é hora de voltar à concessionária para adquirir um novo automóvel. E mais uma vez o veículo usado volta a servir como entrada, em troca de um mais novo, com outro financiamento para mais dois ou três anos. Assim se passa de carro em carro, de dívida em dívida. Sempre trocando de automóvel, mas sempre devendo o que se tem estacionado na garagem.

Vamos fazer a conta certa com um carro de pequeno porte, um modelo popular, com ar condicionado e direção hidráulica, cujo zero quilômetro custa cerca de R$ 34 mil na tabela. Daqui a três anos, será devolvido à loja por, no máximo, metade do seu valor original, ou seja, R$ 17 mil. E haverá mais um financiamento em 36 prestações dos R$ 17 mil que faltam para inteirar o carro novo, a juros de 1,99% ao mês.

Qual será o valor da prestação mensal devida? Fazendo uso de nossa Calculadora de Matemática Financeira para responder essa questão:

PMT	PV	R$ 17.000,00	PMT	-R$ 665,89		
PAGAMENTO	i	1,99%	FV	R$ 0,00		
PERIÓDICO	n	36,0 períodos	FIM END	X	COMEÇO BEG	

Pela conta certa, vemos que cada prestação ficará em R$ 666. No total, serão R$ 23.976 (36 prestações x R$ 666), pagos pelo financiamento dos R$ 17 mil que faltavam para a troca. Esses quase R$ 24 mil, somados aos R$ 17 mil do valor do carro que serviu de entrada, fazem o veículo novo sair pelo preço final de R$ 41 mil, ou seja, R$ 9 mil mais caro que seu valor normal de compra à vista, já que, nesse caso, o carro sairia por, no máximo, R$ 32 mil.

Quem já adquiriu uma consciência financeira mais evoluída vai fazer diferente. Pode até ser que o primeiro carro seja comprado com um financiamento em três anos, por exemplo, por absoluta necessidade de ter o automóvel e absoluta falta de grana para comprá-lo.

No entanto, a partir do momento em que o primeiro carro já estiver quitado, a estratégia será esperar mais três anos com esse automóvel, enquanto se junta o dinheiro para adquirir o próximo, que será comprado à vista e com desconto. Ou seja: o apelo à dívida será substituído pela estruturação de um bom plano de investimentos.

Em seis anos – três do primeiro financiamento e mais três realizando investimentos mensais frequentes – o carro usado será vendido por cerca de R$ 12 mil. Serão necessários mais R$ 20 mil para completar a diferença, no caso da compra à vista e com desconto, considerando que o novo automóvel sairá por R$ 32 mil.

Para acumular esse montante nos últimos três anos, o bom planejador economizou e investiu todos os meses na caderneta de poupança, com rentabilidade mensal de 0,55%, durante os últimos 36 meses, não os R$ 666 que seriam pagos na prestação do financiamento, mas uma parcela bem menor. Sabe quanto?

PMT PAGAMENTO PERIÓDICO						
	PV	R$ 0,00	PMT	-R$ 503,89		
	i	0,55%	FV	R$ 20.000,00		
	n	36,0 períodos	FIM END	X	COMEÇO BEG	

Pela via do plano de investimentos, basta aplicar R$ 504 por mês – portanto, R$ 162 a menos que a parcela do financiamento. Considerando 36 meses de prazo, isso dá uma economia total de R$ 162 x 36 meses = R$ 5.832! Podemos muito bem dizer que esse sábio planejador encontrou uma boa fonte para fazer “brotar” esses quase R$ 6 mil, ele achou um jeito inovador e inteligente de “enriquecer”: fez um bom plano de investimentos!

Além disso, ele levará para casa seu segundo carro totalmente quitado. Então poderá, em mais uma rodada de investimento, continuar aplicando os R$ 504 mensais – pelos próximos 36 meses – para bancar a nova troca de carro daí a três anos, pagando à vista e sem incorrer em juros desnecessários, muito pelo contrário, ganhando juros esse tempo todo. E assim, subsequentemente, por toda a sua vida financeira.

Ao adotar esse bom hábito financeiro, o sujeito deixa a posição de eterno *devedor* de um automóvel para se tornar um eterno *investidor e proprietário*. A cada cinco carros comprados assim, um lhe virá "de brinde", considerando os juros *evitados* em financiamentos e os juros *ganhos* em investimentos! Que tal esse modo de conquistar seus sonhos, por meio um bom plano de investimentos? Você pode começar a fazer o mesmo agora.

DEZ PASSOS PARA INVESTIR E CONQUISTAR O QUE SE DESEJA

Como em qualquer dimensão da nossa existência, nossa vida financeira e material é permeada de sonhos, de grandes metas que pretendemos atingir de forma concreta e segura. Tal como comprar um automóvel ou um imóvel, de preferência sem precisar financiar. Bancar os quatro, cinco ou seis anos de uma boa faculdade particular para o filho sem se ver obrigado a jogar a pesada mensalidade "nas costas" do já sacrificado orçamento mensal. Acumular um patrimônio sólido para lhe garantir uma aposentadoria tranquila, livrando-o da dependência da pensão do INSS.

Qualquer desses sonhos lhe demanda uma reserva financeira de valor elevado. Se quiser mesmo transformá-los em realidade, o único jeito é *parcelar* cada uma dessas conquistas, encaixando-as no orçamento mensal. Alguns o fazem por meio de uma *dívida*, porém os mais bem planejados preferem sempre traçar um *bom plano de investimentos.*

O que lhe parecia impossível, "caro demais", torna-se perfeitamente viável se for conquistado por meio de suaves mensalidades. Quer dizer, suaves mesmo não serão, já que bancar as mensalidades de seus planos de investimentos requer considerável esforço poupador e investidor. Mas, como já vimos, é um sacrifício bem menor que arcar com as parcelas de uma dívida, com seus enormes juros embutidos. Com bons investimentos, você enriquece porque ganha juros compostos.

Seguindo os dez passos abaixo você terá um método organizado e seguro para concretizar seus grandes sonhos de compra e consumo por meio de *bons planos de investimentos*:

- Coloque um preço realista em seu sonho.
- Determine um prazo também realista para realizar seu sonho.
- Corrija o preço de seu sonho de acordo com a inflação.
- Apure o sacrifício mensal necessário pela via da dívida.
- "Garimpe" as melhores aplicações financeiras.
- Calcule o esforço mensal pedido por cada aplicação.
- Compare a via da dívida com a alternativa de cada aplicação.
- Compare as aplicações entre si e priorize o dinamismo.
- Ajuste seu plano e encaixe-o no seu orçamento mensal.
- Trace um plano específico para cada sonho.

1. COLOQUE UM PREÇO REALISTA EM SEU SONHO

Para traçar um bom plano de investimentos, seja qual for o sonho em vista, você deverá começar fincando seus pés no chão, ou seja, estruturando seu sonho em números palpáveis. Pois comece, então, pelo desafio de colocar um preço em seu sonho, procurando determinar o valor que precisará acumular para bancá-lo.

Isso que estou sugerindo, de começar estabelecendo um preço para a sua conquista, pode parecer óbvio, mas muita gente costuma apenas fazer uma estimativa por alto do valor de seu sonho, e não com um valor correto, como é necessário para que seu plano tenha chances concretas de sucesso.

Você desejará "comprar seu sonho" à vista, porque, com dinheiro na mão, será mais fácil achar, por exemplo, o imóvel que você deseja, pagando o menor preço possível e aproveitando um belo desconto na compra à vista, sem incorrer em um centavo de juros que seja, pois se planejará para escapar de um financiamento imobiliário.

A pergunta óbvia é: quanto custa, realisticamente falando, o imóvel de seus sonhos? Existem imóveis de todos os preços. Um apartamento de R$ 100 mil é uma coisa, mas para comprar um de R$ 200 mil, o esforço é dobrado, para um de R$ 400 mil, é necessário poupar quatro vezes mais. O esforço poupador e investidor que terá de ser feito para juntar cada uma dessas quantias será proporcional à maior (ou menor) magnitude da reserva financeira estratégica que precisa ser acumulada para bancar esse sonho.

Defina precisamente o valor de mercado atual do imóvel desejado, mesmo sabendo que você não irá comprá-lo hoje. É isso mesmo: vá às imobiliárias – pelo menos a uma delas – e inteire-se dos parâmetros atuais do mercado para o imóvel de seus sonhos.

As pessoas em geral só deixam para ver o preço das coisas que cobiçam na hora de comprar, o que é um grande erro no caso de bens de maior valor, porque o preço sempre lhe pegará de surpresa, traduzindo-se numa quantia que você simplesmente não terá em mãos de uma hora para a outra. Faça diferente, seja previdente: descubra com a máxima antecedência o preço daquilo que cobiça, para poder se planejar e correr atrás dessa grana.

Ainda com relação ao preço de seu sonho, considere também o seguinte: uma coisa é o preço de tabela, ou seja, aquele valor que, a princípio, lhe pedem pelo bem. Outra coisa é o valor efetivo de aquisição, a soma que você terá efetivamente de desembolsar na compra, depois de já aplicado um eventual desconto para quitação à vista. Pois esta é uma enorme vantagem financeira de toda compra à vista: o sempre expressivo desconto que se consegue embolsar em uma negociação com dinheiro vivo. Lembre-se: dinheiro não pago é igual a dinheiro ganho, e tem o mesmo potencial para fazer você enriquecer.

Seu sonho será, então, corretamente precificado, pelo menos no momento presente. Você não vai comprar nada *hoje*, mas tudo bem: esse terá sido o primeiro passo concreto para que você possa, a partir daí, projetar um valor do bem no futuro, no momento da aquisição efetiva, e assim planejar-se para acumulá-lo por meio de aplicações mensais regulares.

2. DETERMINE UM PRAZO TAMBÉM REALISTA PARA REALIZAR SEU SONHO

Quando falamos em planejamento para o futuro, temos de ser específicos: que futuro é esse? Na sua vida financeira, muita gente boa acaba não chegando lá porque jamais se propõe a refletir – e planejar – onde deve ficar o tal "lá". Pois esse é o segundo passo no seu plano de investimentos: estimar um prazo realista para a materialização de seu sonho.

Vamos pensar na aquisição à vista de um imóvel de R$ 350 mil. Digamos que você já tenha R$ 70 mil, ou 20% do valor necessário, faltando outros R$ 280 mil. Para quando você almejaria ter a grana que hoje lhe falta e realizar seu sonho?

Lembre-se: prazo mais longo = esforço poupador e investidor mensal menor. Encurtando demais o prazo, você tornará o esforço frequente muito pesado para o seu orçamento, pois a mensalidade aumentará muito. Além disso, diminuindo o prazo, você se privará da vantagem financeira do ganho dos juros sobre juros, jogando "fermento no seu bolo" progressivamente ao longo do tempo, nos próximos meses e anos.

Pense, por exemplo, em um prazo de dez anos para comprar esse imóvel. Dividindo os R$ 280 mil faltantes pelos 120 meses contidos em dez anos, encontramos o valor mensal de R$ 2.333. Esta é a quantia que deve ser economizada e aplicada mensalmente, durante 120 meses, para juntar os R$ 280 mil. Este é o tal esforço poupador e investidor mensal que você terá de empreender para atingir seu objetivo. E então, lhe parece muito?

Antes de responder, deixe-me apenas esclarecer que essa conta não leva em consideração dois importantes elementos que terão papel decisivo nessa história: de um lado, a ameaça da inflação e, de outro, a força dos juros compostos ganhos por meio da rentabilidade de uma boa aplicação financeira, na qual o dinheiro terá sido cuidadosamente empenhado todos os meses.

Então, antes que você escolha definitivamente um prazo específico, vamos incluir esses dois elementos em nossas contas e ver como eles alteram a realidade financeira do plano que estamos montando para conquistar o imóvel cobiçado.

3. CORRIJA O PREÇO DE SEU SONHO DE ACORDO COM A INFLAÇÃO

A inflação é uma ameaça que sempre joga contra você: enquanto se propõe a poupar certa quantia todos os meses, para acumular progressivamente o montante necessário para realizar o seu sonho, a inflação faz com que seu objeto de desejo vá subindo de valor, distanciando-o ainda mais de você.

Com inflação acumulada, o mesmo dinheiro que juntou aos poucos durante todo o prazo planejado já não será mais suficiente para comprar o mesmo bem que você desejava no início. Uma verdadeira megera das finanças pessoais.

Ok, a vida é assim, a inflação é uma realidade. É melhor conhecer a "fera" e se planejar contra ela do que tomar o susto de ser atacado pelas costas depois. Por isso, a fim de fazer um plano sério, devemos corrigir o valor do sonho para o momento futuro de sua concretização. Se *hoje* o imóvel custa R$ 350 mil, daqui a *dez anos* qual será seu valor de tabela projetado, considerando o impacto encarecedor da inflação?

Veja essa conta em nossa Calculadora de Matemática Financeira:

FV VALOR FUTURO				
	PV	-R$ 350.000,00	PMT	R$ 0,00
	i	0,40%	FV	R$ 564.706,64
	n	120,0 períodos	FIM END: X	COMEÇO BEG:

Isso dá praticamente R$ 565 mil daqui a dez anos, um dinheiro que equivalerá ao poder de compra dos R$ 350 mil hoje. Observe que a taxa de inflação mensal projetada foi de 0,40% ao mês, o que equivale a uma taxa de inflação anual projetada de 4,90%. Essa é uma meta bastante razoável de se imaginar para o longo prazo, uma taxa recomendável em cálculos de vários anos.

Mas esses parâmetros são dinâmicos, podem mudar com o passar do tempo. Para se manter informado, você deve acompanhar a seção de economia dos jornais e descobrir quais as metas de inflação com que o governo e o mercado financeiro vêm trabalhando a cada período. Repare que, normalmente, esses números são divulgados como uma porcentagem ao ano, e não ao mês.

Agora você poderá fazer seus primeiros cálculos utilizando uma de nossas valiosas ferramentas de planejamento financeiro. Trata-se da nossa SMARTCALC, presente no CD que acompanha este livro (ferramenta que integra a metodologia PROF).

Trata-se de um arquivo de Microsoft Excel 2003 que tem por nome *Ferramenta Eletrônica 2 – Calculadora de Planos de Investimentos*. Você não precisa ter conhecimentos desse programa para utilizar tal calculadora – basta seguir as instruções aqui apresentadas – embora seja necessário ter o Excel instalado em seu computador para utilizá-la.

Com essa calculadora, acompanhe os três primeiros passos de seu plano de investimentos para comprar o imóvel. Esclareço a você que os campos vazios com fundo branco são aqueles em que as informações deverão ser inseridas, enquanto os campos com fundo cinza servem para mostrar os resultados das contas da calculadora. Encontram-se devidamente protegidos, para que você não os apague por engano.

Note que a mesma calculadora pode ser utilizada para na elaboração do plano de investimentos de qualquer um de seus sonhos. Por isso, o primeiro campo a ser preenchido é aquele com o nome personalizado do seu sonho.

Repare, então, que é preciso inserir as seguintes informações:

- Nome/descrição de seu sonho
- Valor atual de seu sonho
- Possível desconto obtido para quitação à vista (em %)
- Reserva financeira que você já tem e pode usar (PV)
- Prazo planejado (meses) para a realização de seu sonho (n)
- Taxa de inflação (anual) que encarecerá seu sonho (i)

A calculadora nos apresenta o valor de tabela projetado para o fim do prazo (FV): R$ 564.707,00. Esse montante equivale ao valor que o mercado deverá pedir pelo imóvel daqui a dez anos, corrigindo-se o montante para valores da época. Isso, naturalmente, se o imóvel encarecer na mesma proporção da inflação projetada, o que é bem razoável de se supor.

Aqui, cabe um comentário à parte sobre a valorização no mercado imobiliário: tenho ouvido muita gente reclamar que o preço dos imóveis está subindo demais, que os valores estão ficando "impossíveis". Há um pouco de exagero nessa interpretação: esses aumentos no preço dos imóveis costumam chamar atenção porque se aplicam sobre montantes de dezenas ou centenas de milhares de reais, que são o que normalmente custa um imóvel. Cuidado: os preços na feira e no supermercado podem estar subindo mais rápido que o valor dos imóveis. Você talvez não se dê conta disso porque, nesses dois casos, diferentemente dos imóveis, as porcentagens de aumento se aplicam a produtos que custam poucos reais. É bem provável que os imóveis tenham subido proporcionalmente menos.

Se estiver pensando em algum bairro que "virou moda" nos últimos anos (sempre há um) e, mais especificamente, no metro quadrado de imóveis novos, ainda não habitados, e com padrão de construção diferenciado – como é o caso de uma parte dos imóveis de classe média alta hoje em dia – bem, nesses casos poderá até acontecer de o valor subir acima da inflação.

SONHOS NA PONTA DO LÁPIS

CALCULADORA DE PLANOS DE INVESTIMENTOS

SEU SONHO:	Aquisição de imóvel	DATA DA CONQUISTA:	10 anos
PLANO DE INVESTIMENTOS	Valor *de tabela* atual do seu sonho (*valor de mercado*)	$ 350.000	ESSE VALOR É REALISTA?
	Possível desconto obtido para quitação à vista (*em %*)	10,00%	$ -35.000
	Reserva financeira que Você já tenha e possa usar **(PV)**	$ 70.000	TEM MESMO ESSE VALOR?
	Prazo planejado (*meses*) para realizar seu sonho **(n)**	120 meses	10,0 anos
	Taxa de inflação (*anual*) que encarecerá seu sonho **(i)**	4,90%/ano	0,40%/mês
	Valor de tabela projetado para o final do prazo **(FV)**	$ 564.707	PROJETADO PARA ÉPOCA

Aguarde os próximos passos...

Aguarde os próximos passos...

Aguarde os próximos passos...

Aguarde os próximos passos...

SMARTCALCS® *por* PROF. MARCOS SILVESTRE *para* 12 MESES PARA ENRIQUECER

Metodologia PROF® Programa de Reeducação e Orientação Financeira V.1008020929

Mas, para imóveis residenciais "normais" de classe média, sejam casas ou apartamentos, o mais provável é que seus preços acompanhem a inflação.

Vale lembrar que todo imóvel, apesar de ser um bem de raiz, também não deixa de ser um bem de uso como outro qualquer, um bem que também sofre certa depreciação com o passar dos anos, seja em seu design, em sua estrutura ou em suas instalações. É por isso que um imóvel com vinte anos de uso, mesmo que perfeitamente bem conservado, sempre custará bem menos do que um "0 km", com a mesma metragem e situado na mesma região.

Pelo raciocínio exposto, posso afirmar que o preço desse imóvel que você deseja comprar hoje muito provavelmente daqui a dez anos não terá subido mais do que a inflação. E isso se ele for muito bem conservado e continuar bem localizado, como o era dez anos antes.

4. APURE O SACRIFÍCIO MENSAL NECESSÁRIO PELA VIA DA DÍVIDA

Embora o objetivo aqui seja estruturar um plano de investimentos, recomendo como boa prática financeira calcular sempre o quanto seu sonho lhe custaria se você assumisse o compromisso de pagá-lo em prestações de uma dívida, no caso, um financiamento imobiliário. Essa prática ajudará a reforçar sua convicção; muita gente boa acaba se entregando fácil demais ao caminho da dívida, sem antes dar-se a oportunidade de enxergar quanto isso lhe custa a mais, e de avaliar se o sacrifício compensa.

Para isso, será necessário informar à calculadora a taxa de juros mensal efetiva embutida na dívida (i) = 1,00%. É uma taxa comum no mercado financeiro para financiamentos imobiliários. Veja, então, como fica a conta em nossa *Calculadora de Planos de Investimento*:

Preste bastante atenção nestes dois valores:

- R$ 4.017 de sacrifício mensal é o tamanho da prestação que você vai pagar todos os meses se resolver entrar em uma dívida de financiamento imobiliário.
- R$ 729.888 de custo total – corrigido em valores da época para daqui a dez anos – é quanto lhe custará, no final das contas de dez anos, esse imóvel, lembrando que ele deverá, então, estar valendo R$ 564.707.

SONHOS NA PONTA DO LÁPIS

CALCULADORA DE PLANOS DE INVESTIMENTOS

SEU SONHO:	Aquisição de imóvel	DATA DA CONQUISTA:	10 anos
PLANO DE INVESTIMENTOS	Valor *de tabela* atual do seu sonho (*valor de mercado*)	$ 350.000	ESSE VALOR É REALISTA?
	Possível desconto obtido para quitação à vista (*em %*)	10,00%	$ -35.000
	Reserva financeira que Você já tenha e possa usar **(PV)**	$ 70.000	TEM MESMO ESSE VALOR?
	Prazo planejado (*meses*) para realizar seu sonho **(n)**	120 meses	10,0 anos
	Taxa de inflação (*anual*) que encarecerá seu sonho **(i)**	4,90%/ano	0,40%/mês
	Valor de tabela projetado para o final do prazo **(FV)**	$ 564.707	PROJETADO PARA ÉPOCA
DÍVIDA	Taxa de juros *mensal efetiva* embutida na dívida **(i)**	1,00% nom.	0,60% real
	Sacrifício poupador & devedor = *mensalidade* (PMT)	**$ -4.017**	DEVE PAGAR
	Seu custo (*corrigido p/ época*) = *esforço do trabalho*	$ -729.888	VOCÊ DESEJA MESMO PAGAR?

Aguarde os próximos passos...

Aguarde os próximos passos...

Aguarde os próximos passos...

SMARTCALCS® *por* PROF. MARCOS SILVESTRE *para* 12 MESES PARA ENRIQUECER

Metodologia PROF® Programa de Reeducação e Orientação Financeira V.1008020929

Fazendo uma conta rápida já dá para perceber que, caso seja financiado, o imóvel lhe custará quase 30% a mais do que ele valerá no fim do plano de investimento – (R$ 730 mil / R$ 565 mil) – 1) x 100. Isso já nos dá uma boa ideia do peso da dívida como estratégia de aquisição de um bem de valor elevado.

5. GARIMPE AS MELHORES APLICAÇÕES FINANCEIRAS

Seu objetivo é conquistar seu sonho evitando o caminho da dívida: é por isso que está se dedicando a estruturar um bom plano de investimentos. Assim, você está ciente de que deverá empreender um determinado esforço poupador e investidor todos os meses, ou seja, deverá "pagar uma mensalidade" para o seu plano. E para onde deve ir esse dinheiro? Para alguma aplicação financeira na qual você pretenda ganhar juros sobre juros, sem correr riscos desnecessários.

O truque financeiro aqui é o seguinte: enquanto você trabalha e se esforça para depositar mensalmente o valor planejado (essa responsabilidade é sua, não vá falhar com ela!), seu dinheiro também contribui para a acumulação da reserva financeira necessária para realizar o sonho.

É para isso que se investe dinheiro: para tornar a concretização de nossos grandes sonhos de compra e consumo menos *sofrida* e/ou menos *demorada*. Ricos sofrem menos e esperam menos para ter as coisas, e por isso você precisa se valer dessa forma enriquecedora a fim de poder comprar algo de maior valor.

Investir pode não lhe parecer muito atraente, já que, num primeiro momento, significa não gastar. Mas, no investimento como gasto postergado para um momento futuro, enquanto o bem almejado não vem, o dinheiro vai rendendo, vai acumulando, vai produzindo mais e mais dinheiro, vai enriquecendo você, para lhe dar mais rápido e com menos sacrifício aquilo que você tanto cobiça. Enxergando assim, qualquer esforço poupador e investidor torna-se bem mais estimulante.

Para sua "sorte", o mercado financeiro brasileiro apresenta excelentes opções de investimentos para os pequenos e médios aplicadores, alternativas disponíveis em nossos bancos, administradoras de investimentos, corretoras de valores, seguradoras e empresas de vida e previdência.

As várias modalidades de aplicação financeira não passam de meios para você atingir seus fins: a conquista de seus sonhos. É só saber "garimpar" a melhor opção para você. Para fazer a seleção, podemos estabelecer os seguintes critérios: boa dosagem de segurança, razoável liquidez e rentabilidade diferenciada.

Há três diferentes tipos de boas aplicações financeiras, às quais qualquer pequeno e médio investidor brasileiro pode ter acesso:

- **Tradicionais:** caderneta de poupança e similares, tipo FIFs – Fundos de Investimento Financeiro conservadores (FIFs de modalidade DI ou Renda Fixa) ou planos de previdência privada conservadores.
- **Dinâmicas:** títulos da dívida pública brasileira, adquiridos pela internet, por meio do Tesouro Direto, ou planos de previdência privada moderados.
- **Superdinâmicas:** ações de boas empresas brasileiras, compradas também pela internet, por meio do sistema *home broker* da BM&FBovespa, ou planos de previdência privada arrojados.

O que variará de uma aplicação para a outra é rentabilidade mensal líquida (já descontados impostos e taxas) que pode ser obtida em cada uma delas. A seguir, apresento-lhe números bem razoáveis de se esperar daqui para o longo prazo:

- **Tradicionais**: 0,55% ao mês.
- **Dinâmicas**: 0,75% ao mês.
- **Superdinâmicas**: 0,95% ao mês.

Olhando rapidamente parece que a diferença de uma taxa para a outra é pequena: só 0,20 pontos percentuais ao mês. No entanto, quando os juros sobre juros são colocados para trabalhar a seu favor, uma pequena diferença de rentabilidade mensal pode representar um tremendo acréscimo nos ganhos acumulados com o passar dos meses e anos. Da mesma forma que você adiciona pequenas pitadas de fermento para fazer um bolo crescer, assim funciona o discreto diferencial de taxas de rentabilidade líquida entre as aplicações financeiras.

6. CALCULE O ESFORÇO MENSAL PEDIDO POR CADA APLICAÇÃO

Nosso próximo passo será inserir a taxa de rentabilidade mensal líquida obtida em cada aplicação nos campos adequados da nossa *Calculadora de Planos de Investimentos*. Depois, veja como ficam as contas e preste particular atenção ao tamanho do esforço poupador e investidor que você deverá desenvolver, de acordo com a aplicação escolhida (veja página ao lado).

7. COMPARE A VIA DA DÍVIDA COM A ALTERNATIVA DE CADA APLICAÇÃO

Agora é chegado o momento crucial de comparação entre as alternativas de caminhos para atingir o mesmo objetivo: a concretização do seu sonho. Vai encarar a dívida? Qual aplicação escolher?

A primeira comparação deve sempre ser entre o caminho da dívida e os três caminhos alternativos das aplicações financeiras. Observe o valor mensal que você teria de dispor em cada situação:

- No caminho da dívida = R$ 4.017
- Na aplicação tradicional = R$ 2.203
- Na aplicação dinâmica = R$ 1.740
- Na aplicação superdinâmica = R$ 1.308

Os números esclarecem bastante, não? E vale lembrar: mesmo que tenha de pagar um aluguel de R$ 2 mil todo mês para morar provisoriamente em um imóvel alugado e do mesmo padrão, enquanto aplica e acumula a reserva financeira estratégica para adquirir seu imóvel próprio, ainda assim sairá mais barato do que escolher o caminho da dívida.

Se você optar, por exemplo, pela aplicação superdinâmica + aluguel, seu esforço poupador e investidor mensal será de apenas R$ 3.308 (R$ 1.308 da aplicação + R$ 2 mil do aluguel), gerando uma economia mensal com relação à dívida do financiamento imobiliário de R$ 709 (R$ 4.017 da prestação do financiamento – R$ 3.308 de aplicação mensal + aluguel).

SONHOS NA PONTA DO LÁPIS

CALCULADORA DE PLANOS DE INVESTIMENTOS

SEU SONHO:	Aquisição de imóvel	DATA DA CONQUISTA:	10 anos
PLANO DE INVESTIMENTOS	Valor *de tabela* atual do seu sonho (*valor de mercado*)	$ 350.000	ESSE VALOR É REALISTA?
	Possível desconto obtido para quitação à vista (*em %*)	10,00%	$ -35.000
	Reserva financeira que Você já tenha e possa usar **(PV)**	$ 70.000	TEM MESMO ESSE VALOR?
	Prazo planejado (*meses*) para realizar seu sonho **(n)**	120 meses	10,0 anos
	Taxa de inflação (*anual*) que encarecerá seu sonho **(i)**	4,90%/ano	0,40%/mês
	Valor de tabela projetado para o final do prazo **(FV)**	$ 564.707	PROJETADO PARA ÉPOCA
DÍVIDA	Taxa de juros *mensal efetiva* embutida na dívida **(i)**	1,00% nom.	0,60% real
	Sacrifício poupador & devedor = *mensalidade* (PMT)	**$ -4.017**	DEVE PAGAR
	Seu custo (*corrigido p/ época*) = *esforço do trabalho*	$ -729.888	VOCÊ DESEJA MESMO PAGAR?
1. TRADICIONAL	Rentabilidade *mensal líquida* obtida na aplicação **(i)**	0,55% nom.	0,15% real
	Esforço poupador & investidor = *mensalidade* (PMT)	**$ -2.203**	DEVE APLICAR
	Seu custo (*corrigido p/ época*) = *esforço do trabalho*	$ -451.288	80% do total
	Ganho de juros + desconto à vista = *esforço do dinheiro*	$ 113.419	20% do total
2. DINÂMICA	Rentabilidade *mensal líquida* obtida na aplicação **(i)**	0,75% nom.	0,35% real
	Esforço poupador & investidor = *mensalidade* (PMT)	**$ -1.740**	DEVE APLICAR
	Seu custo (*corrigido p/ época*) = *esforço do trabalho*	$ -380.107	67% do total
	Ganho de juros + desconto à vista = *esforço do dinheiro*	$ 184.600	33% do total
3. SUPERDINÂMICA	Rentabilidade *mensal líquida* obtida na aplicação **(i)**	0,95% nom.	0,55% real
	Esforço poupador & investidor = *mensalidade* (PMT)	**$ -1.308**	DEVE APLICAR
	Seu custo (*corrigido p/ época*) = *esforço do trabalho*	$ -313.837	56% do total
	Ganho de juros + desconto à vista = *esforço do dinheiro*	$ 250.870	44% do total

SMARTCALCS® *por* PROF. MARCOS SILVESTRE *para* 12 MESES PARA ENRIQUECER

Metodologia PROF® Programa de Reeducação e Orientação Financeira V.1008020929

Em tempo: taxa de condomínio, contas de luz, água, gás etc. não entram no desempate entre esses dois caminhos, porque estarão presentes em ambos.

A escolha é clara:

- dar R$ 70 mil de entrada e financiar o restante em 120 meses, pagando R$ 4.107 por mês, para ter o imóvel quitado e em seu nome somente daqui a dez anos, ou então
- investir os R$ 70 mil em uma aplicação superdinâmica, aplicar R$ 1.308 mensais, pagar aluguel de R$ 2 mil em um imóvel compatível durante esse período, tendo R$ 700 liberados todos os meses, podendo, daqui a dez anos, comprar seu imóvel à vista e com desconto.

O que você fará com os R$ 700 a mais todos os meses durante dez anos? Qualquer coisa será melhor que gastar essa grana em juros pagos por puro deslize financeiro. Se você não precisa desse dinheiro, doe a quem precisa, mas não o desperdice em juros que poderia evitar.

Você também pode utilizar esses R$ 700 para antecipar a realização de seu sonho. Volte à calculadora, troque o prazo de 120 meses (dez anos) por 90 meses (7,5 anos). E veja, na página ao lado, como ficam as contas.

Com a diminuição do prazo, o esforço mensal na aplicação superdinâmica elevou-se em aproximadamente R$ 700, indo de R$ 1.308 para R$ 2.032. Esse novo valor, quando somado aos R$ 2 mil do aluguel provisório, resultam em R$ 4.032. É muito? Pois é praticamente o mesmo valor da prestação do financiamento de dez anos (R$ 4.017)! E então: você quer conquistar exatamente o mesmo sonho, com exatamente o mesmo sacrifício/esforço mensal em dez anos ou em 7,5 anos?

Para finalizar esse nosso raciocínio sobre o duelo entre dívidas e investimentos, considere que acabamos de tratar da economia gerada em um único sonho da sua vida financeira: imagine o mesmo raciocínio aplicado a outras decisões semelhantes. Quanto dinheiro é desperdiçado em uma vida inteira pautada em dívidas? Quanto poder aquisitivo pode ser liberado por uma vida financeira tocada na base de bons planos de investimentos? Diga-me: temos ou não aqui uma excelente fonte inovadora de enriquecimento?

SONHOS NA PONTA DO LÁPIS

CALCULADORA DE PLANOS DE INVESTIMENTOS

SEU SONHO:	Aquisição de imóvel	DATA DA CONQUISTA:	10 anos
PLANO DE INVESTIMENTOS	Valor *de tabela* atual do seu sonho (*valor de mercado*)	$ 350.000	ESSE VALOR É REALISTA?
	Possível desconto obtido para quitação à vista (*em %*)	10,00%	$ -35.000
	Reserva financeira que Você já tenha e possa usar **(PV)**	$ 70.000	TEM MESMO ESSE VALOR?
	Prazo planejado (*meses*) para realizar seu sonho **(n)**	90 meses	7,5 anos
	Taxa de inflação (*anual*) que encarecerá seu sonho **(i)**	4,90%/ano	0,40%/mês
	Valor de tabela projetado para o final do prazo **(FV)**	$ 501.054	PROJETADO PARA ÉPOCA
DÍVIDA	Taxa de juros *mensal efetiva* embutida na dívida **(i)**	1,00% nom.	0,60% real
	Sacrifício poupador & <u>devedor</u> = *mensalidade* (PMT)	**$ -4.733**	DEVE PAGAR
	Seu custo (*corrigido p/ época*) = *esforço do trabalho*	$ -611.580	VOCÊ DESEJA MESMO PAGAR?
1. TRADICIONAL	Rentabilidade *mensal líquida* obtida na aplicação **(i)**	0,55% nom.	0,15% real
	Esforço poupador & <u>investidor</u> = *mensalidade* (PMT)	**$ -2.898**	DEVE APLICAR
	Seu custo (*corrigido p/ época*) = *esforço do trabalho*	$ -413.289	82% do total
	Ganho de juros + desconto à vista = *esforço do dinheiro*	$ 87.764	18% do total
2. DINÂMICA	Rentabilidade *mensal líquida* obtida na aplicação **(i)**	0,75% nom.	0,35% real
	Esforço poupador & <u>investidor</u> = *mensalidade* (PMT)	**$ -2.454**	DEVE APLICAR
	Seu custo (*corrigido p/ época*) = *esforço do trabalho*	$ -365.355	73% do total
	Ganho de juros + desconto à vista = *esforço do dinheiro*	$ 135.699	27% do total
3. SUPERDINÂMICA	Rentabilidade *mensal líquida* obtida na aplicação **(i)**	0,95% nom.	0,55% real
	Esforço poupador & <u>investidor</u> = *mensalidade* (PMT)	**$ -2.032**	DEVE APLICAR
	Seu custo (*corrigido p/ época*) = *esforço do trabalho*	$ -319.753	64% do total
	Ganho de juros + desconto à vista = *esforço do dinheiro*	$ 181.301	36% do total

SMARTCALCS® *por* PROF. MARCOS SILVESTRE *para* 12 MESES PARA ENRIQUECER

Metodologia PROF® Programa de Reeducação e Orientação Financeira V.1008020929

8. COMPARE AS APLICAÇÕES ENTRE SI E PRIORIZE O DINAMISMO

Agora, as comparações devem se voltar para as diferentes opções de aplicação financeira. Em todas elas, contará a vantagem de se poder comprar à vista e com desconto, mas, em cada opção, os ganhos obtidos com juros sobre juros variarão, diferenciando, portanto, o esforço que você terá de empreender conforme o teor de dinamismo da aplicação que escolher:

Na aplicação *tradicional* (poupança e previdência conservadora)

- Esforço poupador e <u>investidor</u> = mensalidade (PMT) = R$ 2.203
- Seu custo (corrigido para a época) = esforço do *trabalho* = R$ 451.288
- Ganho de juros + desconto à vista = esforço do *dinheiro* = R$ 113.419

Ou seja, você vai entrar com 80 % e o seu dinheiro "rendendo", com 20%.

Na aplicação *dinâmica* (títulos do Tesouro Direto e previdência moderada):

- Esforço poupador e <u>investidor</u> = mensalidade (PMT) = R$ 1.740
- Seu custo (corrigido para a época) = esforço do *trabalho* = R$ 380.107
- Ganho de juros + desconto à vista = esforço do *dinheiro* = R$ 184.600

Ou seja, seu esforço corresponderá a 67 % e o seu dinheiro "rendendo", a 33%.

Na aplicação *superdinâmica* (ações na BM&FBovespa e previdência arrojada):

- Esforço poupador e <u>investidor</u> = mensalidade (PMT) = R$ 1.308
- Seu custo (corrigido para a época) = esforço do *trabalho* = R$ 313.837
- Ganho de juros + desconto à vista = esforço do *dinheiro* = R$ 250.870

Ou seja, você contribui com 56 % e o seu dinheiro "rendendo", com 44%.

Reflita sobre esses números e me responda: vale ou não a pena correr atrás de uma rentabilidade líquida ligeiramente diferenciada no mês a mês, mesmo que seja de "apenas" 0,20 pontos percentuais a mais?

Quando você prioriza o dinamismo em suas aplicações – e isso pode ser feito sem abrir mão de excelentes padrões de liquidez e segurança – a "mágica" que acontece é que seu sonho será conquistado com menos esforço de seu trabalho, porque crescerá naturalmente o esforço do seu dinheiro. Que tal isso?

Em qualquer das hipóteses de aplicação escolhida, seu trabalho será o mesmo, seus ganhos, idem, e a entrada de dinheiro no seu bolso não mudará. No entanto, tomando a atitude de traçar bons planos de investimentos e de privilegiar as aplicações financeiras dinâmicas ou superdinâmicas, observe como seu poder aquisitivo será tremendamente ampliado. Poder enriquecer dessa forma, com pura inteligência financeira, não é estimulante?

9. AJUSTE SEU PLANO E ENCAIXE-O NO SEU ORÇAMENTO MENSAL

Nada acontecerá, no entanto, se você, depois de traçar um bom plano de investimentos, não se esforçar para honrá-lo. É preciso que deposite as mensalidades previstas religiosamente na aplicação escolhida.

Essa capacidade de poupança não lhe advirá por acaso: você terá de planejar e administrar seus gastos com competência, mantendo-os enxutos, bem focados e sob controle, para garantirem dois importantes benefícios de forma equilibrada:

- bom padrão de qualidade de vida presente, e
- regularidade em suas economias mensais.

Esse assunto é tão importante, tão decisivo para sua qualidade de vida, que uma seção inteira deste livro – a próxima – tratará de como organizar os diversos pagamentos que você tem em seu orçamento pessoal e familiar, e como economizar nos gastos de forma sábia para liberar dinheiro bom para seus investimentos enriquecedores.

Bem, enquanto você não "bater o martelo" sobre um determinado plano e começar efetivamente a aplicar as mensalidades planejadas, nada acontecerá. Portanto, quanto antes fechar suas simulações de valor, prazo e aplicação escolhida, melhor. Nossa *Calculadora de Planos de Investimento* aceita inúmeras simulações de situação: encontre a que melhor se encaixa em seu bolso e mãos à obra!

10. TRACE UM PLANO ESPECÍFICO PARA CADA SONHO

Quantos são os sonhos de compra e consumo que ainda deseja realizar na vida? Para cada um dos que ainda não foram conquistados, você precisará ter um plano de investimentos específico. Um grande erro é fazer planos "por alto". Outro é juntar em um só saco "dinheiros diferentes". É preciso que estes sejam planejados de forma separada, porque dizem respeito a sonhos distintos. Evite confundir-se na sua vida financeira: em finanças pessoais, a confusão é inimiga da realização.

Se você pretende fazer um gasto de grande porte, ou adquirir um bem que dependerá de uma quantia elevada, superior a 60% dos ganhos da família em um mês, será necessário fazer um plano de investimentos específico. Mesmo que a compra seja parcelada em, digamos, 12 vezes "sem juros", ainda assim cada parcela já teria o peso de 5% ou mais no orçamento, o que poderia comprometer seu equilíbrio orçamentário, induzindo-o a dívidas emergenciais e muito caras.

Então é isso: escolha um sonho, um prazo, um tipo de aplicação, faça suas contas, poupe e aplique bem. E faça isso para cada um de seus grandes sonhos de compra e consumo. Bons planos de investimentos – e não dívidas – são sempre a escolha de quem reconhece nos *investimentos mais dinâmicos* uma das valiosas e indispensáveis fontes multiplicadoras para se explorar cuidadosamente em seu *Plano da Virada*, planejando-se de forma inteligente rumo ao enriquecimento contínuo e à prosperidade duradoura.

Capítulo 5

Aplicações: o tempo é o senhor da razão financeira

Você já compreendeu que precisa poupar e investir. E entendeu também que, quanto mais dinâmica a aplicação financeira selecionada, mais rapidamente seu esforço poupador e investidor mensal será recompensado com o acúmulo de dinheiro. Ou seja, menor será o prazo necessário para concretizar seu sonho de tornar-se “rico de verdade”.

Em qualquer hipótese, compensa priorizar o dinamismo em suas aplicações financeiras, sem prejudicar a segurança e a liquidez do dinheiro, que devem ser sempre resguardadas. Desde que você tenha prazo para isso, já que cada um dos três bons caminhos de aplicações financeiras deve ser selecionado conforme o horizonte de investimento (prazo) de cada um de seus sonhos:

- **Tradicionais**: uma caderneta de poupança deve ser escolhida em planos de investimentos de curto prazo (até 24 meses/2 anos). Outra boa opção são os planos de previdência privada conservadores.
- **Dinâmicas**: os títulos da dívida pública brasileira, adquiridos do Tesouro Direto via internet, são ótimos para planos de médio prazo

(até 60 meses/cinco anos) e, eventualmente, também para planos de longo prazo (a partir de 61 meses/mais de cinco anos). Você também estará bem servido nessa categoria se escolher investir em um bom plano de previdência privada moderado.

- **Superdinâmicas**: as ações de sólidas empresas brasileiras, compradas também pela internet, por meio do sistema *home broker* da BM&FBovespa, são excelentes opções para planos de longo prazo (a partir de 61 meses/mais de cinco anos), bem como os planos de previdência privada arrojados.

Neste capítulo, você vai entender melhor a necessária vinculação entre o dinamismo da aplicação e a quantidade de meses do prazo de investimento.

O TRADICIONAL TEM VANTAGENS, MAS TAMBÉM TRAZ CUSTOS

Boas aplicações financeiras sempre aproximarão você da conquista de seus grandes sonhos. Se forem aplicações mais tradicionais, aquelas conhecidas como mais "tranquilas", talvez não lhe rendam aquele dinheiro todo, mas sempre o ajudarão na conquista de seus sonhos, reduzindo o esforço de seu trabalho para conquistar tudo aquilo que almeja.

Assim é a velha e boa caderneta de poupança: todos a conhecem, todos já aplicaram, aplicam ou aplicarão dinheiro nela. Não é para menos: a poupança é a mais democrática e tolerante das aplicações financeiras: não é necessário ter conta-corrente em banco para abrir uma, além disso, essa modalidade de investimento aceita quaisquer valores de depósito e tolera resgates a qualquer hora. Para quem não gosta de correr grandes riscos, oferece a cobertura pelo FGC – Fundo Garantidor de Crédito – até o limite de R$ 60 mil por banco, por CPF.

Criada em 1861, ainda no Império, a "avó" das aplicações financeiras no Brasil apresenta uma inegável combinação de boa *liquidez* (ou seja, a velocidade com que você consegue colocar as mãos no dinheiro que havia investido), com boa *segurança* (probabilidade de reter, ou não perder, o que havia sido aplicado).

Em termos de *rendimento*, tamanha tranquilidade não poderia vir acompanhada de uma rentabilidade tão suculenta assim: pode-se esperar da poupança algo entre 0,50% e 0,60% de rentabilidade mensal, dificilmente algo acima desse patamar. Ok, não se trata de um ganho fenomenal, mas a vantagem é que estamos falando de rentabilidade líquida, já que essa aplicação não cobra qualquer tipo de taxa, nem paga imposto de renda.

Há quem reclame do rendimento "mirrado" da poupança, o que é, de certa forma, uma injustiça. Se rende, por exemplo, 0,55% líquidos nominais ao mês, mesmo após descontarmos a inflação projetada de 0,40% ao mês, isso ainda resulta em 0,15% de rentabilidade líquida real e mensal. Pode parecer pouco, mas, pelo princípio dos juros compostos, isso resulta em um ganho acumulado de 1,82% reais líquidos em um ano, quase 20% em dez anos, ou mais de 100% em quarenta anos.

Todos admiram a segurança do investimento em imóveis, não é verdade? Mas a segurança vislumbrada para a poupança no longo prazo é bastante similar, só que sua liquidez é incomparavelmente maior e, pelas contas acima, com relação a sua rentabilidade, dá para dizer o seguinte: compre um imóvel hoje e você terá exatamente o mesmo imóvel daqui a quarenta anos - se conservá-lo bem, é lógico. Aplique hoje na poupança o valor do imóvel que compraria e, ainda que ele se valorize de acordo com a inflação – o que é provável que aconteça –, colha o suficiente para comprar *dois* imóveis iguaizinhos daqui a quarenta anos.

A única hipótese em que isso não ocorreria seria no caso de um desequilíbrio macroeconômico muito grande, o que faria a inflação ficar fora de controle, situação que o país já viveu no passado. Mas, por ora, essa hipótese está descartada no horizonte de longo prazo da economia brasileira. E, vale lembrar, um eventual desarranjo desses afeta todos os tipos de investimentos, não só a poupança, prejudicando inclusive os imóveis.

Muito parecidos com a caderneta, há os FIFs – Fundos de Investimentos Financeiros conservadores, do tipo DI ou Renda Fixa. Os planos de previdência privada conservadores também são uma ótima opção nessa categoria que prioriza a segurança. Informe-se com o gerente do seu banco a respeito dessas aplicações financeiras alternativas.

VEJA AONDE A BOA E VELHA POUPANÇA PODE LEVAR VOCÊ

Vamos imaginar que você esteja pensando em comprar um conjunto de sofás novo. Depois de pesquisar bastante, encontrou o jogo de sofás dos seus sonhos por R$ 6 mil. A loja parcela a compra em 12 parcelas de R$ 500, sem entrada, o que lhe parece uma proposta tentadora. No entanto, antes de assinar os cheques ou passar o cartão de crédito, procure fazer um bom plano de investimentos e ver o que vale mais a pena.

Negociando com a loja, você consegue 10% de desconto para pagamento à vista. Com a nossa *Calculadora de Planos de Investimentos*, podemos comparar a dívida do parcelamento com a alternativa de aplicar a grana por 12 meses e comprar o sofá daqui a um ano:

Mesmo que o período de tempo seja curto, a taxa de juros pedida no parcelamento seja de 0% e o sofá suba de preço com a inflação, ou seja, com argumentos que o levariam a optar pela dívida, ainda assim calculamos que, aplicando mensalmente na poupança, seria preciso apenas R$ 438 mensais (e não os R$ 500 da parcela da dívida). Economizaria uma quantia total de R$ 676 nessa jogada esperta, o que daria para comprar um lindo tapete para combinar com o novo jogo de sofás.

Você decide: levar os sofás agora e assumir uma dívida de R$ 500 mensais nos próximos 12 meses ou aplicar R$ 500 por mês na poupança e, daqui a um ano, comprar o mesmo conjunto e mais um belo tapete para combinar. O que impacta mais em sua qualidade de vida? O que lhe parece mais "enriquecedor"?

Um esclarecimento: talvez você tenha ficado intrigado com o fato de que os campos de resultados da calculadora que se referem à aplicação *dinâmica* e à *superdinâmica* tenham permanecido em branco. Para que você não se atrapalhe em seu planejamento, sendo induzido a escolher aplicações inadequadas para o seu prazo, nossa calculadora já está programada para não mostrar resultados incompatíveis com o prazo de investimento de que você dispõe, se ele for curto demais para tanto: só serão mostradas projeções de resultados para a aplicação dinâmica com prazos de 21 meses ou mais (acima de 2 anos) e, no caso das aplicações superdinâmicas, serão mostradas aplicações com prazos de 61 meses ou mais (acima de 5 anos).

SONHOS NA PONTA DO LÁPIS

CALCULADORA DE PLANOS DE INVESTIMENTOS

SEU SONHO:	Compra de sofá	DATA DA CONQUISTA:	1 ano
PLANO DE INVESTIMENTOS	Valor *de tabela* atual do seu sonho (*valor de mercado*)	$ 6.000	ESSE VALOR É REALISTA?
	Possível desconto obtido para quitação à vista (*em %*)	10,00%	$ -600
	Reserva financeira que Você já tenha e possa usar **(PV)**		
	Prazo planejado (*meses*) para realizar seu sonho **(n)**	12 meses	1,0 anos
	Taxa de inflação (*anual*) que encarecerá seu sonho **(i)**	4,90%/ano	0,40%/mês
	Valor de tabela projetado para o final do prazo **(FV)**	$ 6.294	PROJETADO PARA ÉPOCA
DÍVIDA	Taxa de juros *mensal efetiva* embutida na dívida **(i)**		-0,40% real
	Sacrifício poupador & devedor = *mensalidade* (PMT)	**$ -500**	DEVE PAGAR
	Seu custo (*corrigido p/ época*) = *esforço do trabalho*	$ -6.134	VOCÊ DESEJA MESMO PAGAR?
1. TRADICIONAL	Rentabilidade *mensal líquida* obtida na aplicação **(i)**	0,55% nom.	0,15% real
	Esforço poupador & investidor = *mensalidade* (PMT)	**$ -458**	DEVE APLICAR
	Seu custo (*corrigido p/ época*) = *esforço do trabalho*	$ -5.618	89% do total
	Ganho de juros + desconto à vista = *esforço do dinheiro*	$ 676	11% do total
2. DINÂMICA	Rentabilidade *mensal líquida* obtida na aplicação **(i)**	0,75% nom.	0,35% real
	Esforço poupador & investidor = *mensalidade* (PMT)		
	Seu custo (*corrigido p/ época*) = *esforço do trabalho*		
	Ganho de juros + desconto à vista = *esforço do dinheiro*		
3. SUPERDINÂMICA	Rentabilidade *mensal líquida* obtida na aplicação **(i)**	0,95% nom.	0,55% real
	Esforço poupador & investidor = *mensalidade* (PMT)		
	Seu custo (*corrigido p/ época*) = *esforço do trabalho*		
	Ganho de juros + desconto à vista = *esforço do dinheiro*		

SMARTCALCS® *por* PROF. MARCOS SILVESTRE *para* 12 MESES PARA ENRIQUECER

Metodologia PROF® Programa de Reeducação e Orientação Financeira V.1008020929

Capítulo 6

Ganhos dinâmicos: aplique em títulos do tesouro direto

Uma coisa é inegável: quanto mais dinâmica for a aplicação escolhida – sem abrir mão de segurança e liquidez elevadas – mais rápido você poderá esperar realizar seu sonhos, ou tanto maiores poderão ser os sonhos almejados a partir de um mesmo volume de esforço poupador e investidor mensal.

Imagine o seguinte: você está pensando em comprar um carro novo, popular, no valor de R$ 30 mil. Se, por acaso, for um modelo mais completo, mais "padrão classe média", no valor de R$ 60 mil, é só multiplicar as contas abaixo por dois, mantendo as mesmas conclusões. Caso o objeto de seu desejo seja um carro de luxo, de R$ 90 mil, multiplique as contas por três. Observe que a análise dos números será basicamente a mesma.

Pense que você conseguiu um financiamento com zero de entrada e sessenta parcelas mensais iguais (o que equivale a um financiamento de cinco anos), com taxa efetiva de juros de 1,99% ao mês. Por outro lado, vamos também calcular um plano de investimentos de sessenta meses, aplicando na poupança (aplicação tradicional) e investindo em títulos da Dívida Pública Brasileira por meio do Tesouro Direto (aplicação dinâmica).

SONHOS NA PONTA DO LÁPIS

CALCULADORA DE PLANOS DE INVESTIMENTOS

SEU SONHO:	Compra de carro zero	DATA DA CONQUISTA:	5 anos
PLANO DE INVESTIMENTOS	Valor *de tabela* atual do seu sonho (*valor de mercado*)	$ 30.000	ESSE VALOR É REALISTA?
	Possível desconto obtido para quitação à vista (*em %*)	3,00%	$ -900
	Reserva financeira que Você já tenha e possa usar **(PV)**		
	Prazo planejado (*meses*) para realizar seu sonho **(n)**	60 meses	5,0 anos
	Taxa de inflação (*anual*) que encarecerá seu sonho **(i)**	4,90%/ano	0,40%/mês
	Valor de tabela projetado para o final do prazo **(FV)**	$ 38.106	PROJETADO PARA ÉPOCA
DÍVIDA	Taxa de juros *mensal efetiva* embutida na dívida **(i)**	1,99% nom.	1,58% real
	Sacrifício poupador & devedor = *mensalidade* (PMT)	**$ -861**	DEVE PAGAR
	Seu custo (*corrigido p/ época*) = *esforço do trabalho*	$ -58.242	VOCÊ DESEJA MESMO PAGAR?
1. TRADICIONAL	Rentabilidade *mensal líquida* obtida na aplicação **(i)**	0,55% nom.	0,15% real
	Esforço poupador & investidor = *mensalidade* (PMT)	**$ -522**	DEVE APLICAR
	Seu custo (*corrigido p/ época*) = *esforço do trabalho*	$ -35.290	93% do total
	Ganho de juros + desconto à vista = *esforço do dinheiro*	$ 2.817	7% do total
2. DINÂMICA	Rentabilidade *mensal líquida* obtida na aplicação **(i)**	0,75% nom.	0,35% real
	Esforço poupador & investidor = *mensalidade* (PMT)	**$ -490**	DEVE APLICAR
	Seu custo (*corrigido p/ época*) = *esforço do trabalho*	$ -33.153	87% do total
	Ganho de juros + desconto à vista = *esforço do dinheiro*	$ 4.954	13% do total
3. SUPERDINÂMICA	Rentabilidade *mensal líquida* obtida na aplicação **(i)**	0,95% nom.	0,55% real
	Esforço poupador & investidor = *mensalidade* (PMT)		
	Seu custo (*corrigido p/ época*) = *esforço do trabalho*		
	Ganho de juros + desconto à vista = *esforço do dinheiro*		

SMARTCALCS® *por* PROF. MARCOS SILVESTRE *para* 12 MESES PARA ENRIQUECER

Metodologia PROF® Programa de Reeducação e Orientação Financeira V.1008020929

Pelo caminho da *dívida*:

- Sacrifício poupador e devedor = mensalidade (PMT) = R$ 861
- Seu custo (corrigido para a época) = esforço do *trabalho* = R$ 58.242

Na aplicação *tradicional* (poupança):

- Esforço poupador e investidor = mensalidade (PMT) = R$ 522
- Seu custo (corrigido para a época) = esforço do *trabalho* = R$ 35.290
- Ganho de juros + desconto à vista = esforço do *dinheiro* = R$ 2.817

Nessa opção, com o sacrifício de seu trabalho, você obtém 93%, e seu dinheiro rende os 7% que faltam para completar o valor total.

Na aplicação *dinâmica* (títulos do Tesouro Direto):

- Esforço poupador e investidor = mensalidade (PMT) = R$ 490
- Seu custo (corrigido para a época) = esforço do *trabalho* = R$ 33.153
- Ganho de juros + desconto à vista = esforço do *dinheiro* = R$ 4.954

Seu trabalho arcará com 87%, enquanto seu dinheiro colocará 13% do valor na forma de rendimentos acumulados da aplicação.

Ao optar pela dívida do financiamento, você levará o carro para casa hoje e pagará 60 parcelas de R$ 861, ao custo total de quase R$ 60 mil. Isso equivale ao dobro do valor atual do carro e a quatro vezes o que ele estará valendo quando você terminar de pagá-lo – cerca de R$ 15 mil em valores da época, o que dará pouco mais de R$ 17 mil corrigidos, considerando uma desvalorização real de 50% em cinco anos. Tão simples (e cruel!) quanto isto: pague 4 e leve 1.

No entanto, ao optar por um bom plano de investimentos, conjugado à tradição da poupança, a mensalidade cairá em R$ 339 (R$ 861 da prestação do financiamento – R$ 522 do esforço mensal da poupança) ou quase 40% a menos, produzindo uma economia *imediata* de mais de R$ 300 todos os meses.

Ou seja, cerca de 93% do seu esforço para juntar a reserva financeira necessária para comprar o carro à vista virão de seu trabalho, enquanto os outros 7% serão empenhados pelo seu dinheiro, poupado e investido todos os meses. No total, a economia gerada por essa estratégia de planejamento financeiro será de R$ 2.871. Quase R$ 3 mil de enriquecimento, o que não é nada mal. Mas pode ser ainda melhor.

Ao optar por uma aplicação dinâmica, como os títulos da Dívida Pública Brasileira negociados via Tesouro Direto, a mensalidade será derrubada em R$ 371 (R$ 861 da prestação do financiamento – R$ 490 do esforço mensal do Tesouro Direto) ou 43% a menos, o que resultará numa economia mensal de quase R$ 400.

Nesse caso, apenas cerca de 87% do seu esforço para juntar o capital necessário para comprar o carro à vista virão de seu trabalho, enquanto os outros 13% serão a parte do esforço do seu dinheiro economizado e aplicado todos os meses. No cômputo geral, a economia produzida por essa estratégia de planejamento financeiro dinâmica será de quase R$ 5 mil, o que já dá para comprar, além do carro, uma moto zero km.

Vale a pena priorizar o dinamismo em suas aplicações financeiras sempre que seu prazo de investimento comportar?

A "NOSSA" DÍVIDA PÚBLICA É UMA ÓTIMA APLICAÇÃO

Agora você vai compreender melhor por que o investidor de pequeno e médio porte tem nos títulos da Dívida Brasileira, negociados por meio do Tesouro Direto, uma interessante opção de aplicação financeira.

O estoque da Dívida Pública Federal (DPF) brasileira fechou dezembro de 2009 em R$ 1,497 trilhão. Isso parece uma montanha de dinheiro, e de fato é. Mas disso não se deve deduzir que o governo brasileiro é um devedor contumaz e que, como todo devedor crônico, talvez um dia não consiga pagar suas dívidas e seja obrigado a dar calote.

Muito pelo contrário. A melhor forma de interpretar esse número que reflete o tamanho da "nossa" dívida pública é referenciá-lo em algum outro número importante da economia brasileira. Também podemos compará-lo com números das dívidas públicas de outros países, por exemplo.

O PIB (soma de toda a riqueza produzida num país em um ano) do Brasil fechou 2009 em R$ 3,143 trilhões. Ou seja, a DPF brasileira não chega a atingir 50% do nosso PIB. Se tomarmos outros nove países do globo que compõem a lista das dez economias mais pujantes do planeta, observamos que *todos* têm uma relação DPF / PIB superior à do Brasil.

Nos EUA, por exemplo, apesar de esse país ter um PIB dez vezes maior que o nosso, essa relação fica em praticamente 100%, ou seja, a DPF norte-americana é vinte vezes mais volumosa que a brasileira. Concluímos, assim, que o governo federal brasileiro tem uma dívida pública até que bem modesta e controlada para os padrões mundiais.

É possível dizer que o perfil da DPF brasileira, ou seja, seu arranjo nos diversos tipos de título que formam a dívida, é bastante equilibrado. Primeiro, é interessante separar quanto da dívida pública brasileira é devida aqui dentro e quanto é devida no exterior. Dessa forma podemos ver até que ponto nosso governo depende de financiamento externo para rolar sua dívida, o que é sempre uma ameaça à soberania econômica de um país.

Pois bem: a parcela da Dívida Pública Mobiliária Federal Interna (DPMFI) fechou o ano passado em R$ 1,398 trilhão. Já a Dívida Pública Federal Externa encerrou o ano passado em R$ 98,97 bilhões, com redução de 25,30% em comparação com dezembro de 2008. As contas deixam claro, portanto, que a dívida externa brasileira não chega a 7% do total da dívida pública e, com relação ao PIB, não alcança 4%. Em um país como os Estados Unidos, essa proporção é, novamente, de quase 100%! Isso significa que a exposição de nossa dívida pública a flutuações econômicas no exterior é mínima, comprovando a grande capacidade de financiamento interno do governo brasileiro, um invejável diferencial competitivo no instável mundo globalizado de hoje, e certamente algo que confere enorme tranquilidade aos investidores em títulos da Dívida Pública Brasileira.

Outro aspecto interessante do perfil da nossa dívida pública é que a parcela a vencer em até 12 meses fechou 2009 abaixo de 24% do total. Grosso modo, a cada R$ 4 da dívida pública brasileira, menos de R$ 1 é de curto prazo, o que mostra um perfil de pagamento bem alongado para a nossa dívida soberana, sinalizando uma rolagem muito tranquila e, mais uma vez, segurança aos investidores em títulos públicos.

Essas configurações podem variar ao longo do tempo. Em algum momento do primeiro trimestre de cada ano, os jornais sempre divulgam esses números atualizados para o fechamento do ano anterior. Agora que você já está familiarizado com o assunto, pode acompanhar anualmente as evoluções da Dívida Pública Federal brasileira. Mas uma coisa está clara: ela é relativamente pequena, bem distribuída, pouco exposta às flutuações das finanças globais, alongada e muito sólida. E tudo isso se traduz em uma importantíssima característica para o potencial investidor em títulos dessa dívida: enorme segurança.

RENTABILIDADE DIFERENCIADA, COM BOA LIQUIDEZ E SEGURANÇA

Quando você elege certa aplicação financeira para direcionar seus esforços poupadores e investidores, estará sempre apostando seu dinheiro em uma promessa, ou melhor, em um conjunto triplo de promessas:

- **Segurança**: a promessa de que aquela modalidade de aplicação que você selecionou irá, pelo menos, lhe devolver o dinheiro nela empatado.
- **Liquidez**: a promessa de que essa devolução será prontamente realizada no exato prazo pactuado, ou seja, você poderá colocar suas mãos na grana conforme as condições de liquidez originalmente contratadas no momento em que optou por essa aplicação.
- **Rentabilidade**: a promessa de que, além de lhe restituir o capital inicial aplicado, e de fazê-lo no prazo negociado, esse tipo de aplicação escolhida também colocará em seu bolso um bom *extra*, um ganho interessante, enfim, a rentabilidade da tal aplicação, sem a qual, aliás, nem faria sentido ter pensando em realizar tal esforço poupador e investidor.

Ao analisar uma modalidade de aplicação, você deve sempre se perguntar até que ponto cumprirá bem estas três promessas: segurança + liquidez + rentabilidade.

Pensando sob esse ponto de vista, o Tesouro Direto poderia (e deveria!) ser bem mais usufruído pelos investidores brasileiros, inclusive (e muito especialmente!) o pequeno investidor, como uma modalidade dinâmica de investimento seguro, ou seja, aquela aplicação que vai lhe trazer rentabilidade diferenciada com relação ao honesto, porém meio insosso, "feijão com arroz" da poupança, sem para isso expor seu dinheiro a riscos desnecessários, nem muito menos travar sua liquidez, tornando seu dinheiro pouco acessível a si mesmo.

Como funciona o Tesouro Direto? O governo brasileiro arrecada dinheiro com impostos, mas, ainda assim, também recorre aos investidores do mercado financeiro para captar mais dinheiro a fim de financiar suas atividades, constituindo aquilo que chamamos de Dívida Pública Federal, como vimos há pouco.

As pessoas que têm dinheiro disponível e não pretendem usá-lo em compras/gastos nos próximos meses ou anos, podem emprestá-lo ao governo brasileiro que, em contrapartida, lhes dará títulos da dívida pública federal. Como devedor, o governo brasileiro paga muito bem, ou seja, oferece boa rentabilidade, além de segurança e liquidez.

Justamente pelo diferencial de rentabilidade que os títulos federais negociados via Tesouro Direto podem lhe oferecer, seu dinheiro pode render bem mais no médio e no longo prazos se você optar por essa modalidade de aplicação.

É só comparar: quando você aplica na caderneta de poupança, sabe que vai ganhar, na melhor das hipóteses, 0,60% de rentabilidade líquida ao mês.

Um dos títulos da dívida pública que você pode comprar por meio do Tesouro Direto é a LTN – Letra do Tesouro Nacional. Trata-se de um "papel" – na realidade, um "registro eletrônico"– com rentabilidade totalmente prefixada, ou seja, quando você compra tal título, sabe exatamente quanto vai ganhar (em %) com essa aplicação.

Em meados de 2010, a LTN 010113, com vencimento para 1º de janeiro de 2013, oferecia uma rentabilidade de 12,69% ao ano. Mas essa rentabilidade ainda é a bruta. Para transformá-la em rentabilidade líquida – e assim compará-la com o ganho da poupança – temos de descontar três taxas, que somam cerca de 0,60% sobre o valor da aplicação:

- 0,10% do valor da compra dos títulos, paga uma única vez, no ato da compra, por conta da taxa de negociação;
- 0,30% do valor aplicado, por conta da taxa de custódia da BM&FBovespa, instituição financeira que organiza e administra esse mercado de investimentos;

- 0,20% de taxa do agente de custódia, que é devida à corretora de valores mobiliários por meio da qual você compra ou vende seus títulos (esse valor parte de 0% e pode chegar a 4% de taxa ao ano).

Também temos que subtrair 15% de Imposto de Renda sobre o ganho bruto obtido na aplicação (acima de dois anos). Aqui vale um rápido esclarecimento sobre a tributação das aplicações de renda fixa, como a caderneta de poupança, os FIFs – Fundos de Investimento Financeiro conservadores (de Curto Prazo, DI e Renda Fixa), os CDBs – Certificados de Depósito Bancários, os planos de previdência conservadores e todos os títulos negociados no Tesouro Direto.

Com exceção da rentabilidade da poupança, que está isenta de IR, os ganhos obtidos nas demais aplicações inclusas nessa categoria devem ser tributados por Imposto de Renda conforme a seguinte métrica prevista na legislação, que apresenta alíquotas decrescentes à medida que o prazo de aplicação se estica:

- 25% de IR sobre os ganhos brutos de aplicações de até seis meses;
- 20% para aplicações de seis meses a um ano;
- 17,50% para aplicações de um a dois anos;
- 15% para aplicações acima de dois anos.

Por isso mesmo, não se deve aplicar em títulos do Tesouro Direto as mensalidades de um determinado plano de investimentos que vise obter algo em 24 meses. Você até pode fazê-lo, mas, quando o prazo encurta, o Imposto de Renda é maior, deixando no seu bolso uma rentabilidade líquida menor. Nessa hipótese, a rentabilidade líquida dos títulos do Tesouro Direto fica muito parecida com a da poupança. Daí, tradição por tradição, vá de poupança. Mas com horizonte de investimento acima de dois anos, não há o que pensar: vá de Tesouro Direto e embolse um bom dinheiro a mais, pois se trata de uma aplicação com efeito multiplicador inegavelmente mais acentuado.

Tendo a rentabilidade bruta dessa LTN como exemplo, e realizando as devidas subtrações, tanto das taxas do Tesouro Direto quanto do Imposto de Renda, observamos que a rentabilidade oferecida por esse título cai para 10,11% líquidos ao ano.

Com os devidos cálculos de juros compostos, apuramos que esses 10,11% ao ano equivalem a 0,81% ao mês. Diante desse número, você pode até me questionar: "Ah, professor, de 0,60% para 0,81% de rentabilidade ao mês... a diferença é muito pequena!".

De fato, se essa diferença de 0,21% ao mês for vislumbrada para um único mês, por uma questão de bom senso financeiro, eu devo concordar, não valeria a pena aprender a investir no Tesouro Direto, por mais que isso lhe demande pouquíssimo esforço.

Porém, vamos às comparações corretas, porque aí a grande vantagem diferencial desses "nanicos" 0,21% se tornará mais evidente.

Quem aplica R$ 10 mil (PV) na poupança por 36 meses (n), com seus 0,60% (i) de rentabilidade líquida mensal, terá R$ 12.403 (FV) daqui a três anos, ou seja, R$ 2.403 de rentabilidade líquida acumulada no período. Nossa Calculadora de Matemática Financeira – Valor Futuro (FV) nos mostra isso com clareza:

FV VALOR FUTURO				
PV	-R$ 10.000,00	PMT	R$ 0,00	
i	0,60%	FV	R$ 12.403,02	
n	36,0 períodos	FIM END	X	COMEÇO BEG

No entanto, quem aplicar os mesmos R$ 10 mil (PV) em uma LTN com rentabilidade compatível à do nosso exemplo, com seu ganho líquido de 0,81% (i) ao mês – "míseros" 0,21% a mais que a poupança – terá a quantia de R$ 13.370 (FV) nos mesmos três anos (n = 36 meses) de horizonte de aplicação.

FV VALOR FUTURO				
PV	-R$ 10.000,00	PMT	R$ 0,00	
i	0,81%	FV	R$ 13.369,96	
n	36,0 períodos	FIM END	X	COMEÇO BEG

Nesse caso, o ganho líquido em três anos com a aplicação na LTN teria sido de R$ 3.370. Comparando esse valor com os R$ 2.403 de rentabilidade líquida da poupança, o ganho líquido diferencial será R$ 967 (R$ 3.370 – R$ 2.403). Isso corresponde a 40% de rentabilidade líquida diferencial da LTN sobre a poupança, considerando idêntico período de aplicação. Nitidamente mais "enriquecedor", embora com a mesma segurança e um padrão de liquidez muito compatível.

Pois eu lhe pergunto: dá para desprezar os "discretos" 0,21% a mais ao mês? Agora, imagine esse diferencial dinâmico num prazo ainda mais longo: a vantagem pode ser sensacional.

As duas primeiras taxas são sempre as mesmas, enquanto a taxa do agente de custódia pode começar em 0% e evoluir de acordo com a corretora de valores mobiliários escolhida por você. O curioso é que há grandes corretoras cadastradas no Tesouro que não cobram absolutamente nada. E por que fazem isso? O objetivo é atrair o investidor e torná-lo seu cliente, começando pelas aplicações no Tesouro Direto – que são mais simples – para depois fazer com que ele invista em ações, quando então são cobradas taxas de corretagem que compensariam aquele esforço inicial de atender gratuitamente o cliente investidor em suas aplicações no Tesouro Direto.

No site oficial do Tesouro Direto (www.tesouro.fazenda.gov.br/tesouro_direto) procure o ranking dos agentes de custódia. Em seguida, escolha a opção ranking das taxas cobradas pelos agentes. Comece sua seleção por quem cobra 0%, ou taxas mais baixas (abaixo de 0,30%): entre em contato telefônico com algumas dessas corretoras, visite seus sites na internet e escolha uma delas para abrir sua conta e começar a fazer suas aplicações o quanto antes.

COM TÍTULOS PÚBLICOS, CONVÉM ACUMULAR, NÃO ESPECULAR

No Tesouro Direto, existem cinco tipos de títulos federais em que você pode investir. Há diferenças importantes entre esses títulos e, a seguir, você compreenderá quais são.

Há, porém, uma característica comum entre eles: os títulos federais disponíveis no Tesouro Direto são todos de renda fixa, ou seja, qualquer um desses títulos promete pagar ao investidor uma rentabilidade que é previamente determinada, pactuada no momento da compra.

Então, se você não quiser ter surpresas, é muito simples: basta comprar o título com o prazo de vencimento mais adequado, conforme o horizonte de investimentos do seu plano, e segurá-lo em sua carteira de aplicações até a data original de vencimento do "papel", quando o dinheiro retornará para a sua conta com o acréscimo da rentabilidade prometida no ato da compra.

Pois essa é justamente a estratégia seguida pelo investidor com *perfil acumulador*, aquele que investe em títulos do Tesouro Direto como uma forma dinâmica de obter rentabilidade diferenciada e boa liquidez, conservando, acima de tudo, muita segurança.

Por outro lado, se o investidor não quiser esperar chegar o prazo de vencimento do título federal, é possível desfazer-se dele a qualquer momento, embolsando o dinheiro do momento da venda. Toda quarta-feira existe uma espécie de "feirão" dos títulos públicos federais, um grande leilão no qual os investidores cadastrados podem comprar ou vender esses títulos a mercado, ou seja, por um preço livremente estabelecido pelos investidores naquele dia.

Aqui entra uma intrigante característica do Tesouro Direto: todos os títulos são de renda fixa, é verdade, mas quem optar por vender antes do vencimento poderá vir a apurar certa valorização (ou desvalorização!) quando efetivar sua venda em um leilão semanal. Isso quer dizer que há, no Tesouro Direto, certo componente de renda variável, que interessa mais ao investidor de *perfil especulador*, embora lá se negociem somente papéis conservadores de renda fixa.

Dou-lhe o exemplo da LTN – Letra do Tesouro Nacional, um título com rentabilidade totalmente prefixada. Ou seja, quando você o compra, sabe exatamente o quanto ganhará com ele. Como eu já comentei, em meados de maio, a LTN 010113, com vencimento em 1º de janeiro de 2013, oferecia uma rentabilidade prefixada de 12,69% brutos ao ano, que, passados a limpo para uma rentabilidade líquida mensal, correspondem a 0,81% ao mês.

Só que, nos leilões dos títulos públicos oferecidos a mercado, a rentabilidade conseguida para quem havia comprado essa LTN no começo de abril e vendido no finalzinho do mês (portanto, antes do vencimento do título), havia apurado uma surpreendente *perda* de - 0,28%.

Considerando que uma LTN é um título com rentabilidade totalmente prefixada, por que houve tal perda? Acontece que, especificamente naquele mês de abril, a maior parte dos investidores do mercado, que, com frequência, compram e vendem títulos, interpretaram que os juros básicos do país poderiam ser substancialmente aumentados nos próximos três anos – prazo compatível com o vencimento dessa LTN.

Se confirmado, esse movimento tornaria tal LTN, com sua rentabilidade 100% prefixada, menos atraente para o especulador, que poderia lucrar mais com outros tipos de títulos que se beneficiassem desse cenário de juros ascendentes. Por isso, naquele momento, muitos venderam intensamente esse título, fazendo seu preço a mercado baixar a ponto de, naquele mês específico, apresentar rentabilidade negativa.

Mas, note bem, isso não afeta absolutamente nada a rentabilidade prefixada de quem comprou essa LTN e tem a intenção de segurá-la em sua carteira até o vencimento programado. Para o investidor acumulador, um título do Tesouro Direto será sempre de renda fixa, com perfil de risco absolutamente conservador.

TESOURO DIRETO É EXCELENTE, MAS SÓ QUANDO ACOPLADO A UM BOM PLANO

Como já mencionamos, investir, por si só, parece não ter a menor graça: só se investe o dinheiro que se poupa, só se poupa o dinheiro que não se gasta, e o que tem graça é gastar o dinheiro para derivar dele qualidade de vida concreta.

Então, se for investir só por investir, a coisa fica desestimulante ou até pior: para ficar estimulante, o aplicador acaba indo atrás de uma super-rentabilidade mágica e imediata, e acaba apelando para estratégias de investimento de altíssimo risco, que invariavelmente costumam gerar amargas perdas para o aplicador de ambição desmedida.

Mas é claro que investir é preciso, porque existem determinados sonhos que, pelo valor elevado, não cabem no orçamento de um único mês. Como vimos, precisam ser parcelados, distribuídos por um número de meses que torne o esforço poupador viável, transformando o sonho numa mensalidade que caiba dentro uma quantia aplicada a cada mês.

Enquanto poupa tal mensalidade, você investe o dinheiro, para que ele não fique parado, para que suas economias se rentabilizem e o ajudem a conquistar seu sonho mais rápido, com menor sacrifício, por meio dos juros ganhos sobre juros, que lhe trarão um enriquecimento contínuo para a concretização daquele objetivo planejado.

Qualquer aplicação, se não tiver por trás um objetivo bem planejado, ou seja, se não for calcada em um bom plano de investimentos, levará a um esforço poupador e investidor sem sentido. E isso pode desanimá-lo.

Então, recomendo qualquer um dos títulos da Dívida Pública Brasileira negociados no Tesouro Direto para seus planos de investimentos de médio prazo, com horizonte superior a dois anos.

PARA QUEM QUER 100% DE PREVISIBILIDADE, LTN – LETRA DO TESOURO NACIONAL E NTN-F – NOTA DO TESOURO NACIONAL SÉRIE F

Cinco são os tipos de títulos que podem ser comprados via Tesouro Direto. Todos são "papéis" (ativos financeiros) conservadores, porque, neles, a regra de rentabilidade fica 100% clara no momento da compra do título.

Aquele que seguramente merece o rótulo de título mais conservador do Tesouro Direto é a chamada Letra do Tesouro Nacional (LTN).

A LTN é um título com rentabilidade totalmente prefixada, ou seja, o ganho que terá no vencimento de uma LTN é 100% conhecido na ocasião da compra desse título.

O mecanismo de rentabilidade das LTNs funciona com uma matemática muito interessante: quando compra uma LTN – qualquer LTN, independentemente de sua data de vencimento – o investidor é informado da quantia que será paga na sua respectiva data de maturação.

Quando você compra uma LTN, adquire tal título federal por um valor que é sempre mais baixo do que o valor de face do título em seu vencimento. Digamos que você pague por uma LTN, que valerá R$ 1 mil em seu vencimento, o valor de aquisição de R$ 800: seu ganho será justamente a diferença entre o valor de face de R$ 1 mil e o valor de custo de R$ 800 pago no momento da compra, restando assim R$ 200 de diferença, uma "folga" que também é conhecida como deságio do investidor na compra do título.

No momento do lançamento de uma LTN no mercado, o deságio é ajustado pelo emissor do título, ou seja, o Tesouro Nacional, para corresponder àquela rentabilidade percentual que ele deseja oferecer a quem for comprar tal título. Assim é determinando o valor de lançamento a mercado de uma LTN. A partir daí, se o título é negociado no mercado secundário, à medida que o papel se aproxima da data de seu vencimento, o deságio vai diminuindo, até ser zerado na data do vencimento. O site do Tesouro Direto sempre informa a rentabilidade anual bruta que correspondente ao deságio oferecido pelo mercado a cada dia/momento.

Em meados de 2010, por exemplo, podia-se comprar no Tesouro Direto a LTN 010112, com vencimento para 1º de janeiro de 2012, por R$ 829,24, pagando acima de 12% ao ano para quem desejasse segurar esse título até seu vencimento.

Já a rentabilidade acumulada nos últimos 12 meses (segundo semestre de 2009 e primeiro semestre de 2010), para quem havia negociado essa LTN no mercado secundário, tinha ficado abaixo de 8% – abaixo até mesmo da taxa Selic (taxa de juros básicos da economia) vigente no período (8,75% ao ano).

Acontece que, nesses 12 meses, as LTNs foram pouco procuradas pela maior parte dos investidores, pois o mercado passou a vislumbrar futuras altas na taxa Selic, dando natural preferência aos títulos pós-fixados, com rentabilidade atrelada à Selic, como a LFT, o que fez o preço das LTNs cair momentaneamente. Mas isso não afetou quem adquiriu essas LTNs para segurá-las até seu vencimento e assim embolsar a rentabilidade pactuada (e imutável) de mais de 12% ano.

Em termos de investimentos disponíveis para o pequeno aplicador no mercado financeiro, podemos comparar a LTN com a caderneta de poupança, com um FIF Renda Fixa ou um CDB Pré, só que a LTN pode tranquilamente pagar um terço (ou mais) de rentabilidade líquida diferencial em comparação a essas outras opções conservadoras de aplicação.

Uma aplicação equiparável à LTN, disponível no próprio Tesouro Nacional, são as Notas do Tesouro Nacional – série F (NTN-Fs), títulos com rentabilidade também 100% definida no momento da compra, acrescida de juros que, em vez de serem pagos somente no vencimento, são pagos semestralmente, enquanto o resgate do valor principal do título ocorre somente na data de vencimento do próprio. É uma opção aconselhável, por exemplo, para quem está aposentado e precisa gerar um fluxo de renda contínuo para pagar suas contas, mas nem tanto para quem ainda está na fase de acumulação de um plano de investimentos. Nesse caso, prefira as LTNs.

As NTN-Fs normalmente têm prazo mais longo que as LTNs, sendo que a mais "idosa" delas ultrapassa os dez anos de maturação. Sendo 100% prefixadas, tanto as LTNs como as NTN-Fs são títulos conservadores, com 0% de chance de qualquer "surpresa negativa" com relação a sua rentabilidade.

Tais títulos são particularmente indicados para quem acredita na queda dos juros básicos brasileiros nos próximos anos, ou seja, na redução da taxa Selic, o que tornaria mais atraente poder comprar hoje um ativo financeiro que lhe garante uma rentabilidade prefixada mais alta, e isso com enorme segurança.

PARA QUEM TEME A VOLTA DA INFLAÇÃO, NTN-B – NOTA DO TESOURO NACIONAL SÉRIE B

A maioria dos especialistas acredita que a economia brasileira vai crescer e se desenvolver bastante nos próximos anos. Há, porém, alguns que imaginam o seguinte cenário: conforme o emprego for crescendo e a renda dos trabalhadores aumentar, a procura por mercadorias e serviços deverá crescer muito rapidamente, tornando superaquecida a demanda do mercado.

Em um contexto macroeconômico como este, de excesso de demanda, seria natural esperar que boa parte dos fabricantes e revendedores de produtos e serviços se vissem tentados a aumentar especulativamente os preços daquilo que produzem e negociam no mercado, pelo menos num primeiro momento de crescimento da demanda. Assim, a inflação brasileira, hoje sob relativo controle, se tornaria mais uma vez a grande vilã da nossa economia, porque os preços começariam a subir de forma generalizada – e acentuada.

Se você é um desses investidores que acreditam em tal projeção de futuro para a economia brasileira, o Tesouro Direto tem um título federal perfeito para o seu dinheiro, que é a Nota do Tesouro Nacional – série B Principal (NTN-B Principal).

A NTN-B Principal é um título com rentabilidade vinculada à variação do IPCA (Índice de Preços ao Consumidor Amplo, referencial de inflação oficialmente adotado pelo governo brasileiro), acrescida de uma determinada porcentagem de juros, que é conhecida no momento da compra efetivada pelo aplicador. Assim, quem investe em NTN-B Principal embolsará – no momento do vencimento do título – seu valor de compra acrescido dos juros pactuados, e devidamente atualizado pelo IPCA.

E o melhor: esse título não custa caro. Em meados de 2010, você podia comprar no Tesouro Direto uma NTN-B Principal 150515, com vencimento para 15 de maio de 2015, por valor inferior a R$ 1.400, pagando ao aplicador quase 7% ao ano + IPCA. A rentabilidade acumulada em 12 meses (segundo semestre de 2009 e primeiro semestre de 2010), para quem havia negociado essa NTN-B Principal no mercado secundário, foi superior a 13%, ou seja, esse título foi bastante procurado pela ala do mercado investidor que andava assustada com a possibilidade de disparada da inflação.

Não há, no mercado financeiro brasileiro, outra aplicação acessível ao pequeno investidor que possa ser diretamente comparada ao investimento em NTN-B Principal. No entanto, no próprio Tesouro Direto, um título equiparável à NTN-B Principal é a "simples" NTN-B (sem a denominação "Principal"), que funciona de forma muito similar, só que pagando juros ao investidor em uma base semestral.

Nessa outra opção de NTN-B, o aplicador receberá na data do resgate somente o valor de compra do título corrigido pelo que tiver sido acumulado de IPCA no período entre a compra e o vencimento, uma vez que os juros já terão sido pagos ao longo de todo o período de maturação do título. Pode ser uma pedida interessante, por exemplo, no caso de quem deseja acumular um bom estoque de títulos federais, para conseguir derivar dessa sua reserva uma renda regular, visando bancar, por exemplo, suas despesas de aposentado financeiro.

Aliás, as NTN-Bs em geral são uma excelente pedida para o planejamento financeiro de uma aposentadoria tranquila, já que são os títulos do Tesouro que têm prazo mais elástico, podendo chegar a 35 anos. Então, se você quer se aposentar com tranquilidade pense com carinho em formar uma boa carteira de NTN-Bs. Juntamente, é lógico, com uma boa carteira de ações e sem dispensar o útil complemento de um bom plano de previdência privada.

Se você, no entanto, quer uma excelente opção de aplicação conservadora atrelada à inflação para realizar seus investimentos mensais regulares, conforme seu plano, deixando os juros ganhos se capitalizarem sobre os juros ganhos, dê preferência à NTN-B Principal.

PARA QUEM GOSTA DE COLAR SELIC, LFT – LETRA FINANCEIRA DO TESOURO

Já tratamos aqui dos títulos 100% prefixados do Tesouro Direto (LTN e NTN-F), bem como dos títulos parcialmente prefixados e parcialmente pós-fixados (NTN B – Principal e NTN B). Agora vamos falar do extremo oposto, que são os títulos totalmente pós-fixados, as Letras Financeiras do Tesouro, ou LFTs.

Veja que interessante: uma LFT é um título com rentabilidade diária vinculada à taxa de juros básica da economia brasileira, nossa "famosa" taxa Selic. Na data de vencimento desse título, o investidor fará o resgate do valor principal acrescido dos juros da taxa Selic vigente na época. Quer dizer: por um lado, trata-se de um título de renda fixa, porque a renda é predeterminada (fixada) na compra do título. Só que a porcentagem exata de ganho não é conhecida pelo investidor no momento da compra; ele apenas sabe que aquele título lhe pagará o correspondente à taxa Selic no seu vencimento, seja ela maior ou menor. Por um lado, tudo é conhecido; por outro, há 100% de incerteza.

Funciona mais ou menos assim: imagine, por exemplo, que você seja o jovem príncipe herdeiro da coroa de um grande reino e lhe prometem em casamento, para daqui a vários anos, uma das filhas trigêmeas do rei de outro reino muito importante. No momento, todas ainda são crianças, e você terá que esperar até completarem 18 anos para se casar com uma delas, que será escolhida pelo pai, o poderoso rei.

Você não faz a menor ideia de qual delas será a escolhida, mas tem 100% de certeza de que sua noiva será uma dessas crianças. E, então, o que deveria animá-lo a embarcar em um arranjo como este? Além da segurança do dote oferecido pelo pai das meninas, ajuda muito o fato de a mãe das infantas ser uma rainha muito bonita, charmosa e inteligente: as filhas só podem dar coisa boa!

Com esse raciocínio, você concorda em assinar o pacto formal de casamento. Você não sabe se a sua futura esposa será mais ou menos bonita, charmosa ou inteligente, mas, conhecendo a "procedência" das meninas, sabe que deverá ter todas essas qualidades e, portanto, resolve "apostar no melhor".

Pois é justamente assim com a LFT, um título federal para quem aposta que a taxa Selic deverá subir nos próximos meses e anos, ou seja, será substancialmente mais alta lá na frente. Que o título vai ser pago em qualquer hipótese, conforme o parâmetro de rentabilidade pactuado (taxa Selic), não resta dúvida, é só uma questão de um pouco mais ou um pouco menos.

Em meados de 2010, por exemplo, podia-se comprar uma LFT 070312, com vencimento para 7 de março de 2012, pelo valor aproximado de R$ 4.200 – você pode adquirir frações de 20% de um título, não é obrigado a comprar o título inteiro, e isso não afeta em nada a aplicação. O aplicador que estivesse disposto a segurar essa LFT até o seu vencimento, ganharia a taxa Selic vigente nessa data de maturação (7 de março de 2012). Já a rentabilidade acumulada nos 12 meses anteriores (segundo semestre de 2009 e primeiro semestre de 2010), para quem negociou essa mesma LFT no mercado secundário, havia sido de 8,77% ao ano.

Em termos de opções de investimento disponíveis no mercado financeiro, a LFT é comparável a um Fundo de Investimento Financeiro do tipo DI, ou a um CDB Pós, só que ela pode chegar a pagar até 30% (ou mais) em termos de rentabilidade líquida diferencial em relação a essas outras opções conservadoras de aplicação. Ou seja, oferece a mesma segurança e praticamente a mesma liquidez, com um efeito multiplicador de dinheiro mais destacado. Bom para quem deseja enriquecer e conquistar seus sonhos mais rapidamente.

ANIMADO PARA APLICAR NO TESOURO? VEJA POR ONDE COMEÇAR

Tendo elaborado seu plano de investimentos e escolhido o título público que melhor se aplica ao seu perfil, o próximo passo é procurar uma corretora de valores para abrir sua conta, um processo muito simples e que pode, inclusive, ser totalmente feito pela internet – isso depende da corretora, consulte as condições de suas "candidatas". Qualquer corretora cadastrada no Tesouro Direto é confiável, porque todas seguem as mesmas regulamentações e são fiscalizadas pelos mesmos órgãos.

Selecione uma corretora que tenha um bom site na internet, rico em informações e fácil de navegar. Prefira aquela que esteja preparada para dar um bom atendimento ao pequeno cliente investidor, algo que é fácil de identificar: basta utilizar o serviço de resolução de dúvidas do próprio site, ou fazer um simples telefonema para o 0800 da corretora, a fim de conversar com o pessoal de atendimento. Favoreça a corretora que lhe oferecer materiais didáticos, palestras e cursos de cunho educativo, e que lhe propuser uma taxa de agente de custódia competitiva para Tesouro Direto.

Como já dissemos, o Tesouro Direto apresenta em seu site um ranking de corretoras. Esse ranking apresenta as taxas que tais instituições cobram para lhe vender os títulos da dívida – algumas não cobram nada. Dê preferência aos chamados agentes de custódia integrados: alguns têm sistemas diretamente ligados ao sistema do Tesouro Direto, o que facilita a vida de seus clientes, já que os investidores cadastrados nessas instituições têm mais comodidade para comprar e vender seus títulos e consultar saldos e extratos do Tesouro Direto, fazendo tudo isso diretamente do site da própria instituição de que é cliente. Assim, as compras e vendas de títulos federais dos clientes dos agentes integrados devem ser feitas diretamente no site de sua instituição, mas as consultas de saldos e extratos poderão ser efetuadas tanto no site do Tesouro Direto como no site do agente de custódia. E não se paga nada a mais por isso.

Capítulo 7

Ganhos superdinâmicos: aplique em ações na BM&FBOVESPA

Se você ambiciona conquistar sonhos de porte maior do que a média, e se deseja conquistá-los de forma ainda mais rápida, não poderá dispensar a providencial ajuda das aplicações financeiras superdinâmicas. Desde que seu horizonte de investimento seja de cinco anos ou mais, nunca deixe de considerar, por exemplo, o investimento em boas ações de sólidas empresas brasileiras negociadas na BM&FBovespa, uma excelente fonte para a multiplicação acelerada de seu dinheiro.

Vamos imaginar que você esteja se planejando para sua aposentadoria e queira acumular a reserva financeira estratégica de R$ 1 milhão (em valores de hoje). Digamos que você tenha 35 anos e queira a tal bolada milionária para quando completar 65 anos, tendo, então, trinta anos (360 meses) de horizonte de investimento pela frente. Faça as contas em sua *Calculadora de Planos de Investimentos* e veja se não vale a pena "apostar suas fichas" em uma aplicação superdinâmica:

SONHOS NA PONTA DO LÁPIS

CALCULADORA DE PLANOS DE INVESTIMENTOS

SEU SONHO:	R$1 milhão para a aposentadoria	DATA DA CONQUISTA:	30 anos
PLANO DE INVESTIMENTOS	Valor *de tabela* atual do seu sonho (*valor de mercado*)	$ 1.000.000	ESSE VALOR É REALISTA?
	Possível desconto obtido para quitação à vista (*em %*)		
	Reserva financeira que Você já tenha e possa usar **(PV)**		
	Prazo planejado (*meses*) para realizar seu sonho **(n)**	360 meses	30,0 anos
	Taxa de inflação (*anual*) que encarecerá seu sonho **(i)**	4,90%/ano	0,40%/mês
	Valor de tabela projetado para o final do prazo **(FV)**	$ 4.200.149	PROJETADO PARA ÉPOCA
DÍVIDA	Taxa de juros *mensal efetiva* embutida na dívida **(i)**		
	Sacrifício poupador & devedor = *mensalidade* (PMT)		
	Seu custo (*corrigido p/ época*) = *esforço do trabalho*		
1. TRADICIONAL	Rentabilidade *mensal líquida* obtida na aplicação **(i)**	0,55% nom.	0,15% real
	Esforço poupador & investidor = *mensalidade* (PMT)	**$ -3.724**	DEVE APLICAR
	Seu custo (*corrigido p/ época*) = *esforço do trabalho*	$ -2.983.356	71% do total
	Ganho de juros + desconto à vista = *esforço do dinheiro*	$ 1.216.792	29% do total
2. DINÂMICA	Rentabilidade *mensal líquida* obtida na aplicação **(i)**	0,75% nom.	0,35% real
	Esforço poupador & investidor = *mensalidade* (PMT)	**$ -2.294**	DEVE APLICAR
	Seu custo (*corrigido p/ época*) = *esforço do trabalho*	$ -1.838.043	44% do total
	Ganho de juros + desconto à vista = *esforço do dinheiro*	$ 2.362.106	56% do total
3. SUPERDINÂMICA	Rentabilidade *mensal líquida* obtida na aplicação **(i)**	0,95% nom.	0,55% real
	Esforço poupador & investidor = *mensalidade* (PMT)	**$ -1.372**	DEVE APLICAR
	Seu custo (*corrigido p/ época*) = *esforço do trabalho*	$ -1.099.294	26% do total
	Ganho de juros + desconto à vista = *esforço do dinheiro*	$ 3.100.854	74% do total

SMARTCALCS® *por* PROF. MARCOS SILVESTRE *para* 12 MESES PARA ENRIQUECER

Metodologia PROF® Programa de Reeducação e Orientação Financeira V.1008020929

Antes, observe que esse R$ 1 milhão que você cobiça em valores de hoje deverão ser, devido à inflação, R$ 4.200.149 daqui a trinta anos, apenas para manter o poder de compra do dinheiro, repondo o desgaste do poder aquisitivo da moeda com os contínuos aumentos de preço ao longo dos anos. Ou seja, para comprar daqui a três décadas o que compraria hoje com R$ 1 milhão, você vai precisar de R$ 4,2 milhões.

Na aplicação *tradicional* (caderneta de poupança):

- Esforço poupador e investidor = mensalidade (PMT) = R$ 3.724
- Seu custo (corrigido para a época) = esforço do *trabalho* = R$ 2.983.356
- Ganho de juros + desconto à vista = esforço do *dinheiro* = R$ 1.216.792

Seu trabalho vai corresponder a 71%, e seu dinheiro trabalhará pelos outros 29%, o que não é nada mau, porque de cada R$ 10 que você espera ter no futuro, R$ 3 virão da rentabilidade acumulada do dinheiro aplicado de forma tradicional.

Na aplicação *dinâmica* (títulos do Tesouro Direto):

- Esforço poupador e investidor = mensalidade (PMT) = R$ 2.294
- Seu custo (corrigido para a época) = esforço do *trabalho* = R$ 1.838.043
- Ganho de juros + desconto à vista = esforço do *dinheiro* = R$ 2.362.106

Seu trabalho representará apenas 44% e o dinheiro rendendo será responsável por 56%, uma maravilhosa inversão de papéis, deixando a parte mais sacrificante a cargo de suas boas aplicações dinâmicas.

Na aplicação *superdinâmica* (ações na BM&FBovespa):

- Esforço poupador e investidor = mensalidade (PMT) = R$ 1.372
- Seu custo (corrigido para a época) = esforço do *trabalho* = R$ 1.099.294
- Ganho de juros + desconto à vista = esforço do *dinheiro* = R$ 3.100.854

Seu trabalho corresponderá a 26% e o dinheiro, a 74%. Algo assim: de cada R$ 4 que deseja ter acumulado no futuro, invista R$ 1 e espere sua aplicação lhe render R$ 3. Gostou?

Nesse plano de investimentos focado em sua aposentadoria, a caderneta de poupança já lhe prestaria um belo serviço, desenvolvendo quase um terço (29%) do esforço necessário para alcançar o R$ 1 milhão. Os títulos do Tesouro Direto reforçariam ainda mais essa situação, colocando em seu bolso quase metade (44%) da reserva financeira almejada. No entanto, boas ações de sólidas empresas brasileiras, compradas na BM&FBovespa fariam três quartos de todo o esforço (74%), deixando para você a menor parte da conta (26%).

Diga-me: por que colocar R$ 3.724 na poupança todos os meses, se você pode aplicar em ações cerca de um terço desse valor, ou seja, R$ 1.372, para, daqui a trinta anos, realizar exatamente o mesmo sonho de ter R$ 1 milhão corrigidos em valores da época?

Eu só consigo conceber uma explicação razoável: alguém só deixaria de aproveitar essa excelente oportunidade de enriquecimento por puro desconhecimento, o que já não é o seu caso – e será muito menos a partir de agora.

AO APLICAR EM AÇÕES, GANHE BEM MAIS NO LONGO PRAZO

Um investidor que tivesse aplicado R$ 10 mil na Bolsa de Valores de São Paulo no último dia de dezembro de 1999, portanto há dez anos, tendo tomado o cuidado de distribuir esses R$ 10 mil entre as cinco principais ações mais negociadas na Bovespa em cinco anos e, a partir daí, seguisse atualizando sua carteira a cada seis meses pelo mesmo critério – mantendo sempre as cinco ações mais negociadas no últimos cinco anos – teria, no final de 2009, uma década depois, a quantia líquida de R$ 40 mil, já descontados as taxas de corretagem e o Imposto de Renda incidente sobre os ganhos com a valorização de suas ações. O ganho líquido médio seria de 1,16% ao mês durante o período.

Esse investidor "sortudo" – ou seja, preparado e de olho nas oportunidades – saiu de R$ 10 mil para R$ 40 mil em apenas uma década de aplicação superdinâmica. Quem "apostou" nas ações brasileiras nos últimos dez anos, quadruplicou seu patrimônio em termos absolutos (ganho líquido nominal de 300%). Isso apesar de todas as crises econômico-financeiras que presenciamos.

Compare com o seguinte: empreendendo o mesmo esforço de aplicação inicial de R$ 10 mil na caderneta de poupança, o investidor teria acumulado, no mesmo prazo, metade disso, ou seja, "apenas" R$ 20 mil, considerando uma rentabilidade média em torno de 0,58% ao mês (ganho líquido nominal de 100%).

Apenas para se ter uma ideia da variação do poder de compra do dinheiro no mesmo período, a inflação acumulada pelo IPCA nessa mesma década foi de 90% (equivalente a 0,54% ao mês). Quer dizer: dos R$ 10 mil ganhos na poupança, R$ 9 mil foram somente para repor a inflação; os outros R$ 1 mil equivalem a ganho real, dinheiro embolsado de verdade.

Já dos R$ 30 mil ganhos com ações, também R$ 9 mil devem ser descontados por conta da reposição do poder de compra do dinheiro. No entanto, ainda restam R$ 21 mil de ganho real, acima da inflação, o que dá 21 vezes aquilo que se ganhou na poupança! Uma diferença quase inacreditável, mas muito concreta para quem optou pelo efeito multiplicador superdinâmico das ações.

Mesmo se pensarmos em uma convidativa opção não financeira de aplicação do dinheiro, como o sedutor investimento em imóveis (que requer valores de aplicação bem maiores!), ainda assim surge a pergunta: qual foi o imóvel padrão classe média que simplesmente quadruplicou de valor em dez anos? Se houve, foi exceção à regra: quem acertou nessa "mosca branca de asinhas douradas" até hoje não sabe o que fez para conseguir tamanha valorização. Já com o investimento em ações, isso foi concretamente possível.

É verdade que, até a virada do milênio, investimento em bolsa de valores ainda não era exatamente uma opção viável para o pequeno aplicador, mas isso mudou radicalmente.

Hoje, qualquer poupador, mesmo aquele que tem pouco capital inicial e uma pequena quantia mensal para aplicar com regularidade – algo a partir de R$ 200 ao mês –, já pode considerar as ações como uma maneira bem mais dinâmica de rentabilizar seu dinheiro, visando acumular uma reserva muito maior no longo prazo, sem complicação e sem ter de correr riscos desnecessários. Já são centenas de milhares de investidores individuais na

Bovespa, e esse pessoal já responde por mais de um terço do volume total de ações negociadas.

EM VEZ DA VOLÁTIL ESPECULAÇÃO, PREFIRA A SÓLIDA ACUMULAÇÃO

O pequeno aplicador, especialmente aquele com pouco conhecimento, costuma sempre associar o investimento em ações com investimento de *risco*. É fato: quando você aplica na poupança, está certo de que, após um mês, terá lá algo entre 0,50% e 0,60% a mais. Para cada R$ 100 aplicados na caderneta, algo entre R$ 0,50 e R$ 0,60 lhe será adicionado ao final de um mês. Também é fato que quem investe em imóveis se sente bastante seguro. Como diz o ditado: "tijolo não tem pé", só desaparece nas raras hipóteses de terremoto ou desapropriação (ultimamente, nem tão raras assim...).

Qualquer coisa que não se conheça bem envolve riscos. Quem, por exemplo, não sabe andar de bicicleta, uma coisa simples para quem sabe, tem medo. Quem não sabe nadar, ou pelo menos boiar, não gosta de entrar na água sem o amparo de um salva-vidas experiente, porque, de fato, será algo muito arriscado.

Você não deve, por pura ignorância, considerar o investimento em ações algo arriscado. É preciso conhecer bem como esse tipo de aplicação superdinâmica funciona, e como pode ser uma forma muito segura de tratar seu dinheiro de investimento com "dignidade financeira", lhe oferecendo uma maior rentabilidade ao longo do tempo, sem exposição a riscos indevidos, o que ajudará seu bolso a enriquecer de forma acelerada e contínua.

O investidor de perfil acentuadamente *especulador*, que compra e vende ações diariamente – em certos casos, várias vezes no mesmo dia (o chamado *day-trade*) –, acaba se expondo a grandes riscos. Mas não é esse tipo de investidor que lhe recomendo ser. Há quem ganhe muito dinheiro assim, mas esse investidor também perde muito, e precisa ter quantias elevadíssimas para aplicar. Provavelmente, esse não é o seu caso, e também não é o meu. Para pequenos e médios aplicadores como nós, o mais indicado é atuar no mercado acionário com o perfil do investidor *acumulador*.

Esse tipo de aplicador, também conhecido com investidor *conquistador* – de sonhos! – ou *construtor*, é aquele que deseja construir, ao longo do tempo, uma sólida carteira de boas ações, acumulando uma bela reserva financeira estratégica, desenvolvendo o mínimo de sacrifício poupador e investidor possível, e com a menor demora.

Nesse caso, o interesse em aplicar nas ações não será para obter gordos lucros de um dia para o outro, mas para poder auferir, durante meses e anos de poupança, aplicação e acumulação, uma rentabilidade superdiferenciada em relação às tradicionais opções ultraconservadoras de investimento, sem para isso ter de correr riscos desnecessários. Enriquecer de forma diferenciada e mais acelerada.

O MEDO IRRACIONAL DE PERDA PODE CONGELAR SEU ÍMPETO APLICADOR

Digamos que você finalmente esteja atraído pelo investimento no mercado acionário. Porém, lhe vem à memória os dias cinzentos dessa última crise econômico-financeira mundial, que derrubou a Bovespa do patamar de 73,5 mil pontos, em maio de 2008, para 29,4 mil pontos, no final de outubro do mesmo ano (potencial desvalorização acumulada de 60% em poucos meses!).

Entra em ação o temível fantasma das perdas nas bolsas, que atinge seu bolso com um poderoso medo paralisante, deixando-o imóvel.

É preciso esclarecer: de um dia para o outro, de um mês para o outro, ou mesmo de um ano para o outro, as ações de qualquer empresa, negociadas em qualquer bolsa de valores do mundo, podem ter sua cotação a mercado diminuída de valor. E isso, infelizmente, é o que acaba deixando muita gente com uma má impressão, e disso surge um lamentável preconceito com relação às aplicações no mercado acionário.

Sobre perdas com ações, há duas coisas a esclarecer neste momento:

- **O que é uma perda de verdade**. Quedas no Ibovespa, o índice que mede o comportamento das sessenta ações mais negociadas na Bolsa de Valores de São Paulo, ou quedas nas cotações a mercado desta ou daquela ação, não significam que o investidor que aplicou seu dinheiro nelas perdeu. Em aplicações de renda variável, a perda só ocorre quando se faz o resgate da aplicação em um momento desfavorável de mercado, ou seja, quando as ações forem efetivamente vendidas abaixo de sua cotação de compra.

- **O porquê do provável ganho diferenciado no longo prazo**. Para um horizonte a partir de cinco anos, boas empresas de capital aberto, bem posicionadas em setores promissores da economia, deverão naturalmente produzir bons lucros em suas operações, e o mercado acionário acabará fatalmente reconhecendo tais resultados positivos, o que se traduzirá na valorização expressiva de suas ações. No longo prazo, há uma inevitável correlação positiva entre *lucratividade e crescimento da empresa*, de um lado, e *sua cotação a mercado*, de outro. Não há segredo nenhum nisso, é apenas natural.

No curtíssimo ou curto prazo, os preços das ações podem estar diretamente correlacionados ao "humor" dos especuladores dos mercados financeiros no momento. Esse "mau humor" pode buscar seus "fundamentos" em fatores tão díspares como a divulgação de um índice de desemprego mais elevado que o esperado nos EUA, a notícia de um desempenho fiscal desfavorável por parte do governo de algum país europeu, ou rumores de que o Irã já teria uma bomba atômica prontinha para ser detonada em caso de guerra. Enfim, no curto prazo, trata-se de um vale-tudo, em que quase qualquer fato novo – ou simples boato – pode ser utilizado como pretexto para vender ou comprar ações especulativamente, fazendo as cotações flutuarem acentuadamente em um curto período de tempo.

No entanto, no longo prazo os boatos se dissipam, os ciclos econômicos negativos se revertem e as coisas se acertam (de uma forma ou de outra) na economia mundial. Então, o que fica para o mercado acionário é o inapelável bom senso de que aquelas empresas de capital aberto bem geridas, lucrativas, em constante expansão, devem ser reconhecidas como tendo valor mais elevado (ações valorizadas)!

Mas, para buscar essa perene "racionalidade financeira", ao invés da ilusória "exuberância financeira" ou da paralisante "desgraceira financeira" do curto prazo, o investidor precisa esperar suas aplicações maturarem para daí a cinco anos ou mais.

Eu considero esse cuidado tão importante que, conforme você já pôde notar, em nossa *Calculadora de Planos de Investimento*, quando o prazo é de até sessenta meses (até cinco anos ou médio prazo), os campos da parte de aplicações superdinâmicas permanecem em branco.

Em suma: só pense em ações para planos de investimentos com horizonte de mais de cinco anos. Nesse caso, não fique só no pensamento: parta já para a ação, ou melhor para as ações!

A BOA INFORMAÇÃO DARÁ ASAS AO SEU ESPÍRITO APLICADOR SUPERDINÂMICO

Para você que já escolheu seus sonhos de longo prazo e usou a calculadora a fim de elaborar seus planos de investimentos, quero apresentar uma estratégia "cinco estrelas" para decidir exatamente *em quais ações* aplicar seu dinheiro e ser muito bem-sucedido. Essa regra serve para o planejamento de aplicação financeira de qualquer sonho de longo prazo, e está calcada em buscar *boa informação*, tomando decisões bem esclarecidas.

Primeiramente, vale relembrar que o investidor acumulador, aquele que aplica em ações para colher bons frutos alguns ou vários anos depois, jamais deve se preocupar com a oscilação do valor de suas ações de um dia para o outro, ou mesmo de um mês para o outro.

Ao escolher as ações que farão parte de sua carteira de investimentos, o desafio do investidor construtor será selecionar empresas sólidas, bem posicionadas em setores promissores da economia, e que provavelmente terão bons resultados financeiros nos próximos anos, resultados que se espelharão a longo prazo na cotação de suas ações.

Você já sabe que não é bom concentrar todas as suas aplicações nas ações de uma única empresa, o que aumenta o risco de essa empresa eventualmente vir a frustrar suas expectativas de ganho. Também não convém carregar ações demais na sua carteira, porque dá muito trabalho acompanhar, e isso acaba não compensando para o pequeno/médio investidor não profissional. Nem tanto à terra, nem tanto ao mar: nem concentrar, nem hiperdiversificar, é o que lhe recomendarei a seguir.

Vá ao site da BM&FBovespa (www.bovespa.com.br) e, na página de entrada, posicione o cursor do mouse sobre a segunda aba da esquerda para a direita, denominada Mercados. Aparecerá uma lista cujo primeiro item é Ações: clique sobre ele. Na página de Ações, no menu da esquerda, clique sobre o item Estatísticas (a apresentação dos sites da internet é dinâmica e esse caminho de navegação pode ser alterado a qualquer momento. No entanto, busque as informações a que me refiro a seguir, porque elas não desaparecerão do site da BM&FBovespa).

Você será então direcionado a uma página que contém informações muito interessantes para quem deseja analisar os movimentos passados do mercado brasileiro de ações. "Rentabilidade passada não é garantia de rentabilidade futura", reza o bordão das aplicações financeiras. Mas uma boa análise histórica e em perspectiva das aplicações nas quais pretende "apostar" seu dinheiro certamente fará de você um investidor mais bem informado e consciente.

Na página de Estatísticas, vá novamente ao menu da esquerda e clique sobre o último item: Edições Disponíveis. Apenas para se familiarizar melhor com o conteúdo, observe que, na caixa de opções que aparecerá no centro da página, já estará selecionado o último mês disponível, mas note que há um histórico bem extenso de meses disponíveis, com valiosas informações históricas sobre o nosso mercado acionário.

Em seguida, volte ao mesmo menu da esquerda, um pouco mais acima, e clique em Ações mais Negociadas / Lote-Padrão / nos Últimos 12 meses. Você terá uma lista das vinte ações mais negociadas nos últimos 12 meses, findos no último mês disponível. Imprima essa lista, ou salve-a em arquivo de formato .pdf no seu computador.

Volte ao item Edições Disponíveis e, dessa vez, selecione na caixa de opções que surgirá no centro da página o item correspondente a 12 meses atrás. Novamente, vá ao item Ações mais Negociadas / Lote-Padrão / nos Últimos 12 meses, e imprima a nova lista que aparecer.

Repita essa operação para os últimos cinco anos e você terá em mãos cinco listas, cada uma com as vinte ações mais negociadas nos últimos 12 meses, para cinco anos consecutivos. Tais ações costumam responder por dois terços de tudo que é negociado no mercado acionário brasileiro. São as chamadas "*blue chips*", ações de primeiríssima linha, as de melhor liquidez, as "queridinhas" do mercado.

CINCO ESTRELAS QUE IRÃO TRANSFORMAR SEUS SONHOS EM REALIDADE

Concluído o exercício proposto acima, você conhecerá as vinte ações mais negociadas nos últimos cinco anos, as "campeãs" de liquidez da Bovespa, as ações que o mercado mais aprecia comprar e vender. Em suma, dá para afirmar com considerável grau de segurança que se trata das melhores ações para aplicar seu dinheiro a longo prazo, mesmo que no curto prazo elas não sejam necessariamente as mais rentáveis.

São essas as ações que provavelmente apresentarão melhor correlação entre os resultados operacionais de suas respectivas empresas ano após ano, e a valorização efetiva de suas cotações a mercado ao longo do tempo. Na falta de uma bola de cristal para antever o futuro, essas vinte ações, pelo seu histórico de liquidez, são as mais fortes candidatas a receber "o voto" das mensalidades de seus planos de investimentos de longo prazo.

Eis, portanto, minha sugestão: monte sua carteira "cinco estrelas" selecionando as cinco ações presentes em todas as cinco listas. Na sua "garimpagem", convém também ter o cuidado de procurar diversificar entre diferentes setores da economia. Por exemplo: em vez de concentrar suas escolhas somente em ações do setor de Petróleo, Gás & Biocombustível, diversifique também para a área de Mineração, Siderurgia, Construção & Transporte, de Consumo Não Cíclico (por exemplo, Agropecuária; Alimentos Processados; Bebidas), Consumo Cíclico (por exemplo, Tecidos, Vestuário e Calçados; Mídia; Hotelaria), Tecnologia da Informação, Telecomunicações, Bancos & Setor Financeiro etc.

Feita a seleção, passe a "apostar" a(s) mensalidade(s) de seu(s) plano(s) de investimentos de longo prazo nessas cinco ações, de diferentes setores econômicos, dentre as mais negociadas nos últimos cinco anos.

Passado um ano da montagem da carteira inicial – e não precisa ser antes disso – faça a mesma pesquisa de novo, tirando o "ano mais velho", e incluindo o "último ano". Venda as ações da(s) empresa(s) que porventura ficar(em) de fora do novo ranking, e compre, em substituição a ela(s), ações da(s) nova(s) empresa(s) que terá(ão) entrado na lista. Enfim, vá reciclando suas estrelas, para mantê-las sempre bem polidas e brilhantes!

Essa estratégia "cinco estrelas" é simples, você não precisa ser nenhum "rato de mercado" para adotá-la, e ela se encaixa adequadamente ao pequeno e médio investidor com perfil acumulador, que tem tempo para esperar a maturação de suas ações, quer rentabilidade superdiferenciada, mas não deseja abrir mão de um bom nível de segurança.

No longo prazo, vá pelo mercado! São milhares de investidores operando todos os dias: se, com o passar do tempo, eles nos indicam as ações que mais vale a pena negociar, é melhor acreditar. No curto prazo, a maioria dos aplicadores pode ser "burra", pode estar "cega" e "enganada", fazendo cotações absurdamente baixas (ou altas). Porém, no longo prazo, felizmente impera o consenso de mercado calcado no bom senso financeiro, que leva à correta avaliação e valoração das boas empresas brasileiras de capital aberto e de suas promissoras ações negociadas na bolsa de valores!

JÁ PREPAROU SEUS PLANOS? ENTÃO PARTA PARA A AÇÃO!

Para quem já planejou quanto deverá investir todo mês em ações, visando poder realizar seus sonhos de compra e consumo, e para quem já sabe em quais ações aplicar, o próximo passo será procurar uma corretora de valores e abrir sua conta. Qualquer corretora cadastrada na BM&FBovespa é confiável, porque todas seguem as mesmas regulamentações e são (muito bem) fiscalizadas pelos mesmos órgãos.

Para fazer a seleção da corretora, um bom ponto de partida é o ranking do site do Tesouro Direto (já abordado no capítulo anterior). As corretoras mais competitivas nesse quesito também costumam ser as que praticam as taxas de corretagem mais competitivas para a compra e venda de ações.

Escolha uma corretora que tenha um bom site na internet, bom atendimento ao pequeno cliente investidor, aquela que lhe ofereça materiais didáticos, palestras e cursos de cunho educativo, além de lhe propor taxas de corretagem competitivas para suas ordens de compra ou venda. Ou então um pacote de ordens, por um preço fixo e atraente, prevendo certa quantia pré-negociada de ordens que você pode emitir por mês.

Abrir sua conta é processo muito simples, porém um pouquinho burocrático em função da documentação que irão lhe pedir. Lembre-se, no entanto, de que ele será feito uma única vez e pode ser feito 100% on-line (dependendo da corretora), e não terá custo algum para você.

O passo seguinte será emitir suas ordens mensais de compra e venda das cinco ações escolhidas pela estratégia das "cinco estrelas" proposta acima.

Atenção: se você emitir cinco diferentes ordens de compra por mês, sendo uma ordem para cada uma das ações selecionadas, acabará pagando por cada uma das cinco ordens. Se estiver no seu pacote mínimo contratado, tudo bem. Do contrário, deve concentrar suas aplicações de cada mês em uma única ação de sua lista das eleitas, emitindo uma única ordem de compra e, assim, pagando uma única taxa de corretagem por mês. No mês seguinte, faça o mesmo com a próxima ação de sua lista, e assim por diante.

No entanto, se o valor da mensalidade de seu plano de investimentos de longo prazo for mais modesto (inferior a R$ 1 mil mensais), talvez a taxa de corretagem represente uma subtração muito grande sobre a quantia poupada e investida a cada mês. Nesse caso, para economizar com a corretagem, o mais indicado é aplicar provisoriamente na própria caderneta de poupança o valor de suas mensalidades planejadas para investimento em ações e, uma vez por semestre, ou uma vez por ano, fazer a compra das cinco ações escolhidas para a sua carteira.

No longo prazo, a partir de cinco anos, você ganhará com ações, em termos líquidos, no mínimo o dobro do que lhe pagariam as aplicações conservadoras de renda fixa, como a poupança. Sem correr riscos desnecessários, já que aplicar nas campeãs de liquidez do mercado acionário, é como "chover no molhado", um jeito prático e muito seguro de enriquecer mais rapidamente. Está comprovado, portanto, que *investimentos mais dinâmicos* são uma valiosa fonte de enriquecimento contínuo e jamais devem deixar de ser contemplados em seu *Plano da Virada*.

Fonte II
Gastos mais econômicos

Enxugue desperdícios e organize seu orçamento pessoal

Capítulo 8

Gastar bem é uma arte que poucos conhecem

Há pessoas de condição financeira mais humilde que, com muita dificuldade – mas grande habilidade –, conseguem formar seus filhos em boas faculdades. São grandes heróis das finanças pessoais. Outros, com carreiras até bem-sucedidas, correm o risco de ter que tirar as crianças da escola particular na primeira crise financeira que atravessam.

Infelizmente, há quem passe a vida preocupando-se apenas em *ganhar bem*, desgastando-se na busca frenética por mais e mais dinheiro do trabalho. Mas se esquecem de cuidar bem do que recebem, para conseguir enriquecer de verdade e manter um bom padrão de vida contando com o que já têm hoje. É um contrassenso.

O dinheiro não pode ter propósito mais nobre do que permitir que você o gaste, mas *o gaste bem*. Na seção anterior, você descobriu como multiplicar seu dinheiro por meio de *investimentos*, a fim de realizar seus grandes sonhos de compra e consumo. Agora, você compreenderá como atender suas necessidades cotidianas com melhor organização e controle dos *gastos*, o que lhe permitirá viver afastado das dívidas preocupantes, e também lhe viabilizará poupar e investir com regularidade.

Estamos falando de uma via multiplicadora de dinheiro até bem conhecida, muito comentada, mas bem pouco explorada na prática. Não por falta de conhecimento, mas muitas vezes por falta de *ferramental* adequado – que não será o seu caso. Uma pena, pois a fonte dos *gastos mais econômicos* faz "jorrar" um dinheirão em recursos antes desperdiçados, podendo ser facilmente liberados e revertidos em "dinheiro bom" para sua plena qualidade de vida.

Em seguida, vamos tratar exatamente disto: o que fazer com o dinheiro quando ele *já está* no seu bolso, ou seja, como realizar desembolsos no dia a dia, com bom planejamento financeiro e autogestão competente de seus gastos, contas e compras, aprendendo desde como enxugar desperdícios até como organizar melhor seu orçamento, providências indispensáveis para reforçar seu *Plano da Virada* e garantir seu sucesso no processo de enriquecimento contínuo que transformará sua vida.

EQUILÍBRIO FINANCEIRO NÃO É APENAS EMPATAR ENTRADAS E SAÍDAS

A primeira pergunta é: no modo como planeja e administra seus gastos, você consegue atender a suas necessidades cotidianas sem comprometer a realização de seus sonhos de compra e consumo futuros? Ou seja, consegue assegurar qualidade de vida no presente prejudicar sua qualidade de vida futura?

Se você quer mesmo garantir que seu dinheiro esteja *sempre* a serviço de sua qualidade de vida – hoje, amanhã e depois – precisa cuidar de promover o *verdadeiro equilíbrio* em sua vida financeira, o equilíbrio entre os desembolsos no *passado*, no *presente* e no *futuro*.

Quando falamos em equilíbrio financeiro, o óbvio parece ser empatar ganhos e gastos, certo? Errado. É igualmente importante balancear a distribuição de seus pagamentos não só entre os gastos em si – aí incluídos contas, compras, dívidas e seguros – como também garantir suas economias para investir com regularidade, e até mesmo suas doações. Fazendo essa distribuição de seus desembolsos de forma competente, só então poderá orgulhar-se de ter conquistado equilíbrio genuíno no uso do dinheiro, do ponto de vista de sua plena qualidade de vida.

Este será seu desafio: dar o melhor *destino* aos diversos tipos de pagamentos que faz todos os dias. Dinheiro foi feito para gastar, mas de forma eficiente (exatamente o necessário) e eficaz (somente com o que interessa). Gastar sim, mas apenas de modo enxuto, controlado e bem focado em suas verdadeiras prioridades no que diz respeito a viver bem.

Quanto mais, melhor! Hum... Será mesmo?

No dia a dia de meus atendimentos como planejador financeiro, uma pergunta é costumeiramente feita na segunda ou terceira consulta: "Afinal de contas, quanto é bom o suficiente para você e para a sua família?". Em princípio, a resposta é sempre muito parecida: "Bom o bastante é ter mais. Se posso ter mais, quero mais!"

É claro que você deseja ter o bastante, mas querer ter cada vez "mais", às vezes sem foco específico, significa quase sempre ultrapassar o limite que inevitavelmente leva ao desequilíbrio financeiro. E isso sempre traz sofrimento e comprometimento das possibilidades de se ter uma boa vida.

Muitas das famílias que eu pude atender nos últimos anos não estavam exatamente endividadas, não eram propriamente devedoras, nem muito menos caloteiras. Várias tinham até uma situação financeira muito boa, mas, ainda assim, não estavam tranquilas com relação à correta "calibragem" do seu padrão de vida.

Pois é: em um determinado momento, pode acabar surgindo aquela impressão de que você e sua minha família, apesar de hoje não terem dívidas preocupantes, talvez estejam vivendo acima do que seria o padrão de vida correto para as suas verdadeiras possibilidades.

Ansiedade, insegurança, receio do futuro: você não precisa conviver com isso. Você pode determinar um padrão que seja confortável, sustentável a médio e longo prazo, um patamar que você possa manter sem colocar em risco seu equilíbrio financeiro.

Pois o padrão de vida correto para a sua família é aquele que cabe no seu bolso. É preciso ter muito cuidado com as escolhas feitas no dia a dia. As tentações são grandes – aliás, cada dia maiores.

Se você, por exemplo, quer morar em um apartamento maior e mais bem localizado, a princípio isso lhe parece um objetivo de vida bastante normal, muito razoável. Mas o fato é que, se der esse passo na sua vida, terá de pagar uma taxa de condomínio maior e mais IPTU, terá gastos maiores, com empregada, faxineira, desembolsará mais com a decoração e a manutenção da casa. Morando em um apartamento melhor, os carros na garagem serão de outro padrão, e logo você vai querer trocar o seu também. Morando numa região mais "nobre", a conta do supermercado certamente ficará mais cara, a escola das crianças também.

Enfim, quando se discute o padrão de vida ideal a traçar, lembre-se: *uma coisa puxa a outra*, e todas elas puxam a grana para fora do seu bolso! Então, já que é assim, eis minha recomendação: antes de "nivelar por cima", sem parar para ponderar, antes de cobiçar o melhor que conseguir imaginar, faça um bom planejamento financeiro para viabilizar esse *upgrade* de forma concreta e equilibrada.

Do contrário, a aparente melhoria de vida poderá se transformar em um *downgrade*, pois acabará puxando você para baixo. Não terá a menor graça se, no futuro, vier a lhe faltar a grana necessária para bancar o novo padrão de vida tão docemente cobiçado. Subir um degrau é fácil, mas descer é bem sofrido, pense nisso.

SIMPLES OU SOFISTICADO? CUIDADO COM A TIRANIA DO LUXO!

Tempos atrás, circulando por uma pequena cidade do interior, me chamou atenção uma determinada placa do comércio local, que estampava o seguinte: "Restaurante Cabral: o prazer das carnes nobres e a nobreza dos vinhos requintados". Pomposo até a última letra! O mais curioso é que o tal Restaurante Cabral era, na realidade, uma casinha bem simples, mas tão simples que os tais dizeres suntuosos chegavam a parecer gozação, pelo menos para quem vinha de uma cidade grande e, de certa forma, sofisticada.

Pois resolvi parar para comer na pitoresca estalagem. A comida era muito simples, embora deliciosa. Não havia carta de vinhos. Escolhia-se entre três ou quatro opções de vinhos nacionais, no máximo. Onde estaria a sofisticação prometida no letreiro?

Segundo o dono, cozinheiro e garçom, o próprio Cabral – uma figura impagável, de avental branco e farto bigode lusitano – a explicação para a sofisticação dos tais dizeres era óbvia: "Não posso dizer que é simples, pois ninguém dá valor, tenho de dizer que é requintado!".

Não cheguei a descobrir se o plano de marketing desse pequeno empreendedor lhe trazia resultados efetivos ou não. Mas, cá entre nós, pensando do ponto de vista do consumidor, a história é um pouco decepcionante. Não dá para entender por que a sofisticação – que pode ser uma coisa boa também, é claro – virou uma ditadura de padrão de consumo. Quer dizer, se algo não for "nobre" ou "sofisticado" não ganha o direito de ser qualificado como produto de qualidade.

Como é que fica, nessa história, a delícia que é o pastel de feira com caldo de cana? E passear no parque, de graça, sentar na grama, brincar no gira-gira com as crianças? Pode ser categorizado como lazer de boa qualidade? Usar camiseta branca de malha, aquela bem velhinha, que a gente se recusa a jogar fora enquanto não rasgar? Sair de chinelo de dedo por aí, num domingo de manhã? Pois, pelo critério tiranesco do "luxo", tudo isso teria de ser jogado no "lixo".

Quando ainda era criança, ouvi de minha mãe este comentário sobre um grande amigo de meu pai: "Eu admiro o Maurício, porque ele sabe degustar um bom caviar, mas, com o mesmo gosto, come um prato de arroz com feijão fresquinho!".

Pois eu desejo que você, leitor, possa ser um desses raros consumidores equilibrados, libertos do cabresto do luxo, que também sabem enxergar a "nobreza" do que é simples, como muito bem fazia o saudoso Maurício.

SABER ECONOMIZAR PARA AMPLIAR SEU PODER AQUISITIVO

Vou lhe confessar uma coisa: algo que eu lamento muito nessa área de finanças pessoais é o significado que a palavra "economizar" acabou tomando com o passar do tempo. A maior parte das pessoas a quem você pergunta o que significa economizar vai lhe responder: "Deixar de gastar ou, pelo menos, evitar gastar". E essa definição de "economizar" não está exatamente errada, mas é bastante incompleta, e acaba dando a impressão enganosa de que fazer economia é só para quem tem pouco dinheiro ou é mão fechada.

Permita-me corrigir esse engano: economizar é planejar-se para dar um *destino mais importante* para os recursos que você tem em mãos. Em outras palavras, economizar é cuidar de fazer um uso mais interessante daquilo que está a sua disposição, para satisfazer melhor suas necessidades do dia a dia e, ao mesmo tempo, garantir a concretização dos seus grandes sonhos.

É preciso buscar sempre economizar sem deixar de gastar, porém, cuidando para fazer seus desembolsos dentro de uma lógica de escolhas acertadas do ponto de vista da qualidade de vida que você e sua família almejam ter.

Do contrário, qualquer esforço poupador (não gastador) não terá o menor sentido para a sua qualidade de vida. A melhor definição para economizar é: deixar de gastar com algo menos importante para gastar com algo mais importante. Para você e os seus.

PARA ECONOMIZAR, EVITE OS SUPÉRFLUOS

O primeiro passo é manter-se alerta em relação aos gastos supérfluos. Essa é uma questão bastante controversa: o que é totalmente supérfluo para mim pode ser absolutamente essencial para você, e vice-versa.

Quem vai decretar o que é "supérfluo" ou não na sua vida financeira será você mesmo. Para facilitar, eu recomendo que, nessa "caça às bruxas" dos supérfluos que é necessário empreender de tempos em tempos no seu orçamento, buscando arrancar tais gastos pela raiz, você se faça três perguntas simples e certeiras:

- **"Se eu não fizer esse gasto agora, isso vai me fazer muita falta nos próximos seis meses?"** Talvez seja só uma questão de empolgação momentânea, que vai passar poucos dias depois que aquela caríssima peça de roupa se misturar com suas roupas "velhas". Talvez aquela roupa nova tenha grande potencial para se provar algo supérfluo na sua vida. Se for, tesoura nela!
- **"Eu tenho o suficiente para pagar à vista, sem fazer mais uma dívida?"** Porque, se não tiver, você não vai querer tomar emprestado

para comprar uma TV 3D de 60 polegadas e depois ficar quase sem grana para pagar a conta de luz. É algo supérfluo, desproporcional ao seu padrão de vida, e não lhe faz o menor sentido.

- **"Eu creio realmente que este é o melhor jeito de gastar esse determinado valor, em comparação a outras formas de desembolsá-lo?"** Antes de pegar a carteira para torrar o que tem com uma mercadoria qualquer, tente pensar em alguma outra coisa bem legal que você poderia comprar com o mesmo valor. Se acabar desistindo, estará comprovado que era um típico caso de compra de um supérfluo, uma mera paixão fugaz, e não aquele amor genuíno que justificaria levar a mercadoria em questão para casa.

SE DESEJA MESMO ECONOMIZAR, TERÁ QUE APRENDER A "GASTAR MAIS"!

Se você assistiu ao filme *A Rainha*, de Stephen Frears, que retrata a vida da rainha Elizabeth, deve se lembrar da seguinte cena. A soberana e seu filho, o príncipe Charles, vão sair para um passeio de carro nos campos do castelo da família na Escócia. Na cena, eles entram em um jipe antigão, mas aparentemente muito bem conservado, e o filho questiona a rainha: "A senhora não vai comprar um novo, não?". Elisabeth, um tanto indignada, lhe responde: "Para que, se este aqui está perfeitamente bom?".

Veja só, nós estamos falando de uma das pessoas mais ricas do mundo, cuja fortuna pessoal já foi estimada em mais de US$ 3 bilhões!

Pois o segundo passo para ter uma vida mais econômica é o seguinte: você terá de aprender a "gastar mais". Você não leu errado, quero dizer que precisamos gastar mais, sim, porém não me refiro ao dinheiro, mas às *coisas* que já temos.

No tempo de nossos avós, quando não existia essa onda desenfreada de consumismo que vivemos nas últimas décadas, tinha-se o saudável hábito de usar as coisas até gastarem. Para um "consumidor moderno", isso talvez até pareça avareza. Porém, hoje, ser ainda mais moderno é ter visão ecológica. Dê a sua cota de contribuição individual para a natureza, cooperando para reduzir a emissão de gases poluentes na atmosfera e para diminuir a quantidade de lixo não reciclável no planeta. De quebra, você gastará bem menos, mas nem por isso vai viver uma vida com menor qualidade. Pelo contrário, vai sobrar para gastar melhor: com boas viagens, ótimos restaurantes, passeios... enfim, com experiências gratificantes.

PARA CONSEGUIR ECONOMIZAR DE FATO, VOCÊ TEM QUE SABER "COMPRAR MAIS"!

Para economizar, às vezes é preciso ter coragem de comprar mais. Essa minha afirmação pode lhe parecer um tanto contraditória, mas, por gentileza, dê-me a oportunidade de lhe mostrar que eu não estou dizendo bobagem.

Bem pouco tempo atrás, eu e minha família viajamos para a cidade de Serra Negra, que fica no circuito das águas minerais do interior do estado de São Paulo, na divisa com Minas Gerais. Dentre os vários belos municípios que integram essa região, está a cidadezinha de Monte Sião que, além de ser um mimo de cidadela do interior mineiro, também é muito conhecida pelo comércio de roupas de inverno de qualidade e com preços tentadores.

Pois lá estando, minha mulher comprou seis peças de roupas no valor total de R$ 480, ou seja, uma média de R$ 80 por peça. Não estamos falando aqui de simples camisetas ou blusinhas de malha: são legítimas peças de inverno, de excelente qualidade, belíssimo design, tecidos finos, duas delas feitas primorosamente à mão. Um determinado casaco, por exemplo, saiu por R$ 129, e não custaria menos de R$ 300 em uma butique especializada em São Paulo. Na capital, as seis peças custariam quase o triplo, beirando R$ 1,5 mil.

O raciocínio financeiro por trás dessa história é o seguinte: ainda era verão, mas o inverno logo chegaria. Se você deixar para comprar roupas de frio na alta estação, nas lojas do shopping mais próximo de sua casa, desembolsará uma pequena fortuna por cada peça. Ter coragem de comprar antecipadamente e "no atacado" é para poucos – mas você pode ser uma dessas pessoas.

Então, fica aqui a sugestão: se você vai viajar para um lugar que lhe ofereça produtos que deseja ou precisa (mesmo que só vá utilizá-los mais para frente), e que tenha preços reconhecidamente compensadores, não hesite em levar uma boa listinha, esquentar o plástico do cartão de crédito, encher-se de pacotes e voltar para casa feliz da vida com suas boas compras "no atacado". A princípio, pode até não parecer, mas é economia na certa!

PARA ECONOMIZAR DE VERDADE, PROCURE "COMPRAR DO MAIS CARO"!

Há quem pense que, para ser econômico, é preciso raciocinar assim: "Ah, vou comprar tudo do mais barato que encontrar. Coisa cara é só para quem tem muito e está a fim de torrar dinheiro".

Pensar assim pode ser uma grande bobagem financeira! Veja bem: se um determinando produto deve ser considerado caro ou barato para você, se ele pesa mais ou menos no seu orçamento, o que vai determinar isso não é apenas o valor de aquisição daquilo que você compra, mas, principalmente, quantas vezes você vai querer e poder usar aquilo que comprou. O que interessa é quantas vezes você *usufrui* daquilo que compra, e quanto paga por cada usufruto. A conta certa é dividir o valor do bem comprado pelo número de vezes que ele será utilizado, proporcionando benefício a você.

Dou-lhe um exemplo: vamos imaginar que você, leitora, encontra uma blusinha pelo preço de R$ 30 – uma roupa "baratinha de dar dó". Na loja ao lado, há outra blusa bem mais cara, por R$ 95 – mais que o triplo do preço da primeira peça – porém de corte mais clássico, de uma malha melhor, uma cor "coringa", que combina com tudo, enfim, uma blusa que terá vida muito mais longa no seu guarda-roupa. Já a primeira blusinha é artigo de "moda", passado o verão já estará datada. E não vai durar muito, porque o tecido não é dos melhores e a costura, frágil.

Pense que essa blusa "baratinha" de R$ 30 será usada meia dúzia de vezes: dividindo o valor de R$ 30 por seis vezes de uso, vemos que essa blusa lhe custará R$ 5 por cada ocasião em que for utilizada. Já a mais cara, de R$ 95, por ser de melhor qualidade, pode ser usada quatro vezes mais, algo como 24 vezes no total. Pois, dividindo o valor dessa blusa (R$ 95) por 24 vezes de uso, podemos observar que, a cada uso, ela não chegará a custar R$ 4, portanto, 20% a menos (ou seja, 20% mais barata) que a blusa que aparentava ser a baratinha. E convenhamos: você estará sempre mais bem-vestida com a blusa "mais cara".

Pois se trata da típica história do barato que pode sair mais caro. Então, comece a se concentrar em gastos de qualidade. Se não tiver o suficiente, junte até conseguir o precisa, em vez de gastar o que já possui com produtos baratos, porém ruins. Com essa prática, você terá um guarda-roupa mais enxuto, mas com peças de melhor qualidade sempre, pois elas são mais duráveis e mais usáveis.

Quer saber, o mesmo raciocínio vale para quase tudo o que compramos e consumimos, até mesmo itens do orçamento, como a alimentação: é melhor comer menos e poder degustar comida de melhor qualidade, do que se entupir de comida barata que só vai fazer aumentar o peso no mostrador da balança!

Capítulo 9

Se não souber economizar, jamais irá multiplicar

Em sua vida financeira, esteja ciente de que jamais conseguirá realizar seus investimentos frequentes se, antes, não aprender a economizar. A fonte dos *investimentos mais dinâmicos* só está verdadeiramente disponível para quem primeiro explora a fonte dos *gastos mais econômicos*. Não se esqueça disso quando estiver preparando seu *Plano da Virada*.

Economizar não é exatamente uma palavra simpática, eu reconheço. Porém, simplesmente esquivar-se de empreender esse esforço em sua vida financeira pode acabar produzindo três efeitos profundamente nocivos:

- **Gastar mais do que ganha:** significa fazer sua renda ser insuficiente (qualquer que seja o nível de ganhos mensais), e assim ter de apelar para dívidas emergenciais mal planejadas, amargando o inevitável achatamento do seu poder aquisitivo com o pagamento de juros desnecessários.
- **Gastar tudo imediatamente:** torrar a grana do salário no próprio mês, sem reservar dinheiro para seus sonhos de compra e consumo futuros, ou seja, amargar a frustração de conseguir conquistar muito pouco nesta vida, ou então obrigar-se a encarar o imenso sacrifício

de tentar conquistar tudo em troca de dívidas, causando, mais uma vez, um triste achatamento de seu poder aquisitivo.

- **Gastar excessivamente:** empatar seus ganhos mensais em novas compras e gastos, deixando de reservar dinheiro para honrar seus compromissos financeiros assumidos no passado, ou seja, não conseguir sequer quitar suas dívidas e perder sua fama de bom pagador e seu crédito na praça.

Se você acha chato e penoso economizar seus gastos e mantê-los enxutos, pior será quando tudo estiver fora de controle. Lembre-se: para viver bem com a renda mensal que você possui – o seu R$ X – sempre haverá o esforço de encontrar o equilíbrio entre o *ontem*, o *hoje* e o *futuro* em sua vida financeira:

- **Pague suas dívidas**: resolva seu passado financeiro, quitando todas as suas dívidas, porque nome e honra valem mais que qualquer montanha de dinheiro.
- **"Pague" seus investimentos**: garanta seu futuro financeiro, pague todas as "mensalidades" dos seus planos de investimento.
- **Pague o que for possível dos seus gastos**: do que sobrar, defender com equilíbrio seu presente financeiro, dando preferência aos gastos fixos, depois vá encaixando os variáveis na medida do possível e, se ainda sobrar espaço no orçamento, gastar com o que chamamos de bens desejáveis mas descartáveis (porque até são legais, já que lhe dão qualidade de vida), reconhecidamente menos prioritários que os demais.

GASTOS "PEQUENOS" SÓ EXISTEM PARA QUEM NÃO ENXERGA DIREITO

Para quem está mesmo a fim de economizar, o pior erro será desprezar os gastos "pequenos", contas e compras, aqueles que aparentemente pesam pouco no seu orçamento. Jamais se esqueça de que certos gastos podem parecer muito pequenos se analisados exclusivamente pelo seu valor unitário, mas podem levar embora um dinheirão se tiverem uma frequência elevada em seu orçamento.

Esse é o caso, por exemplo, de um "inofensivo" cafezinho. Custa só R$ 2 (às vezes um pouco mais). Convenhamos: economizar R$ 2 não vai resolver o problema financeiro de ninguém. Mas se uma pessoa tomar dois desses cafezinhos por dia, considerando que o mês tem 20 dias úteis, a conta mensal ficará em 2 cafezinhos x 20 dias x R$ 2 = R$ 80 mensais. Fazendo a projeção desse gasto para um ano inteiro, teremos: R$ 80 mensais x 12 meses = R$ 980 anuais.

Você já pensou nisso: quase R$ 1 mil gastos só com cafezinho em um ano? Dá para fazer uma pequena viagem com esse dinheiro.

Se você, como eu, adora um cafezinho, é melhor reconhecer logo que não dá para passar sem. O cheiro do café é o segundo melhor aroma do mundo, só perde mesmo para o perfume do homem ou da mulher amados. Agora, talvez exista aí um meio-termo, que libere um pouco da grana empatada hoje do cafezinho em troca de algo que adicione ainda mais qualidade de vida.

Pois um bom jeito de enxugar esse gasto seria reduzi-lo a um único cafezinho por dia útil do mês. A nova "regra" de gasto passa a ser esta: "A partir de agora, vou me permitir tomar um único cafezinho por dia. Então, que seja do bom e naquela hora em que eu verdadeiramente estiver com vontade, naquele momento em que eu consiga saborear cada gota!". A economia seria de 1 cafezinho x 20 dias x R$ 2 = R$ 40 mensais, ou R$ 480 anuais.

Isso já pagaria metade do valor de um pacote de viagens para a paradisíaca região de Porto Seguro, na Bahia. E aí, do ponto de vista de sua qualidade de vida, será que não compensa? Esse exemplo específico pode até não dizer respeito a sua realidade específica de gastos, mas quero que você entenda o princípio, para poder aplicá-lo aos gastos que você tem de fato.

DISCRETOS E SORRATEIROS: OS PEQUENOS VILÕES DO BOLSO

Outro exemplo, quase caricatural, mas ainda assim bastante verdadeiro: o pãozinho de padaria. O de 50 gramas custa hoje, em média, nas padarias das grandes capitais do país, R$ 0,40 a unidade (R$ 8 o quilo). Uma das coisas mais baratas que se pode comprar.

Imagine, porém, que logo cedo você vai à padaria para comprar "meia dúzia de pãezinhos fresquinhos" para o café da manhã. A conta fica em 6 pãezinhos x R$ 0,40 = R$ 2,40. No começo da noite, ao voltar do trabalho, você passa na padaria e pede mais "meia dúzia de pães recém-saídos do forno", e lá se vão mais R$ 2,40, ou seja, R$ 4,80 por dia.

Acontece que fazemos isso todos os dias, praticamente 30 dias por mês, o que deixa a conta mensal da seguinte forma: R$ 4,80 x 30 dias = R$ 144,00, catapultando a conta anual para R$ 144,00 mensais x 12 meses = R$ 1.782,00 anuais!

Quase R$ 2 mil anuais gastos exclusivamente com pãezinhos?! Sim, porque ninguém aqui falou de manteiga, queijo, presunto etc. Calma, não quero que você corte o pão. Mas quero que corte, sim, o desperdício. Quanto do que você compra provavelmente será jogado fora depois?

Se cada vez que for à padaria, você pedir quatro pães em vez de seis, fará o seguinte enxugamento: 2 pãezinhos x R$ 0,40 x 2 vezes ao dia = R$ 1,60 por dia. Em 30 dias, a economia ficará em R$ 48 e, no ano, você poderá poupar R$ 576. Por acaso estamos falando de pouco dinheiro?

Com controles discretos desse tipo, que devem ser realizados aos poucos, em cada compra feita, você notará uma diferença muito grande no orçamento no final do mês e do ano. Sobrará mais dinheiro para o que interessa, justamente o benefício da proposta de economizar nos gastos. O que for economizado com os pãezinhos, por exemplo, você poderá gastar numa celebração em um restaurante de luxo. Não lhe parece muito mais significativo para a sua qualidade de vida do que jogar pão velho no lixo ou ter que torrá-lo para fazer farinha de rosca?

AO ADQUIRIR BENS DE MAIOR VALOR, FAÇA AS CINCO PERGUNTAS DAS BOAS COMPRAS

Talvez você não seja do tipo que gasta muito com miudezas, com pequenas coisas. Quem sabe seu maior problema seja – aí sim – as compras de maior valor.

Há grandes desembolsos que são mais difíceis de evitar, porque são de uma natureza mais fixa, como a taxa de condomínio do seu apartamento, a escola das crianças... Mas existem outros, especialmente as compras de bens de valor mais elevado, que estão mais diretamente sob nosso controle e, por isso, apresentam boas oportunidades para se economizar.

Dentro desse espírito, veja esta técnica bastante simples, que lhe sugiro para que consiga realizar apenas boas compras, compras genuinamente econômicas, daquelas que você jamais se arrependerá depois. O objetivo não é melhorar a destinação de seus desembolsos?

Digamos que você esteja numa loja ou num centro de compras, diante de um bem qualquer que pretende comprar, particularmente um bem de valor mais expressivo. Antes de se decidir definitivamente pela compra, você deve se fazer as cinco perguntas básicas das boas compras: Quero? Preciso? Mereço? Posso? Devo?

Pode parecer estranho que a primeira pergunta seja "Quero?". Afinal, se você viu, gostou, qual é a dúvida? À primeira vista, pode parecer que você quer *aquilo*, que até *quer muito*, mas quanto tempo dura essa certeza? Pois tente se lembrar de uma ou duas outras coisas que você também gostaria de comprar ou deixou de comprar recentemente por aproximadamente o mesmo valor.

Se lhe vier à mente qualquer coisa que você quer *mais*, é porque o bem que está diante de si você quer *menos* e, portanto, não deve comprar. Em nossa vida financeira devemos apenas tomar decisões de compras bem alinhadas com as nossas verdadeiras preferências e prioridades. Quando a cabeça pensa, o bolso não padece.

A próxima pergunta é: "Preciso?". Muitas vezes, cá entre nós, você não precisa mesmo! Quantas peças de roupa tão bonitas quanto aquela estão no seu armário e você não tem usado simplesmente porque se esqueceu? Quantos sapatos parecidos lotam a sapateira? Pesquisas de comportamento de consumo indicam que 90% do que se compra e não se utiliza mais de uma vez no período de 30 dias após a compra acaba caindo no esquecimento e, eventualmente, indo para o lixo.

A terceira pergunta parece algo entre óbvia e ingrata: "Mereço?". Se você tem se mantido sob controle nas compras, se tem direcionado mensalmente para os seus investimentos aquilo que planejou, então sua resposta pode ser um firme "sim". É como comemorar uma meta alcançada. Terá um sabor muito especial. Do contrário, nada de efetuar a compra, para não trair seus próprios interesses.

A seguir, a quarta pergunta: "Posso?". Às vezes você se encontra diante de algo que quer, precisa e merece. Mas essa quarta resposta será decisiva e eliminatória. Pense: você já pagou tudo o que devia e investiu as mensalidades planejadas para este mês? Há o suficiente em sua conta para gastar *com aquilo*, ou você se verá "obrigado" a avançar no cheque especial para bancar sua nova aquisição?

O parcelamento no cartão pode lhe parecer uma saída inteligente, mas tem certeza de que essa estratégia não irá comprometer seu orçamento nos próximos meses? E tenha especial cuidado com aquela dívida travestida de "parcelamento sem juros": engane-se se quiser, mas os juros provavelmente estão lá, embutidos nas parcelas. Comprando à vista e com desconto você teria perfeitamente como evitar pagá-los, e eles se transformariam em poder de compra no seu bolso. Uma discreta oportunidade de enriquecer.

A última pergunta é o arremate de qualquer boa decisão de compra: "Devo?". Querer, precisar, merecer e poder parecem excelentes indícios de que se trata de uma boa compra. Mas, ainda assim, ela deve mesmo ser feita? Lembre-se: se não gastar *agora* com *isso*, terá a quantia disponível para gastar *amanhã* com *aquilo*, algo que pudesse ter ainda maior impacto sobre sua qualidade de vida. O dinheiro é seu: ele não vai "fugir" se você não gastá-lo de imediato.

Assim, se você não deseja perder o controle das compras de bens de maior valor, não tenha medo de se fazer sempre as cinco perguntas das boas compras: Quero? Preciso? Mereço? Posso? Devo? Se a resposta for "sim" para todas as perguntas, então não tenha receio: compre sem medo de ser feliz, pois dinheiro foi feito para gastar e sua nova aquisição – comprada de forma consciente – lhe trará verdadeira realização como consumidor.

Em tempo, um "truque": para não se esquecer das cinco perguntas básicas das boas compras, memorize esta palavra: QUÉ-PRÊ-MÊ-PÓ-DÊ. Trata-se de um acrônimo (uma palavra feita com sílabas de outras palavras) fácil de decorar para carregar consigo nas próximas vezes que for abrir a carteira no shopping, no supermercado ou até mesmo na internet.

Capítulo 10

Enxugue o desperdício e libere dinheiro bom

Já tratamos de como gastar, economizar e investir. Agora é hora elaborar um orçamento onde tudo isso caiba de forma organizada e inteligente. O modo de administrar as finanças que apresentaremos a seguir serve tanto para quem vive sozinho quanto para quem vive com uma família grande.

O primeiro passo, por incrível que pareça, é "simplesmente" *enxergar* quais são todos os diversos pagamentos que se tem de fazer mês após mês. Refiro-me não somente a gastos, contas e compras, mas também a dívidas, apólices de seguro, economias/aplicações mensais que você deve realizar, ou seja, tudo o que se deve "pagar" de forma equilibrada, inclusive as eventuais doações (porque o próximo e o mundo esperam sua solidariedade).

Apesar de terem destinos muito distintos, com retornos bastante díspares em termos de qualidade de vida, seus diversos pagamentos têm em comum o fato de que gerarem saídas de seu bolso e, portanto, cada um deles deve ser devidamente monitorado por meio de um bom planejamento e controle orçamentário.

De acordo com a técnica testada e aprovada que lhe recomendo a seguir (parte da metodologia PROF), qualquer pagamento que você tenha em seu orçamento pode ser classificado em uma das categorias abaixo:

- pagamentos *frequentes*, aqueles que ocorrem todo mês, pelo menos uma vez a cada mês, ou
- pagamentos *eventuais*, aqueles que ocorrem poucas vezes por ano, quem sabe até uma única vez por ano, ou então até mesmo a cada período de "x" anos.

Essa forma de encarar seus pagamentos ajudará você a enxergá-los e enxugá-los com consciência e bom senso, uma das formas mais eficazes de enriquecer de imediato. Acompanhe meu raciocínio e você verá como pode colher os benefícios dessa abundante fonte de *gastos mais econômicos*.

COMO ENXUGAR SEUS GASTOS FREQUENTES

Todo pagamento frequente pode ser observado sob dois aspectos, o que é fundamental para fazer enxugamentos inteligentes e de bom senso:

- o **valor unitário do pagamento frequente**: o quanto você desembolsa cada vez que realiza aquele pagamento;
- a **frequência do pagamento no mês**: quantas vezes você efetua aquele tipo de desembolso a cada 30 dias.

É importante separar esses "dois lados da mesma moeda", porque, na hora de enxugar e controlar melhor um determinado pagamento frequente, poderá ser necessário mexer em uma dessas duas dimensões, ou até mesmo em ambas, como veremos a seguir.

Imagine que você, solteiro ou casado, está há algum tempo num grande marasmo em sua vida financeira. As contas estão pagas, mas há uma série de sonhos importantes que estão simplesmente "parados por falta de verba".

Querendo dar novos passos em suas finanças pessoais, você já compreendeu que precisa enxugar uma série de gastos não tão necessários e/

ou importantes. O desafio é fazer isso sem diminuir sua qualidade de vida no dia a dia e liberar um pouco mais de recursos financeiros para investir, enriquecer e, no futuro, realizar seus sonhos mais importantes.

Podemos começar com o seguinte exemplo: idas ao cabeleireiro. Vamos supor que, por semana, o gasto seja de R$ 80. Multiplicado por quatro semanas, dá R$ 320. Num ano, chega a R$ 3.840. Uma tentativa precipitada e desastrosa de suprimir essa despesa seria simplesmente suspendê-la.

Melhor que isso, porém, é tentar reduzir a frequência para apenas duas vezes ao mês – uma vez a cada 15 dias, dando um jeitinho em casa entre uma ida e outro ao cabeleireiro. No mês a economia será de R$ 160 e, no ano, a soma liberada para outros gastos mais importantes será de R$ 1.920, o que equivale a um pacote de viagens para um lugar legal na baixa temporada. Ou a uma nova TV HD, o que você preferir. Em qualquer hipótese, você terá enriquecido quase R$ 2 mil por ano, e fará dessa quantia o que bem quiser para impactar seu poder aquisitivo de qualidade de vida.

Indo além, quem sabe é possível trocar o cabeleireiro por outro que faça o serviço por um preço menor. Se encontrar um profissional de confiança, troque-o priorizando um gasto menor, mesmo que seja para pagar apenas R$ 10 a menos. Trata-se de um gasto frequente, e mesmo economias discretas no valor unitário renderão uma boa liberação de dinheiro. Outra opção, se você não quiser trocar de cabeleireiro, explique que você e sua família estão passando por uma reorganização do orçamento e que, por isso, você só pode pagar R$ 70 pelo serviço. Então peça ao seu cabeleireiro esse desconto como um "prêmio" por sua fidelidade e frequência. Aposto que a resposta será mais acolhedora do que você espera, se não tiver vergonha de pedir (vergonha é ser obrigado a deixar de ir por não poder pagar...).

Com essas providências, o gasto mensal passará para R$ 140, e a economia obtida com esse tipo de enxugamento será de R$ 180 por mês. Projetando essa economia para o período de um ano, temos R$ 2.160. Essa medida bastante racional ajudou você a economizar mais de R$ 2 mil por ano sem precisar ser radical. A economia será suficiente para custear dois pacotes de viagens mais econômicos de uma semana para o Nordeste, ou para renovar o guarda-roupa, ou para arrumar seu carro e deixá-lo "zerado". Bom uso para o dinheiro liberado não faltará.

COM O DINHEIRO É ASSIM: TOMA LÁ DÁ CÁ!

Se você quiser ter dinheiro para gastar com alguma coisa que lhe interessa mais, tem de saber economizar no que lhe interessa menos. Vamos a mais um exemplo: o estacionamento no shopping custa R$ 4, no mínimo (valor unitário). Digamos que você vá uma vez por semana (frequência de 4quatro vezes no mês), só para "bater perna" no shopping: serão R$ 4 x 4 = R$ 16 por mês ou R$ 192 por ano. Vale a pena? Fique em casa, leia um bom livro, curta sua família!

Vamos a outro exemplo de como "pequenos" gastos levam embora um dinheirão. Dessa vez, com cigarros que custam R$ 4,50 o maço (valor unitário). Um maço a cada três dias (frequência de dez vezes no mês) equivalem a R$ 4,50 x 10 = R$ 45 gastos todos os meses fazendo fumaça e R$ 540 incinerados todo ano. Deixe de fumar e sua vida será duplamente mais saudável: com mais saúde *física* e *financeira*. Se fumar com essa frequência durante quarenta anos, terá consumido em cigarros o equivalente a um apartamento no valor de R$ 260 mil: quantas são as pessoas que fumam durante uma vida inteira e não conseguem conquistar um imóvel de metade desse valor? Se não é o caso, que tal ter dinheiro disponível para comprar esse imóvel e alugá-lo? Ou lucrar com investimentos em boas ações? Boa destinação para o dinheiro liberado jamais faltará.

Como vê, enxugar alguns gastos frequentes pode ser a medida mais inteligente para reequilibrar sua vida financeira. Use sua criatividade, trabalhe a frequência em conjunto com o valor unitário do gasto, e grandes quantias poderão ser disponibilizadas para desembolsos mais importantes, sem tolher sua qualidade de vida presente.

APRENDA A CONTROLAR SEUS PAGAMENTOS EVENTUAIS

Em todo orçamento pessoal há sempre aquele tipo de despesa que só aparece de vez em quando, mas eventualmente aparece. Por isso batizamos esse tipo de desembolso com o termo pagamento *eventual*. Tais pagamentos ocorrem uma única vez ou poucas vezes em um ano. Em determinados casos, ocorrem apenas a cada período de alguns anos. Alguns exemplos: IPVA, pintura da casa, troca do carro, e por aí vai.

Todo pagamento eventual também pode ser mais bem compreendido (e controlado) por seus dois aspectos:

- o **valor cheio do pagamento eventual**: quanto você desembolsa cada vez que tem de fazer esse tipo de gasto;
- o **número de meses pelos quais esse pagamento deve ser distribuído**: quantos meses haverá entre o momento no qual esse gasto é realizado e a próxima vez em que ele ocorrerá. É muito importante separar cada uma dessas dimensões de forma criteriosa, pois essa separação ajudará bastante na hora de promover o enxugamento de qualquer gasto eventual.

Vamos supor, por exemplo, que uma das despesas eventuais que deve ser controlada seja a troca de seu carro usado por um modelo 0 km de tempos em tempos. Este é um típico gasto eventual, já que não deverá ocorrer todo mês, nem mesmo todo ano, mas somente a cada período de "x" anos.

Imagine que tenha feito um planejamento financeiro para poder comprar um carro básico 0 km e completo no valor de R$ 32 mil e deseje, a partir de então, poder trocá-lo por outro igualzinho a cada três anos. Se for mais adequado para você, pode pensar em um bom automóvel completo de nível intermediário simplesmente dobrando os valores aqui apresentados. Para fazer o cálculo com um modelo de luxo, triplique os mesmos valores.

Seu plano de troca é dar como parte do pagamento o veículo usado, avaliado em R$ 20.800 (desvalorização de 35% em três anos), completando a diferença em dinheiro. Nesse caso, a quantia necessária para completar a troca do automóvel é de R$ 32.000 – R$ 20.800 = R$ 11.200. Esse é o valor que terá de gastar a cada três anos para trocar de carro. Portanto, é um gasto ou compra *eventual.*

Não faz sentido querer simplesmente jogar um valor desses para o orçamento do mês da compra. Pouca gente tem um salário tão alto a ponto de cacifar um gasto desses em um único mês sem sentir o tranco. (E, nesse caso, desejará um automóvel de outra faixa de preço.) Assim, o mais adequado é separar um pouco por mês, durante os 36 meses que antecedem a troca, a fim de juntar os R$ 11.200 necessários ao final do período de três anos almejados para concretizar a troca.

Vemos que o valor cheio desse gasto eventual é R$ 11.200, e o prazo para distribuição desse gasto, ou seja, o número de meses pelos quais o gasto deve ser dividido ou distribuído, é de 36 meses (três anos). Dividindo os R$ 11.200 pelo período de 36 meses, temos o valor mensal de R$ 311.

Essa quantia deve ser separada e aplicada de forma disciplinada todos os meses, sendo destinada exclusivamente ao gasto eventual com a troca do automóvel. Está aí um plano "garantido" para assegurar a troca do carro sem a obrigação de apelar para a dívida de um financiamento. (Em tempo: o dinheiro renderá juros, é verdade, mas, por outro lado, o carro encarecerá um pouquinho, uma coisa deve igualar a outra, fazendo esse planejamento financeiro dar certo no final da contas.)

Porém vamos imaginar que, apesar do plano ser bom, os R$ 311 hoje pesem demais no orçamento. Será necessário desistir do sonho de trocar de carro para escapar da vida de dívida? Não será preciso, basta procurar uma forma de enxugar esse gasto eventual.

Uma primeira opção nesse sentido seria planejar uma redução no valor da diferença a inteirar na troca do carro. Isso só será possível se você escolher um automóvel 0 km mais barato. Se for, por exemplo, um modelo 1.0 superbásico, com preço de tabela de R$ 24 mil, para trocá-lo daí a três anos pelo seu veículo usado, avaliado em R$ 15.600 (desvalorização de 35%), seria necessário voltar uma diferença de apenas R$ 24.000 – R$ 15.600 = R$ 8.400, e não mais os R$ 11.200 do planejamento anterior.

Distribuindo esse novo valor total planejado para a troca do carro (novo valor cheio de R$ 8.400) pelo mesmo número de meses (36 meses), obtemos uma nova parcela mensal de apenas R$ 8.400 / 36 meses = R$ 233, que será destinada todo mês ao investimento para bancar esse gasto eventual daqui a três anos.

A diferença mensal com o planejamento anterior representa uma economia de R$ 311 – R$ 233 = R$ 78 todos os meses, ou R$ 78 x 12 meses = R$ 936 por ano. Em suma: esse enxugamento livrou praticamente R$ 1 mil por ano para você e sua família gastarem em qualquer outra coisa que, de acordo com a sua avaliação, vá lhe agregar mais qualidade de vida que um carro melhor. E está garantido o plano para a próxima troca de automóvel sem apelar para uma nova dívida.

Outra opção de enxugamento para esse gasto eventual seria manter o objetivo de trocar o carro por um modelo 0 km no valor de R$ 32 mil, citado anteriormente, e esticar o prazo de troca para cada cinco anos ou sessenta meses. Nesse caso, o veículo usado seria dado como parte de pagamento, no valor de R$ 16 mil (50% de desvalorização em cinco anos), e a diferença necessária para a troca seria outros R$ 16 mil, um valor maior que os R$ 11.200 do primeiro planejamento.

Quanto teria de ser reservado todo mês para esse gasto eventual? O novo período planejado para juntar a diferença maior seria aumentado de três para cinco anos. Assim, o valor de R$ 16 mil pode ser distribuído em sessenta meses: R$ 16 mil / 60 meses = R$ 267 por mês. Nessa alternativa, a economia mensal ficaria em R$ 311 – R$ 267 = R$ 44 mensais, ou então R$ 44 x 12 meses = R$ 528 anuais. Menos que na opção anterior, mas ainda assim uma economia significativa. E você manteria o plano de comprar, no futuro, o carro melhor, ainda que pese o fato de ter de esperar mais dois anos para isso. De qualquer forma, a troca seria realizada sem a necessidade de recorrer a uma dívida.

Por fim, também seria possível fazer uma combinação das duas medidas de economia: trocar o carro apenas a cada cinco anos (e não três) por um modelo 0 km e 1.0 básico no valor de R$ 24 mil (e não R$ 32 mil). Nesse caso, o veículo usado, avaliado em R$ 12 mil (50% de desvalorização em cinco anos), seria dado como parte do pagamento, sendo necessário inteirar outros R$ 12 mil (valor cheio do gasto/compra eventual), e então teríamos a seguinte conta: R$ 12 mil / 60 meses = R$ 200 por mês.

Aqui, combinando a redução do valor cheio do gasto eventual com o aumento do prazo, conseguimos uma economia bem maior com relação ao planejamento feito a princípio: R$ 311 – R$ 200 = R$ 111 por mês ou R$ 111 x 12 meses = R$ 1.332 por ano. Dá para trocar seu carro por um modelo 0 km inteirando a diferença à vista (sem ficar devendo), pelo menos a cada cinco anos, e você terá R$ 1.332 a mais por ano para gastar com qualquer coisa que lhe interesse mais do que trocar de carro mais rápido ou trocar seu carro por um de categoria mais elevada. Você pode ter perdido algo de um lado, mas, de outro, terá enriquecido. Você é quem decide a forma que mais lhe interessa para destinar seu dinheiro, dinheiro que é fruto sagrado de seu trabalho, e por isso mesmo merece muito respeito.

O DINHEIRO NÃO DÁ? NÃO CULPE O SALÁRIO BAIXO!

Quando o orçamento sai do controle, os gastos extrapolam e empurram você e sua família para as dívidas emergenciais, a "explicação" mais comum costuma ser: "Isso aconteceu porque ganhamos pouco". Pois essa é uma péssima justificativa. Péssima, porque não ajuda a resolver seu problema. Proponho buscar a verdadeira causa do desequilíbrio, e ali estará a solução.

Independentemente do seu nível de renda, o desafio de viver com equilíbrio financeiro será sempre o mesmo e, qualquer que seja o porte de seus ganhos, ele jamais será superado enquanto o seguinte duplo erro for cometido:

- **pagamentos frequentes**: desprezá-los, acreditando que, como são de baixo valor, não pesam no orçamento;
- **pagamentos eventuais**: não se planejar para bancá-los, por não enxergar com clareza tais pagamentos no horizonte de despesas da família.

Está aí a receita certa para o descontrole do orçamento: relaxar nos pagamentos frequentes, deixando-os crescer soltos, e se esquecer dos eventuais, deixando-os pegá-lo despreparado.

De um lado ocorre que, no dia a dia, nossos pagamentos frequentes são "de picadinho", surgem em valores pequenos, porém várias vezes por mês, e assim acabam acumulando um peso expressivo no cômputo geral do orçamento. Em geral, só notamos os poucos reais que gastamos no pãozinho diário, mas não nos damos conta do quanto esse gasto representa em um ano, por exemplo.

Já com relação a nossos pagamentos eventuais, o equivoco é outro. Normalmente eles são de valor mais elevado, mas não acontecem sempre. Sabemos que mandar pintar a casa, por exemplo, demanda uma quantia considerável. Para fazer uma boa pintura na casa toda, serão necessários cerca de R$ 3,5 mil. É um valor significativo, não?!

Sim, R$ 3.500 é um bom montante de dinheiro. Mas, como não se pinta a casa todo mês (provavelmente nem mesmo todo ano!), simplesmente esquecemos que tal gasto virá pela frente, que chegará a sua hora. Então nos esquecemos de nos planejar para aplicar um tanto todo mês e juntar a reserva necessária para poder bancar o gasto total com perfeita tranquilidade financeira.

Nesse exemplo, o mais indicado seria dividir a "bolada" de R$ 3.500 – o valor cheio do gasto eventual – pelo prazo de 48 meses, com o objetivo de pintar a casa a cada quatro anos. Isso daria cerca de R$ 73 por mês. Essa "mensalidade" deveria, então, ser economizada todos os meses e aplicada mensalmente em uma caderneta de poupança destinada, por exemplo, à manutenção da casa. Passados quatro anos, teríamos nessa poupança os R$ 3.500, mais os juros acumulados no período, que seriam mais do que suficientes para pintar a casa, pagando tudo à vista e com desconto, desde o pintor até as tintas e equipamentos.

Mas, infelizmente, não é assim que costumamos fazer. Extrapolamos na quantidade de pãezinhos, para depois jogar fora. E reclamamos que a pintura da casa custa caro. Às vezes, resolvemos pintar a casa mesmo sem ter guardado dinheiro, recorrendo a dívidas emergenciais e mal planejadas, seja no cheque especial ou no cartão de crédito. Tão triste quanto isso é ter que tomar emprestada a grana no banco ou contar com o "favor" de amigos e parentes. Para pintar o teto que cobre sua cabeça...

Quando planejamos cada um dos gastos eventuais, distribuímos melhor a relação custo-benefício desse tipo de gasto, uma das técnicas mais essenciais do bom planejamento financeiro. Tendo isso em mente, o mais sensato, do ponto de vista da boa condução de suas finanças pessoais, é distribuir o custo da pintura da casa, os R$ 3.500, nos quatro anos entre a última pintura e a próxima, diluindo esse desembolso em mensalidades ao longo de 48 meses.

Procedendo dessa forma, podemos compreender, por exemplo, que pintar a casa tem um peso menor no orçamento (R$ 73 mensais) que o gasto com os pãezinhos comprados na padaria (R$ 144 mensais). Para quem não enxerga direito seus gastos, as aparências enganam.

Nós só percebemos com clareza essa grande diferença porque transformamos esses dois pagamentos, tanto o frequente (pãozinho) quanto o eventual (pintura da casa), em mensalidades. Assim, conseguimos comparar uma mensalidade com a outra, avaliando o que pesa verdadeiramente mais no orçamento e o que vale mais a pena para a qualidade de vida.

Do contrário, como comparar pãezinhos, que custam R$ 0,40 cada, com a pintura da casa, que custa R$ 3.500 (8.750 vezes mais que um pãozinho)? Em geral, acreditamos que o pãozinho é *barato* (ou seja, não precisa de controle) e a pintura da casa, *cara* (ou seja, não dá para fazer sem contrair uma dívida), quando sabemos que, pela via do bom planejamento financeiro, nem uma coisa nem outra correspondem à verdade dos cifrões.

Se todos os pagamentos que tivermos em nosso orçamento familiar – sejam frequentes ou eventuais – forem transformados em valores mensais ("mensalidades"), é perfeitamente possível compará-los numa mesma base, a mensal. Compará-los entre si, e compará-los com seus ganhos mensais, para ver quanto pesam no orçamento.

A partir daí, será possível enxugar com precisão os que devem ser enxugados, dar mais "verba" aos que precisam ser reforçados (porque trazem mais qualidade de vida), e fazer todos os pagamentos caberem dentro dos ganhos do mês, sem extrapolarem e gerarem rombos orçamentários, que inevitavelmente redundarão em dívidas emergenciais, não planejadas e, por isso mesmo, caríssimas (com a cobrança de juros muito elevados). Essa é receita certa para quem deseja enriquecer com gastos mais econômicos.

Afinal, já que ganhamos nosso dinheiro numa base mensal – salário ou pró-labore/lucro do negócio próprio – temos também de aprender a planejar e administrar nossos pagamentos igualmente em uma base mensal. Do contrário, não há como garantir o duplo equilíbrio que buscamos em nossas finanças:

- **equilíbrio de nível 1**: no binômio recebimentos x pagamentos;
- **equilíbrio de nível 2**: na distribuição dos pagamentos entre seus gastos, contas e compras + suas dívidas + seus seguros + suas economias/aplicações + suas doações, de forma bem balanceada e bem focada nos seus mais importantes anseios de qualidade de vida.

O QUE SE APRENDE COM ESSE EXERCÍCIO?

A técnica de transformar nossos pagamentos frequentes e eventuais em valores mensais nos ajuda a enxergar com precisão quanto cada elemento da nossa vida financeira "pesa" em nossas contas. Assim podermos avaliar se, de fato, um determinado elemento "vale quanto pesa", se não está porventura "desequilibrando o jogo".

Por exemplo: você já parou para fazer as contas de quanto um automóvel pesa na sua vida financeira? A lenda popular dá conta de que, do ponto de vista dos gastos, "um carro é como um filho". De outro lado, sabemos que não há bem mais cobiçado e impactante para sua qualidade de vida do que um automóvel. Vejamos, então, o desembolso necessário para ter e manter um automóvel na garagem (confira a calculadora da página 198).

Se você vai comprar um carro no valor de R$ 35 mil (FV) por meio de um bom *plano de investimentos*, partindo do zero (PV = 0) e aplicando durante 48 meses (n) na poupança, com rentabilidade líquida real mensal de 0,15% (i), será necessário desembolsar a mensalidade de R$ 704 (PMT), um investimento frequente que se estenderá por quatro anos.

Se for para comprar esse mesmo automóvel em um *financiamento*, com zero de entrada (PV = 35.000 x FV = 0), prazo de 48 meses (n) e juros mensais de 1,89% (i), a mensalidade sobe para R$ 1.116 (o que dá quase 60% a mais do que na opção anterior), uma dívida frequente que, do mesmo modo, se estenderá por quatro anos.

Para ter esse automóvel, portanto, você desembolsará com frequência mensal um mínimo de R$ 704 (plano de investimentos) e um máximo de R$ 1.116 (dívida do financiamento), conforme a via escolhida para adquiri-lo. Normalmente, as pessoas param a conta por aí, e por isso fazem uma avaliação incompleta do peso do automóvel no seu orçamento, vindo a ter – mais tarde – dificuldade para bancar esse importante item de qualidade de vida.

Há que se computar, também os gastos para *manter* o automóvel adquirido, avaliando seu peso no orçamento mensal. Fica difícil entregar esse número de bate-pronto porque, embora existam desembolsos frequentes (abastecer o carro), há outros que são eventuais (o IPVA anual). Daí justamente a necessidade de apurarmos os pagamentos frequentes e eventuais relacionados à manutenção desse veículo em uma mesma base mensal. Veja as contas certas na página 199.

VEÍCULO NA PONTA DO LÁPIS

PESO DOS PAGAMENTOS FREQUENTES E EVENTUAIS DE UM AUTOMÓVEL NO ORÇAMENTO FAMILIAR

MÊS = JANEIRO — ANO = 2011	EVENTUAL SÓ DE VEZ EM QUANDO		FREQUENTE TODO MÊS TEM UM OU MAIS		PLANEJADO P/ O MÊS
"APELIDO", MODELO E/OU PLACA DO VEÍCULO: **CARRO POPULAR COMPLETO NO VALOR DE MERCADO DE R$35 MIL**	(A) **VALOR " CHEIO "** DO RECEB. OU PAGTO. EVENTUAL	(B) DISTRIBUÍDO PARA O **PRAZO** DE QUANTOS MESES ?	(C) **VALOR UNITÁRIO** DO RECEB. OU PAGTO. FREQUENTE	(D) QUAL A **FREQUÊNCIA NO MÊS** DO RECEB. OU PAGTO. ?	(A) / (B) OU (C) X (D)
IPVA	1.400	12 MESES			117
LICENCIAMENTO ANUAL	150	12 MESES			13
TAXA DE VISTORIA ANUAL	60	12 MESES			5
SEGURO (ANUAL X MENSAL)			180	1 VEZES	180
FRANQUIA / CONSERTO BATIDA (FORA SEG.)	2.000	60 MESES			33
COMBUSTÍVEL			70	4 VEZES	280
VAGA DE ESTACIONAMENTO NO TRABALHO					
VAGA DE ESTACIONAMENTO EM CASA					
ESTACIONAMENTO AVULSO NA RUA			6	8 VEZES	48
MULTAS DE TRÂNSITO	80	12 MESES			7
LAVAGEM			15	2 VEZES	30
TROCA DE ÓLEO	110	12 MESES			9
REVISÕES & MANUTENÇÃO	2.500	36 MESES			69
REVITALIZAÇÃO E RETOQUES NA PINTURA	230	24 MESES			10
				SOMA TOTAL =	**800**

SMARTCALCS® *por* PROF. MARCOS SILVESTRE *para* 12 MESES PARA ENRIQUECER

Metodologia PROF® Programa de Reeducação e Orientação Financeira V.1008020929

Conclusão: além dos R$ 704 ou R$ 1.116 de esforço/sacrifício financeiro mensal para comprar/ter o referido automóvel, serão necessários mais R$ 800 mensais para mantê-lo em atividade. Somando o custo de *ter* com o de *manter*, vemos que um carro desses pode lhe demandar entre R$ 1,5 mil e R$ 2 mil por mês. E note que não estamos falando de nenhum automóvel de luxo.

Isso cabe no orçamento da família? Esse dispêndio mensal compensa do ponto de vista do impacto positivo na sua qualidade de vida? Há quem economizaria um bom valor se apenas andasse de táxi – o que não é nada barato. Mas e o prazer de possuir seu próprio carro? E a conveniência de tê-lo a sua disposição 24 horas por dia, sete dias por semana? Tudo isso deve ser posto na balança, para ver o que dá para o bolso e o que compensa de fato.

Fazer as contas certas e colocar todos os pagamentos, sejam eles frequentes ou eventuais, numa única base mensal, é um importante cuidado que pouca gente toma. No entanto, como essa grana (calculada ou não) será "demandada" de qualquer jeito pelo tal veículo, as "escapatórias" de quem não se planejou para fazer caber essa despesa no orçamento serão: 1) apelar para as dívidas emergenciais, ou 2) sacrificar forçosamente outros gastos ainda mais gratificantes. Em qualquer caso, péssimas decisões para a sua qualidade de vida.

Todos nós queremos o que é bom, mas queremos estar preparados para *ter* e *manter* o que é bom. Arranjar-se um carro financeiramente mal planejado e depois se ver obrigado a perdê-lo para as adversidades financeiras é uma experiência traumática, que já vi muita gente passar e não recomendo a ninguém. Basta fazer as contas certas e planejar-se para chegar lá com segurança, no momento certo, com o bolso fortalecido.

Assim, concluímos que é imprescindível enxergar todos os seus pagamentos, sejam eles frequentes ou eventuais, em uma mesma base mensal, para poder economizar com as seguintes providências de bom planejamento e gestão financeira:

- compará-los entre si,
- enxugá-los e fazer trocas entre eles, visando reequilibrá-los,
- refocá-los continuamente em seus verdadeiros objetivos de qualidade de vida, e
- encaixá-los de forma equilibrada em sua renda mensal.

Gastos mais econômicos são uma fértil fonte de enriquecimento para quem souber implementá-los em sua vida, englobando todos eles em um orçamento familiar sensato e equilibrado.

O passo a passo que lhe recomendo a seguir está todo baseado nessa orientação fundamental. Se você acredita que ainda não é a hora de "botar a mão na massa" e organizar seu orçamento familiar, pode pular o próximo capítulo. Mas é melhor incluir essa providência em seu *Plano da Virada* para se beneficiar imediatamente desse novo jeito de encarar seus diversos pagamentos. Seu bolso mal pode esperar.

Capítulo 11

Aprenda a montar seu orçamento pessoal e familiar

Vamos imaginar que hoje, infelizmente, suas finanças estejam totalmente desorganizadas: seus gastos, contas e compras são excessivos, suas boas dívidas e parcelamentos correm o risco de sofrer atraso no pagamento, as parcelas de seus seguros, idem, e você e sua família não têm conseguido fazer a economia necessária para continuar a bancar suas aplicações, muito menos realizar as doações que tanto desejavam. Enfim: seu orçamento está *fora de controle*, como um carro desgovernado em alta velocidade ladeira abaixo.

Para começar a resolver essa desafiadora situação, você deve seguir quatro etapas. E mesmo que sua situação orçamentária não seja periclitante, você poderá enriquecer um bom tanto ao seguir estas fases de organização do orçamento:

1. Elaboração do seu orçamento percebido.

2. Realização do seu orçamento anotado.

3. Preparação do seu orçamento planejado.

4. Apuração do seu orçamento controlado.

Para ajudá-lo a colocar em prática essa técnica que, sem exagero, pode revolucionar sua vida financeira, você conta com nossas SMARTCALCS incluídas no CD que acompanha este livro (ferramentas que integram a metodologia PROF).

Quando abrir esse arquivo de Microsoft Excel 2003, chamado *Ferramenta Eletrônica 3 - Calculadoras de Orçamento Pessoal e Familiar*, que contém todas as calculadoras de orçamento, você observará as seguintes abas: Individual, Coletivo, Imóvel, Veículo, Dívidas, Investimentos, Geral - Pagamentos, Geral - Recebimentos e Saldo, e Ficha de Pagamentos.

Clicando sobre cada guia, você encontrará orçamentos específicos que agrupam, em suas várias linhas, *recebimentos* x *pagamentos*, reunidos por afinidade. Ou seja, são *entradas* e *saídas* de dinheiro que têm entre si algo comum, ou seja, o fato de estarem relacionadas a um mesmo elemento da estrutura de despesas da família. Observe que os desembolsos são agrupados em até catorze categorias possíveis (já pré-sugeridas, mas você poderá alterá-las como bem entender).

Observe o que significa cada uma das abas:

- **Orçamento INDIVIDUAL**: se você tem família, deverá utilizar um orçamento destes para cada membro (marido, mulher, cada um dos filhos, os eventuais agregados, como avós e filhos de criação), contendo os recebimentos e pagamentos referentes a cada indivíduo.
- **Orçamento COLETIVO**: aqui você deve colocar os pagamentos que dizem respeito à família como um todo, e não particularmente a este ou àquele membro. Um exemplo são as contas de supermercado. Se porventura houver recebimentos familiares, como doações aceitas pela família - algo não muito comum - registre-os aqui também. Do contrário, deixe as linhas de recebimento em branco.
- **Orçamento de IMÓVEL**: os pagamentos de sua residência devem entrar aqui. São as contas de consumo, como água, luz, gás, telefone. Se você tem imóvel de lazer, também deverá se servir de um orçamento destes para ele. Se é proprietário de imóvel(is) de aluguel, idem.
- **Orçamento de VEÍCULO**: para cada carro da família, você deve selecionar um orçamento destes, mostrando todos os pagamentos relacionados, como combustível, seguro, IPVA e, inclusive, os possíveis recebimentos, como renda proveniente de arrendamento de táxi

ou de carretos (não muito comuns para a maior parte das famílias, mas devem ser registrados se existirem).

- **Orçamento de DÍVIDAS**: num só orçamento, você reunirá todas as dívidas. Não há linhas de recebimento aqui. Embora as dívidas tenham possibilitado uma entrada de dinheiro no passado, hoje representam apenas saídas.
- **Orçamento de INVESTIMENTOS**: também bastará um único orçamento destes para cada família, no qual deverão ser registrados todos os pagamentos frequentes das aplicações previstas em seus vários planos de investimentos, conforme já pudemos discutir. Embora seus investimentos lhe tragam rentabilidade, tais ganhos não serão registrados neste orçamento como recebimentos, lembre-se de que tais ganhos não deverão ser disponibilizados para consumo da família no mês a mês, e sim para comporem os juros sobre juros na aplicação, permitindo assim a acumulação de cada reserva financeira estratégica almejada, conforme cada plano de investimentos traçado. (Exceção feita para as aplicações financeiras que visam gerar renda para o aposentado.)
- **Orçamento GERAL – PAGAMENTOS**: trata-se do agrupamento das linhas de soma dos pagamentos de todos os demais orçamentos, para você ter uma visão geral das saídas de dinheiro no orçamento mensal da família como um todo.
- **Orçamento GERAL – RECEBIMENTOS e SALDO**: aqui estão agrupadas as somas dos recebimentos de todos os demais orçamentos, para você acompanhar o fluxo de entradas x o fluxo de saídas. Só assim poderá verificar se há o desejado equilíbrio financeiro. Se for apurado saldo negativo, é preciso providenciar os enxugamentos necessários nos demais orçamentos particulares para reequilibrar-se. Se o saldo for positivo em valor expressivo, deve-se analisar a melhor destinação para as "sobras" não alocadas.
- **Ficha de Pagamentos**: aqui você deverá anotar todos os pagamentos do dia a dia. No fim do mês, deverão ser transpostos para as respectivas calculadoras de orçamento, como veremos em detalhes logo mais adiante.

Veja, a seguir, cada um desses orçamentos particulares, já com simulações de valores para uma família de quatro pessoas, de classe média alta brasileira, a Família Soares, com renda familiar mensal aproximada de R$ 20 mil.

INDIVIDUAL NA PONTA DO LÁPIS

CALCULADORAS DE ORÇAMENTO PESSOAL & FAMILIAR
PERCEBIDO & PLANEJADO

MÊS = JANEIRO / ANO = 2011	EVENTUAL SÓ DE VEZ EM QUANDO		FREQUENTE TODO MÊS TEM UM OU MAIS		PLANEJADO P/ O MÊS
NOME DO MEMBRO DA FAMÍLIA: **ARMANDO SOARES (PAI) 47 ANOS**	(A) **VALOR " CHEIO "** DO RECEB. OU PAGTO. EVENTUAL	(B) DISTRIBUÍDO PARA O **PRAZO** DE QUANTOS MESES ?	(C) **VALOR UNITÁRIO** DO RECEB. OU PAGTO. FREQUENTE	(D) QUAL A **FREQUÊNCIA NO MÊS** DO RECEB. OU PAGTO. ?	(A) / (B) OU (C) X (D)
RECEBIMENTOS FREQUENTES			12.000	1 VEZES	12.000
RECEBIMENTOS EVENTUAIS	12.000	12 MESES			1.000
ROUPAS / SAPATOS / ACESSÓRIOS	1.200	12 MESES			100
CD´S / DVD´S / LIVROS / ARTIGOS INFORMÁT.			50	1 VEZES	50
ALIMENTAÇÃO INDIVIDUAL FORA DE CASA			15	20 VEZES	300
CINEMA / TEATRO / SHOWS / BALADAS			30	2 VEZES	60
PRESENTES DADOS A OUTROS			50	1 VEZES	50
ACADEMIA DE GINÁSTICA / PERSONAL			80	1 VEZES	80
VIAGENS / PASSEIOS INDIVIDUAIS					
SEGURO OU PLANO DE SAÚDE INDIVIDUAL					
MÉDICOS / REMÉDIOS / SAÚDE COMPLEMENT.					
COSMÉTICOS / TRATAMENTO DE BELEZA					
ESCOLA / FACULDADE / PÓS-GRAD. / MBA			900	1 VEZES	900
LIVROS & MATERIAL DIDÁTICO	300	6 MESES			50
CELULAR			100	1 VEZES	100
SEGURO DE VIDA X MESADA			300	1 VEZES	300

RECEBIMENTOS =	13.000	PAGAMENTOS =	1.990	SALDO =	11.010

SMARTCALCS® *por* PROF. MARCOS SILVESTRE *para* 12 MESES PARA ENRIQUECER
Metodologia PROF® Programa de Reeducação e Orientação Financeira V.1008020929

INDIVIDUAL NA PONTA DO LÁPIS

CALCULADORAS DE ORÇAMENTO PESSOAL & FAMILIAR
PERCEBIDO & PLANEJADO

MÊS = JANEIRO / ANO = 2011	EVENTUAL SÓ DE VEZ EM QUANDO		FREQUENTE TODO MÊS TEM UM OU MAIS		PLANEJADO P/ O MÊS
NOME DO MEMBRO DA FAMÍLIA: **PAULA SOARES (MÃE) 45 ANOS**	(A) **VALOR " CHEIO "** DO RECEB. OU PAGTO. EVENTUAL	(B) DISTRIBUÍDO PARA O **PRAZO** DE QUANTOS MESES ?	(C) **VALOR UNITÁRIO** DO RECEB. OU PAGTO. FREQUENTE	(D) QUAL A **FREQUÊNCIA NO MÊS** DO RECEB. OU PAGTO. ?	(A) / (B) OU (C) X (D)
RECEBIMENTOS FREQUENTES			8.000	1 VEZES	8.000
RECEBIMENTOS EVENTUAIS	8.000	12 MESES			667
ROUPAS / SAPATOS / ACESSÓRIOS			150	1 VEZES	150
CD'S / DVD'S / LIVROS / ARTIGOS INFORMÁT.			50	1 VEZES	50
ALIMENTAÇÃO INDIVIDUAL FORA DE CASA			15	20 VEZES	300
CINEMA / TEATRO / SHOWS / BALADAS					
PRESENTES DADOS A OUTROS			50	2 VEZES	100
ACADEMIA DE GINÁSTICA / PERSONAL			80	1 VEZES	80
VIAGENS / PASSEIOS INDIVIDUAIS					
SEGURO OU PLANO DE SAÚDE INDIVIDUAL					
MÉDICOS / REMÉDIOS / SAÚDE COMPLEMENT.			50	1 VEZES	50
COSMÉTICOS / TRATAMENTO DE BELEZA			70	1 VEZES	70
ESCOLA / FACULDADE / PÓS-GRAD. / MBA					
LIVROS & MATERIAL DIDÁTICO					
CELULAR			80	1 VEZES	80
SEGURO DE VIDA X MESADA			270	1 VEZES	270

RECEBIMENTOS =	8.667	PAGAMENTOS =	1.150	SALDO =	7.517

SMARTCALCS® *por* PROF. MARCOS SILVESTRE *para* 12 MESES PARA ENRIQUECER
Metodologia PROF® Programa de Reeducação e Orientação Financeira V.1008020929

INDIVIDUAL NA PONTA DO LÁPIS

CALCULADORAS DE ORÇAMENTO PESSOAL & FAMILIAR
PERCEBIDO & PLANEJADO

MÊS = JANEIRO ANO = 2011	EVENTUAL SÓ DE VEZ EM QUANDO		FREQUENTE TODO MÊS TEM UM OU MAIS		PLANEJADO P/ O MÊS
NOME DO MEMBRO DA FAMÍLIA: **TIAGO SOARES (FILHO) 16 ANOS**	(A) **VALOR " CHEIO "** DO RECEB. OU PAGTO. EVENTUAL	(B) DISTRIBUÍDO PARA O **PRAZO** DE QUANTOS MESES ?	(C) **VALOR UNITÁRIO** DO RECEB. OU PAGTO. FREQUENTE	(D) QUAL A **FREQUÊNCIA NO MÊS** DO RECEB. OU PAGTO. ?	(A) / (B) OU (C) X (D)
RECEBIMENTOS FREQUENTES					
RECEBIMENTOS EVENTUAIS					
ROUPAS / SAPATOS / ACESSÓRIOS	800	6 MESES			133
CD´S / DVD´S / LIVROS / ARTIGOS INFORMÁT.			100	1 VEZES	100
ALIMENTAÇÃO INDIVIDUAL FORA DE CASA			10	10 VEZES	100
CINEMA / TEATRO / SHOWS / BALADAS			60	4 VEZES	240
PRESENTES DADOS A OUTROS			50	1 VEZES	50
ACADEMIA DE GINÁSTICA / PERSONAL			80	1 VEZES	80
VIAGENS / PASSEIOS INDIVIDUAIS	300	3 MESES			100
SEGURO OU PLANO DE SAÚDE INDIVIDUAL					
MÉDICOS / REMÉDIOS / SAÚDE COMPLEMENT.					
COSMÉTICOS / TRATAMENTO DE BELEZA			40	1 VEZES	40
ESCOLA / FACULDADE / PÓS-GRAD. / MBA			650	1 VEZES	650
LIVROS & MATERIAL DIDÁTICO	500	12 MESES			42
CELULAR			120	1 VEZES	120
SEGURO DE VIDA X MESADA			200	1 VEZES	200

RECEBIMENTOS =		PAGAMENTOS =	1.855	SALDO =	-1.855

SMARTCALCS® *por* PROF. MARCOS SILVESTRE *para* 12 MESES PARA ENRIQUECER

Metodologia PROF® Programa de Reeducação e Orientação Financeira V.1008020929

INDIVIDUAL NA PONTA DO LÁPIS

CALCULADORAS DE ORÇAMENTO PESSOAL & FAMILIAR
PERCEBIDO & PLANEJADO

MÊS = JANEIRO ANO = 2011	EVENTUAL SÓ DE VEZ EM QUANDO		FREQUENTE TODO MÊS TEM UM OU MAIS		PLANEJADO P/ O MÊS
NOME DO MEMBRO DA FAMÍLIA: **PATRÍCIA SOARES (FILHA) 13 ANOS**	(A) VALOR " CHEIO " DO RECEB. OU PAGTO. EVENTUAL	(B) DISTRIBUÍDO PARA O PRAZO DE QUANTOS MESES ?	(C) VALOR UNITÁRIO DO RECEB. OU PAGTO. FREQUENTE	(D) QUAL A FREQUÊNCIA NO MÊS DO RECEB. OU PAGTO. ?	(A) / (B) OU (C) X (D)
RECEBIMENTOS FREQUENTES					
RECEBIMENTOS EVENTUAIS					
ROUPAS / SAPATOS / ACESSÓRIOS			100	1 VEZES	100
CD´S / DVD´S / LIVROS / ARTIGOS INFORMÁT.			50	1 VEZES	50
ALIMENTAÇÃO INDIVIDUAL FORA DE CASA			10	10 VEZES	100
CINEMA / TEATRO / SHOWS / BALADAS			40	3 VEZES	120
PRESENTES DADOS A OUTROS			50	1 VEZES	50
ACADEMIA DE GINÁSTICA / PERSONAL			65	1 VEZES	65
VIAGENS / PASSEIOS INDIVIDUAIS	2.000	12 MESES			167
SEGURO OU PLANO DE SAÚDE INDIVIDUAL					
MÉDICOS / REMÉDIOS / SAÚDE COMPLEMENT.			80	1 VEZES	80
COSMÉTICOS / TRATAMENTO DE BELEZA			97	1 VEZES	97
ESCOLA / FACULDADE / PÓS-GRAD. / MBA			550	1 VEZES	550
LIVROS & MATERIAL DIDÁTICO	400	12 MESES			33
CELULAR			50	1 VEZES	50
SEGURO DE VIDA X MESADA			150	1 VEZES	150

RECEBIMENTOS =		PAGAMENTOS =	1.612	SALDO =	-1.612

SMARTCALCS® *por* PROF. MARCOS SILVESTRE *para* 12 MESES PARA ENRIQUECER

Metodologia PROF® Programa de Reeducação e Orientação Financeira V.1008020929

COLETIVO NA PONTA DO LÁPIS

CALCULADORAS DE ORÇAMENTO PESSOAL & FAMILIAR
PERCEBIDO & PLANEJADO

MÊS = JANEIRO ANO = 2010	EVENTUAL SÓ DE VEZ EM QUANDO		FREQUENTE TODO MÊS TEM UM OU MAIS		PLANEJADO P/ O MÊS
SOBRENOME DA FAMÍLIA: **FAMÍLIA SOARES**	(A) **VALOR " CHEIO "** DO RECEB. OU PAGTO. EVENTUAL	(B) DISTRIBUÍDO PARA O **PRAZO** DE QUANTOS MESES ?	(C) **VALOR UNITÁRIO** DO RECEB. OU PAGTO. FREQUENTE	(D) QUAL A **FREQUÊNCIA NO MÊS** DO RECEB. OU PAGTO. ?	(A) / (B) OU (C) X (D)
RECEBIMENTOS FREQUENTES					
RECEBIMENTOS EVENTUAIS					
SUPERMERCADO			350	2 VEZES	700
SACOLÃO / FEIRA / FRUTARIA			60	4 VEZES	240
PADARIA			10	25 VEZES	250
AÇOUGUE / AVÍCOLA			50	4 VEZES	200
LATICÍNIO			15	10 VEZES	150
LAVANDERIA			45	4 VEZES	180
ALIMENTAÇÃO FAMILIAR FORA DE CASA			80	4 VEZES	320
VIAGENS / PASSEIOS FAMILIARES	6.000	12 MESES			500
CLUBE RECREATIVO FAMILIAR			80	1 VEZES	80
PET - ALIMENTAÇÃO			50	1 VEZES	50
PET - VETERINÁRIO / REMÉDIOS / PETSHOP			15	4 VEZES	60
PLANO OU SEGURO SAÚDE FAMILIAR			340	1 VEZES	340
MÉDICOS / FARMÁCIA / REMÉDIOS			120	1 VEZES	120
DOAÇÕES & OFERTAS A TERCEIROS			1.200	1 VEZES	1.200

RECEBIMENTOS =		PAGAMENTOS =	4.390	SALDO =	-4.390

SMARTCALCS® *por* PROF. MARCOS SILVESTRE *para* 12 MESES PARA ENRIQUECER

Metodologia PROF® Programa de Reeducação e Orientação Financeira V.1008020929

IMÓVEL NA PONTA DO LÁPIS

CALCULADORAS DE ORÇAMENTO PESSOAL & FAMILIAR
PERCEBIDO & PLANEJADO

MÊS = JANEIRO / ANO = 2010	EVENTUAL SÓ DE VEZ EM QUANDO		FREQUENTE TODO MÊS TEM UM OU MAIS		PLANEJADO P/ O MÊS
ENDEREÇO DO IMÓVEL: **R. MARANHÃO, 410 - APTO 11**	(A) **VALOR " CHEIO "** DO RECEB. OU PAGTO. EVENTUAL	(B) DISTRIBUÍDO PARA O **PRAZO** DE QUANTOS MESES ?	(C) **VALOR UNITÁRIO** DO RECEB. OU PAGTO. FREQUENTE	(D) QUAL A **FREQUÊNCIA NO MÊS** DO RECEB. OU PAGTO. ?	(A) / (B) OU (C) X (D)
RECEBIMENTOS FREQUENTES					
RECEBIMENTOS EVENTUAIS					
ALUGUEL					
TAXA CONDOMINIAL			380	1 VEZES	380
IPTU / OUTRAS TAXAS MUNICIPAIS	1.800	12 MESES			150
LUZ			130	1 VEZES	130
ÁGUA & ESGOTO			120	1 VEZES	120
GÁS			110	1 VEZES	110
TELEFONE			100	1 VEZES	100
TV A CABO / INTERNET			140	1 VEZES	140
SEGURANÇA / GUARDA DE RUA					
DOMÉSTICA MENSALISTA - SALÁRIO			600	1 VEZES	600
DOMÉSTICA MENSALISTA - FÉRIAS & 13º SAL.	800	12 MESES			67
DIARISTA			65	2 VEZES	130
MANUTENÇÃO	1.200	12 MESES			100
SEGURO RESIDENCIAL			89	1 VEZES	89

RECEBIMENTOS =		PAGAMENTOS =	2.116	SALDO =	-2.116

SMARTCALCS® *por* PROF. MARCOS SILVESTRE *para* 12 MESES PARA ENRIQUECER

Metodologia PROF® Programa de Reeducação e Orientação Financeira V.1008020929

VEÍCULO NA PONTA DO LÁPIS

CALCULADORAS DE ORÇAMENTO PESSOAL & FAMILIAR
PERCEBIDO & PLANEJADO

MÊS = JANEIRO ANO = 2011	EVENTUAL SÓ DE VEZ EM QUANDO		FREQUENTE TODO MÊS TEM UM OU MAIS		PLANEJADO P/ O MÊS
"APELIDO", MODELO E/OU PLACA DO VEÍCULO: **SEDÃ MÉDIO (BKS 0001)**	(A) **VALOR " CHEIO "** DO RECEB. OU PAGTO. EVENTUAL	(B) DISTRIBUÍDO PARA O **PRAZO** DE QUANTOS MESES ?	(C) **VALOR UNITÁRIO** DO RECEB. OU PAGTO. FREQUENTE	(D) QUAL A **FREQUÊNCIA NO MÊS** DO RECEB. OU PAGTO. ?	(A) / (B) OU (C) X (D)
RECEBIMENTOS FREQUENTES					
RECEBIMENTOS EVENTUAIS					
IPVA	2.000	12 MESES			167
LICENCIAMENTO ANUAL	150	12 MESES			13
TAXA DE VISTORIA ANUAL	60	12 MESES			5
SEGURO (ANUAL X MENSAL)			180	1 VEZES	180
FRANQUIA / CONSERTO BATIDA (FORA SEG.)	2.000	60 MESES			33
COMBUSTÍVEL			60	4 VEZES	240
VAGA DE ESTACIONAMENTO NO TRABALHO			150	1 VEZES	150
VAGA DE ESTACIONAMENTO EM CASA					
ESTACIONAMENTO AVULSO NA RUA			6	10 VEZES	60
MULTAS DE TRÂNSITO	80	12 MESES			7
LAVAGEM			15	2 VEZES	30
TROCA DE ÓLEO	150	12 MESES			13
REVISÕES & MANUTENÇÃO	300	12 MESES			25
REVITALIZAÇÃO E RETOQUES NA PINTURA	250	36 MESES			7

RECEBIMENTOS =		PAGAMENTOS =	929	SALDO =	-929

SMARTCALCS® *por* PROF. MARCOS SILVESTRE *para* 12 MESES PARA ENRIQUECER

Metodologia PROF® Programa de Reeducação e Orientação Financeira V.1008020929

VEÍCULO NA PONTA DO LÁPIS

CALCULADORAS DE ORÇAMENTO PESSOAL & FAMILIAR
PERCEBIDO & PLANEJADO

MÊS = JANEIRO ANO = 2011	EVENTUAL SÓ DE VEZ EM QUANDO		FREQUENTE TODO MÊS TEM UM OU MAIS		PLANEJADO P/ O MÊS
"APELIDO", MODELO E/OU PLACA DO VEÍCULO: **HATCH (BPG 1000)**	(A) **VALOR " CHEIO "** DO RECEB. OU PAGTO. EVENTUAL	(B) DISTRIBUÍDO PARA O **PRAZO** DE QUANTOS MESES ?	(C) **VALOR UNITÁRIO** DO RECEB. OU PAGTO. FREQUENTE	(D) QUAL A **FREQUÊNCIA NO MÊS** DO RECEB. OU PAGTO. ?	(A) / (B) OU (C) X (D)
RECEBIMENTOS FREQUENTES					
RECEBIMENTOS EVENTUAIS					
IPVA	1.200	12 MESES			100
LICENCIAMENTO ANUAL	150	12 MESES			13
TAXA DE VISTORIA ANUAL	60	12 MESES			5
SEGURO (ANUAL X MENSAL)	1.200	12 MESES			100
FRANQUIA / CONSERTO BATIDA (FORA SEG.)	1.200	60 MESES			20
COMBUSTÍVEL			60	4 VEZES	240
VAGA DE ESTACIONAMENTO NO TRABALHO					
VAGA DE ESTACIONAMENTO EM CASA					
ESTACIONAMENTO AVULSO NA RUA			6	6 VEZES	36
MULTAS DE TRÂNSITO	80	12 MESES			7
LAVAGEM			15	2 VEZES	30
TROCA DE ÓLEO	100	12 MESES			8
REVISÕES & MANUTENÇÃO	240	12 MESES			20
REVITALIZAÇÃO E RETOQUES NA PINTURA	250	36 MESES			7

RECEBIMENTOS =		PAGAMENTOS =	585	SALDO =	-585

SMARTCALCS® *por* PROF. MARCOS SILVESTRE *para* 12 MESES PARA ENRIQUECER
Metodologia PROF® Programa de Reeducação e Orientação Financeira V.1008020929

DÍVIDAS NA PONTA DO LÁPIS

CALCULADORAS DE ORÇAMENTO PESSOAL & FAMILIAR

PERCEBIDO & PLANEJADO

MÊS = JANEIRO ANO = 2010	EVENTUAL SÓ DE VEZ EM QUANDO		FREQUENTE TODO MÊS TEM UM OU MAIS		PLANEJADO P/ O MÊS
SOBRENOME DA FAMÍLIA: **FAMÍLIA SOARES**	(A) **VALOR " CHEIO "** DO PAGTO. DA DÍVIDA EVENTUAL	(B) DISTRIBUÍDO PARA O **PRAZO** DE QUANTOS MESES ?	(C) **VALOR UNITÁRIO** DO PAGTO. FREQUENTE DA DÍVIDA	(D) QUAL A **FREQUÊNCIA NO MÊS** DE PAGTO. DA DÍVIDA ?	(A) / (B) OU (C) X (D)
FINANCIAMENTO DO SEDÃ MÉDIO (BKS 0001)			798	1 VEZES	798
FINANCIAMENTO DO APARTAMENTO			2.454	1 VEZES	2.454

PAGAMENTOS DE DÍVIDAS =	3.252

SMARTCALCS® *por* PROF. MARCOS SILVESTRE *para* 12 MESES PARA ENRIQUECER

Metodologia PROF® Programa de Reeducação e Orientação Financeira V.1008020929

INVESTIMENTOS NA PONTA DO LÁPIS

CALCULADORAS DE ORÇAMENTO PESSOAL & FAMILIAR
PERCEBIDO & PLANEJADO

MÊS = JANEIRO ANO = 2011	EVENTUAL SÓ DE VEZ EM QUANDO		FREQUENTE TODO MÊS TEM UM OU MAIS		PLANEJADO P/ O MÊS
SOBRENOME DA FAMÍLIA: **FAMÍLIA SOARES**	(A) **VALOR " CHEIO "** PAGTO. DO INVESTIM. EVENTUAL	(B) DISTRIBUÍDO PARA O **PRAZO** DE QUANTOS MESES ?	(C) **VALOR UNITÁRIO** DO PAGTO. FREQUENTE DO INVEST.	(D) QUAL A **FREQUÊNCIA NO MÊS** DE PAGTO. DO INVEST. ?	(A) / (B) OU (C) X (D)
PLANO INVESTIMENTO TROCA SEDÃ MÉDIO			350	1 VEZES	350
PLANO INVESTIMENTO TROCA HATCH			250	1 VEZES	250
PLANO APOSENT. - PREVIDÊNCIA ARMANDO			420	1 VEZES	420
PLANO APOSENT. - PREVIDÊNCIA PAULA			380	1 VEZES	380
PLANO INVESTIMENTO - TROCA DO APTO.			1.000	1 VEZES	1.000
			PAGAMENTOS DE INVESTIMENTOS =		2.400

SMARTCALCS® *por* PROF. MARCOS SILVESTRE *para* 12 MESES PARA ENRIQUECER

Metodologia PROF® Programa de Reeducação e Orientação Financeira V.1008020929

GERAL - PAGAMENTOS

CALCULADORAS DE ORÇAMENTO PESSOAL & FAMILIAR

PERCEBIDO & PLANEJADO

MÊS =	JANEIRO	ANO =	2011		
SOBRENOME DA FAMÍLIA: FAMÍLIA SOARES				% DO TOTAL	VALOR PLANEJADO P/ O MÊS
PAGTOS. INDIVIDUAIS				33%	6.607
PAGTOS. COLETIVOS				22%	4.390
PAGTOS. IMÓVEIS				10%	2.116
PAGTOS. VEÍCULOS				7%	1.514
PAGTOS. DÍVIDAS				16%	3.252
PAGTOS. INVESTIMENTOS				12%	2.400
GERAL - PAGTOS.				**100%**	**20.279**

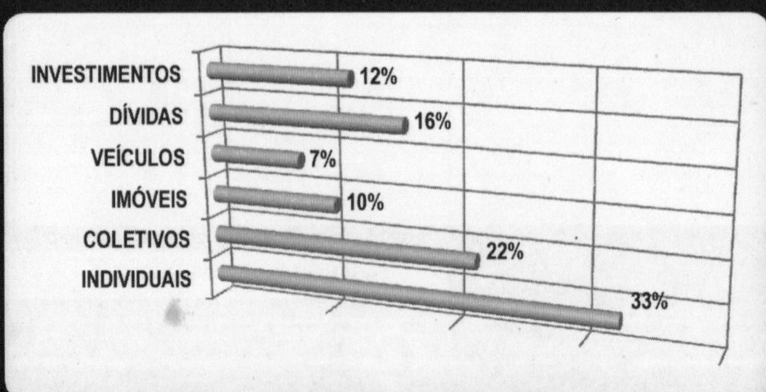

SMARTCALCS® *por* PROF. MARCOS SILVESTRE *para* 12 MESES PARA ENRIQUECER

Metodologia PROF® Programa de Reeducação e Orientação Financeira V.1008020929

GERAL - RECEBIMENTOS & SALDO

CALCULADORAS DE ORÇAMENTO PESSOAL & FAMILIAR

PERCEBIDO & PLANEJADO

MÊS =	JANEIRO	ANO =	2011		
SOBRENOME DA FAMÍLIA: FAMÍLIA SOARES				% DO TOTAL	VALOR PLANEJADO P/ O MÊS
RECEBTOS. INDIVIDUAIS				100%	21.667
RECEBTOS. COLETIVOS					
RECEBTOS. DE IMÓVEIS					
RECEBTOS. DE VEÍCULOS					
(A) GERAL - RECEBTOS.				100%	21.667
(B) GERAL - PAGTOS.					20.279
(A)-(B)=(C) GERAL - SALDO					1.388

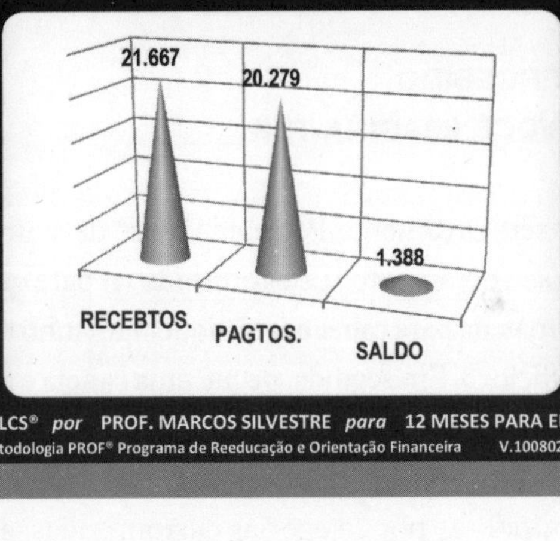

SMARTCALCS® *por* PROF. MARCOS SILVESTRE *para* 12 MESES PARA ENRIQUECER

Metodologia PROF® Programa de Reeducação e Orientação Financeira V.1008020929

As calculadoras de orçamento presentes no CD que acompanha este livro se encontram em branco. Conforme a estrutura de recebimentos x pagamentos que você e sua família têm, adicione ou remova guias/orçamentos específicos para compor seu próprio *Orçamento Pessoal & Familiar*. Essa personalização é imprescindível.

Embora neste livro eu não descreva o procedimento de personalização a ser realizado no Microsoft Excel 2003 (*cópia* + *inclusão* x *exclusão* de guias no arquivo), quero afirmar que se trata de uma operação bastante simples para quem tem um mínimo de conhecimento desse programa.

Se por acaso não tiver tal conhecimento, é provável que alguém muito próximo, em casa ou no trabalho, o tenha. Por gentileza, solicite a ajuda dessa pessoa, pois se trata de algo verdadeiramente muito simples. Uma alternativa interessante é entrar em contato com o serviço de suporte *on-line* ou telefônico da própria Microsoft (cujo atendimento costuma ser de excelente nível).

A partir daqui, eu devo me referir a esse arquivo já customizado, ou seja, o arquivo que já contém os orçamentos particulares e adequados para refletir sua realidade, porém ainda sem anotações de valores nas células dos orçamentos, como *seu arquivo matriz*. Utilizarei essa denominação para diferenciar o arquivo já customizado daquele *arquivo original*, que vem no CD: *Ferramenta Eletrônica 3 – Calculadoras de Orçamento Pessoal e Familiar*. Eu lhe sugiro nomear esse arquivo matriz como *Orçamento – Arquivo Matriz*, para não haver confusão com outros arquivos.

ORÇAMENTO PERCEBIDO É AQUILO QUE VOCÊ IMAGINA TER

Para elaborar seu Orçamento Percebido, você deve imprimir o conjunto de orçamentos do seu orçamento já customizado (repare que cada planilha de orçamento está formatada para caber em qualquer tamanho tradicional de papel, como A4, Carta, Ofício...). Em seguida, pegue uma caneta e registre nesses orçamentos tudo o que lembrar sobre como costuma despender seu dinheiro hoje.

Note que já há catorze categorias de pagamento sugeridas, mas você pode apagá-las, substituindo-as por categorias customizadas, adaptando a ferramenta ainda mais a sua realidade. Convém definir logo no início do processo quais as categorias que realmente fazem sentido para você e sua família e, a partir daí, ater-se a elas. Evite modificar essas categorias depois, pois isso pode prejudicar o funcionamento da ferramenta e o resultado desejado: a organização do orçamento para manter seus gastos enxutos, focados e sob controle.

Ao definir uma nova categoria, cuidado: ela não deve se referir a um grupo de pagamentos genérico demais (algo do tipo "pagamentos avulsos"), porque isso não ajuda a enxergar o que está acontecendo com as despesas. Evite também categorias de cunho muito específico (como "compras de meias brancas"), porque detalhar demais torna a coisa toda muito trabalhosa, complicada e desestimulante.

É importante anotar os valores percebidos nas colunas corretas, ou seja, você deve identificar quais são os pagamentos frequentes e os eventuais que você e sua família têm hoje, de acordo com a sua percepção. O mesmo princípio também deve ser adotado para os recebimentos em cada orçamento.

Vamos lá: na sua percepção, quais são seus *pagamentos frequentes*? Quanto você estima que desembolsa com cada um desses itens cada vez que realiza um pagamento dos mesmos (*valor unitário*)? E qual a sua *frequência no mês*? Enfim, quanto você acha que gasta por mês, no total, com cada um desses pagamentos frequentes (*mensalidade = valor unitário x frequência no mês*)?

Em relação aos *pagamentos eventuais*: quais você imagina que serão? Qual o *valor "cheio"* estimado de cada um? Para que *prazo* (*em meses*) deve ser distribuído? Dividindo o valor cheio pelo prazo, qual *mensalidade* está resultando para cada dos pagamentos eventuais?

Nesse passo, não vale consultar canhotos de talão de cheque, faturas de cartão de crédito, notas fiscais de compras feitas, aqueles recibos do cartão de crédito ou de débito, nada disso. Você não deve recorrer a qualquer registro formal de seus pagamentos: as informações anotadas têm de sair exclusivamente de sua cabeça, porque o objetivo aqui é tão somente registrar a percepção que você e sua família têm do que é atualmente desembolsado. Assim, registre apenas *o que* lembrar, *se* lembrar, sem qualquer intenção de obter precisão absoluta nesse registro (não nesse momento).

Para finalizar esse exercício do Orçamento Percebido, convém passar suas anotações nos papéis de orçamento para as calculadoras no computador. Naturalmente, as anotações já poderiam ter sido feitas na tela desde o início do exercício. Fica a seu critério: a sugestão de fazer antes no papel é para que você tenha tempo de se familiarizar com a ferramenta.

Na versão eletrônica, repare que a calculadora já faz as devidas multiplicações e divisões, como você já poderá perceber pela linha ao final de cada orçamento, trazendo o balanço dos recebimentos x pagamentos e o respectivo saldo.

Na versão original do *Orçamento GERAL - PAGAMENTOS* (presente no CD que acompanha este livro), bem como do Orçamento GERAL - RECEBIMENTOS & SALDO, ambas as planilhas contêm as linhas de soma dos outros orçamentos (os parciais), repare que não incluí uma ligação eletrônica com fórmulas entre os campos dessas planilhas e os campos dos orçamentos particulares, como será desejável fazer.

Novamente, isso é algo muito fácil de realizar para uma pessoa que entenda um pouco de Excel. Eu até poderia ter feito isso para você, mas quando tentasse incluir ou excluir um orçamento no conjunto do arquivo, essas duas planilhas de Orçamento GERAL, que então já conteriam fórmulas de ligação com as planilhas particulares, passariam a apresentar erros, devido à exclusão/inclusão de orçamentos particulares. Assim, preferi deixá-las "virgens" desse ponto de vista, para você mesmo fazer tal ligação após a customização dos orçamentos particulares, a fim de retratar exatamente sua atual estrutura de pagamentos x recebimentos. Um amigo o ajudará nessa simples tarefa, ou você poderá fazer essas somas à mão, com uma calculadora comum.

Uma observação importante: convém trabalhar sempre com cópias dos arquivos que são disponibilizados no CD. Assim, você terá os arquivos originais sempre "limpos", caso decida refazer seu orçamento a qualquer momento.

ORÇAMENTO ANOTADO
É O QUE VOCÊ REGISTRA DE FATO

Após concluir a elaboração do seu *Orçamento Percebido*, você deverá guardá-lo em uma gaveta - uma pasta eletrônica no seu computador. Esqueça-o lá por algum tempo.

O próximo passo será iniciar o preenchimento do seu Orçamento Anotado. Você e cada membro de sua família deverão carregar uma cópia particular da *Ficha de Pagamentos* - a última guia do arquivo de nossas *Calculadoras de Orçamento Pessoal e Familiar*.

Se você imprimir essa ficha, em formato *retrato*, e depois recortar, dá para dobrar e fazer caber em qualquer lugar da carteira, de preferência bem perto de seus cartões de crédito e de débito. Outro truque: se você imprimir essa ficha e, em seguida, virar a folha, colocar na impressora e mandar imprimir de novo, sua ficha ficará bem completa, com *frente e verso*, e comportará o dobro de informação em um mesmo pedaço de papel, economizando espaço na sua carteira.

Cada membro da família, de posse de sua fichinha, deve anotar pelos próximos 30 dias corridos cada pagamento realizado. Nenhum desembolso deve ficar de fora, desde os mais expressivos, como o pagamento da prestação do apartamento, da taxa de condomínio ou os gastos no supermercado, até os mais miúdos, como um simples cafezinho na padaria ou a compra de uma revista na banca de jornal.

Imagine que nossa personagem Paula Soares, mulher de Armando Soares, membros de nossa família modelo, precisa ir ao shopping, no dia 1º de agosto, para pagar uma conta de luz atrasada. Assim que ela entra no shopping, bate aquela fome e Paula resolve tomar um café e comer um pão de queijo, pagando esse lanche em dinheiro. Um "pequeno" gasto, mas que deve ser anotado como qualquer "grande" gasto.

1º/AGO / Coffee's: café + pão de queijo / R$ 5,20 / dinheiro

Casualmente, ela passa em frente a sua loja de roupas preferida – a Marcy Modas – e vê que a blusa preta que namorava havia tempos está com desconto: custava R$ 200 e agora, com abatimento de 40%, sai por apenas R$ 120. Então resolve comprá-la no cartão de crédito, lembrando que o desembolso virá somente na fatura do próximo dia 10. Portanto, a anotação na ficha será a seguinte:

10/AGO / Marcy: blusa preta / R$ 120 / cartão de crédito

Atente para o fato de que, no campo QUANDO?, não se deve anotar a data da *compra* (1º/ago) mas, sim, a data do *desembolso* programado (10/ago), que é justamente a do vencimento da próxima fatura do cartão de crédito.

Ainda no shopping, Paula acaba visitando sua loja de sapatos favorita (Shoe's) e acaba comprando aquele lindo sapato de salto "agulha" vermelho-sangue. Custa R$ 240 e a loja não dá desconto à vista, mas divide em três parcelas. Para pagá-lo, ela usa três cheques predatados, de R$ 80 cada.

Quer dizer, predatados mesmo só os dois últimos, para 30 e 60 dias, porque o primeiro traz a data da compra, ou seja, é um cheque à vista. Assim, a anotação em sua *Ficha de Pagamentos* deve ser tripla. Paula fará uma anotação para cada parcela, cada qual com a data correta de desembolso:

1º/AGO / Shoe's: sapato 1/3 / R$ 80 / cheque no ato
1º/SET / Shoe's: sapato 2/3 / R$ 80 / cheque pré (30 dias)
1º/OUT / Shoe's: sapato 3/3 / R$ 80 / cheque pré (60 dias)

E hoje é o dia do lançamento do novo volume da série Harry Potter, que Armando adora. Sabendo que Paula iria ao shopping, ele não se esqueceu de fazer a "encomenda". Paula entra na livraria e compra o livro por R$ 59, também no cartão de crédito:

10/AGO / Book's: livro maridão / R$ 59 / cartão de crédito

Depois da livraria, ela visita a loja de artigos de decoração que fica ao lado. Está tudo em promoção. Aquele tapete para o quarto, que Paula tinha adorado, caiu de R$ 600 para R$ 400, uma redução "incrível". E a loja ainda dá 10% de desconto no pagamento, pondo no cartão ou lhe mandando um boleto para ser pago dali a 45 dias!

Paula não hesita, e escolhe a opção de pagamento com boleto. Sua anotação na Ficha de Pagamentos deve ficar assim:

15/SET / Decorativa: tapete / R$ 360 / boleto

Lembrando-se de que o grande propósito da ida ao shopping é justamente pagar a conta de luz atrasada, Paula corre para o banco e efetua o seguinte pagamento:

1º/AGO / Banco: conta de luz / R$ 128,15 / caixa do banco

Ainda no banco, ela se lembra de que precisa fazer um doc para sua querida mãe (a sogra de Armando...), porque dá a ela uma ajuda de custo de R$ 300 todo mês. Essa anotação fica assim:

1º/AGO / Banco: doc para mamãe / R$ 300 / caixa eletronico (doc)

Já é hora do almoço e Paula resolve comer por lá mesmo. Entra em seu restaurante por quilo preferido, que tem ótima comida – as tentações são grandes! Então, ao sair de lá, anota:

1º/AGO / Kylo's: almoço / R$ 18 / cartão de débito

Antes de sair do shopping, zelosa de seus gastos, Paula não se esquece de anotar o valor do estacionamento:

1º/AGO / Estacionamento / R$ 6 / dinheiro

A seguir, veja como ficou a ficha pagamentos de Paula Soares, com todos os registros dos gastos realizados nessa ida ao shopping:

SMARTCALCS® *por* PROF. MARCOS SILVESTRE *para* 12 MESES PARA ENRIQUECER

FICHA DE PAGAMENTOS

Metodologia PROF® Programa de Reeducação e Orientação Financeira V.1008020929

PAGAMENTOS FEITOS POR **QUEM?**	**MÊS:**	**ANO:**
PAULA SOARES	AGO	2011

QUANDO?	ONDE? X O QUÊ? = POR QUÊ?	$ VALOR	ESTORNO	SOMA	$$$ / CHEQUE ATO	CARTÃO DÉBITO	CARTÃO CRÉDITO	CHEQUE PRÉ	BOLETO / CARNÊ	DÉBITO EM CONTA	CAIXA / DOC / TED
1º/ AGO	CAFÉ + PÃO DE QUEIJO	5,20		**5,20**	X						
10 / AGO	MARCY: BLUSINHA PRETA	120,00		**125,20**			X				
1º/ AGO	SHOE´S: SAPATO 1/3	80,00		**205,20**	X						
1º/ SET	SHOE´S: SAPATO 2/3	80,00		**285,20**				X			
1º/ OUT	SHOE´S: SAPATO 3/3	80,00		**365,20**				X			
10 / AGO	BOOK´S: LIVRO MARIDÃO	59,00		**424,20**			X				
15 / SET	DECORATIVA: TAPETE	360,00		**784,20**					X		
1º/ AGO	BANCO: CONTA DE LUZ	128,15		**912,35**							X
1º/ AGO	BANCO: DOC PARA MAMÃE	300,00		**1.212,35**							X
1º/ AGO	KYLO´S: ALMOÇO	18,00		**1.230,35**		X					
1º/ AGO	ESTACIONAMENTO	6,00		**1.236,35**	X						

COMO? = MEIOS DE PAGTO.

FICHA DE PAGAMENTOS: "FOTOGRAFE" SEUS DESEMBOLSOS

Note bem que o objetivo da *Ficha de Pagamentos* é registrar cada pagamento no ato em que a decisão está sendo tomada, justamente para que nada seja esquecido. Cada pagamento registrado foi "contratado" por aquela pessoa, naquele dia daquele mês, ou seja, aquela soma de dinheiro foi comprometida com aquele pagamento específico, naquele momento específico, e isso não pode ser esquecido. É como se essa ficha fosse um álbum de fotos tiradas em cada momento em que cada membro da família decidiu realizar um desembolso durante o mês.

Veja que, nessa simples voltinha no shopping, nada menos que R$ 1.236,35 foram "para o espaço". Se esses gastos foram realizados de forma responsável, contando com "verba" já prevista no planejamento financeiro da família, tudo bem, pois dinheiro foi feito para gastar. Agora, vai ser muito ruim se tais gastos tenham sido feitos por puro impulso.

Ao final do primeiro mês corrido de anotações de seus desembolsos, todos os pagamentos, registrados em cada uma das fichas, devem ser transportados para o local correto nos seus respectivos orçamentos, lançando-se cada pagamento na *linha* certa, do *orçamento* correto.

A *Ficha de Pagamentos* terá sido superеficaz para registrar tudo o que se gastou no mês. Mas nela os pagamentos se encontram totalmente misturados, desorganizados. Não estão classificados por categorias. Esse agrupamento é fundamental para orientar o processo de enxugamento e remanejamento nos gastos familiares. Então, não podemos parar somente nas informações da Ficha de Pagamentos.

Veja um exemplo: embora o *livro do marido* tenha sido anotado na *ficha da esposa* (porque foi *ela* quem efetuou a compra), no momento de fazer a transposição desse pagamento para o local correto, tal gasto deverá ser registrado no *Orçamento INDIVIDUAL do marido*, e não no da esposa. Embora essa compra tenha sido realizada por ela, o desembolso diz respeito à pessoa *dele*, pois é para usufruto dele. Já no que diz respeito ao par de sapatos vermelhos, esse pagamento terá de ser transposto para o *Orçamento INDIVIDUAL da esposa*.

Ao fazer a transposição, deve-se procurar, dentro de cada orçamento, a linha que contenha a *categoria de pagamento* cuja descrição mais faz sentido para encaixar aquele pagamento específico. Por exemplo, no *Orçamento INDIVIDUAL* do marido, não há uma linha dedicada exclusivamente a *livros de ficção*, mas há uma linha com uma categoria que engloba LIVROS / CDs / DVDs / JOGOS / MÍDIA ELETRÔN. É para essa linha/categoria que o valor despendido na compra do referido livro deverá ser transposto.

Da mesma forma, não há no *Orçamento INDIVIDUAL* da esposa uma linha com uma categoria exclusiva para *sapato vermelho de salto*. Mas existe, sim, uma linha que reúne todos os pagamentos feitos na compra de ROUPAS / SAPATOS / BOLSAS / ACESSÓRIOS, e é justamente para essa linha/categoria que o desembolso realizado (e anotado na *Ficha de Pagamentos*) na aquisição daquele par de sapatos deve ser transferido.

Neste ponto, quero reforçar a recomendação de ter, nas linhas dos orçamentos, as *categorias de pagamentos* apresentadas de uma forma que não seja *genérica* demais (como *gastos com "produção" pessoal*), nem específica demais (como *brincos de argola dourados*). Na transposição dos registros das *Fichas de Pagamentos*, é natural que determinadas linhas/categorias dos orçamentos recebam mais de um valor; sem problemas, basta somar, na célula de VALOR ANOTADO da respectiva linha/categoria, os valores das diversas informações de valor transpostas para essa linha.

Por exemplo: o *sapato* de R$ 240, a *bolsa* de R$ 480 e o *cinto* de R$ 120 serão todos transpostos para a mesma linha/categoria ROUPAS / SAPATOS / BOLSAS / ACESSÓRIOS do *Orçamento INDIVIDUAL* da *esposa*. Na célula correta, ou seja, no campo VALOR ANOTADO, deverá ser registrada a seguinte fórmula de soma de valores =240+480+120 (registre os valores sem cifrões, vírgulas ou qualquer tipo de formatação, porque o programa já fará essa formatação de forma automática). Para a visualização desse campo, o Microsoft Excel mostrará somente o resultado da soma, já com a formatação certa: R$ 840.

Não se esqueça de anotar também, nos respectivos orçamentos, os *recebimentos* da família durante o mês em questão. E se houver pagamentos que não foram anotados nas *Fichas de Pagamentos*, mas que vocês sabem que ocorreram, como é o caso de contas de consumo com *débito automático em conta-corrente*, ou mesmo o caso das *tarifas bancárias*, tais desembolsos deverão ser igualmente transpostos para as respectivas linhas/categorias dos orçamentos corretos. Convém, no fim do mês, puxar um extrato completo de cada uma de suas contas bancárias, para fazer a transposição desses itens aos orçamentos.

Como você provavelmente já pôde atentar, no caso dos *pagamentos parcelados*, há transposições que devem ser feitas para orçamentos de diferentes meses subsequentes. Por isso, o procedimento padrão que lhe recomendarei será sempre trabalhar com diferentes arquivos do *Orçamento*, um para cada mês futuro. No entanto, por hora, a fim de concluir este exercício do *Orçamento Anotado*, você pode se limitar a transpor somente os pagamentos que dizem respeito ao mês em questão, ou seja, ao mês efetivo em que esse exercício está sendo realizado por você e sua família,.

Em tempo: a *Ficha de Pagamentos* funciona também na versão eletrônica, caso queria você "passar a limpo" seus pagamentos. A ficha já está formatada para fazer as somas dos valores automaticamente. Observe também que há um campo chamado **ESTORNO**. Digamos que, num almoço, você pague a parte de seu amigo (pois ele esqueceu a carteira). Na hora, você anota o gasto total (para não esquecer) e, no dia seguinte, quando ele lhe devolver o dinheiro, você faz o estorno do valor devolvido. Isso porque, se você não anotar o total, pode acabar se esquecendo de reaver a sua parte e, então, o custo total deverá passar para o controle de orçamento como sendo seu mesmo.

O QUE DIZ A COMPARAÇÃO ORÇAMENTO PERCEBIDO X ORÇAMENTO ANOTADO

Neste ponto do processo de organização de seu Orçamento, quero lhe fazer um alerta importante sobre *onde exatamente* as transposições das informações anotadas nas *Fichas de Pagamentos* deverão ser registradas na ferramenta eletrônica.

Ao abrir o arquivo *Ferramenta Eletrônica 3 – Calculadoras de Orçamento Pessoal e Familiar*, já lhe disse que você encontrará uma *guia* para cada orçamento particular. Dentro de cada guia, na realidade, você verá dois orçamentos "gêmeos", um ao lado do outro: o da *esquerda* (apresentado com *fundo preto e borda em cinza*) deve sempre ser utilizado para preencher o orçamento *Percebido* e o *Planejado*, enquanto o da *direita* (apresentado com *fundo cinza e borda preta*) deverá ser utilizado para preencher o orçamento *anotado* e o *Controlado* (cujo conceito veremos logo mais).

Dessa forma, quando você fez o exercício de elaboração do Orçamento Percebido, deve ter utilizado os orçamentos do *lado esquerdo* (*fundo preto*). Mas agora, para transpor as anotações das *Fichas de Pagamentos* após os 30 dias corridos de registros contínuos, você deve utilizar os orçamentos do *lado direito* (*fundo cinza*), transpondo as informações dos pagamentos para a coluna **VALOR ANOTADO** NA FICHA DE PAGTO. de cada orçamento.

Para fazer todas as transposições desse primeiro mês de anotações, você deverá resgatar aquele arquivo de computador que havia utilizado para o preenchimento do *Orçamento Percebido*. Assim, será possível fazer comparações entre o *Orçamento Percebido*, de um lado, e o *Orçamento Anotado*, de outro.

Vamos entender direito o que estamos comparando: a *percepção* da família sobre seus desembolsos (Orçamento *Percebido*), com a *realidade* nua e crua de um mês verídico, registrado na ponta de um afiado lápis (Orçamento *Anotado*). No orçamento da *direita* (*fundo cinza*), repare nos seguintes itens das colunas de comparação entre o Orçamento *Percebido* e o Orçamento *Anotado*:

- DIFERENÇA EM R$
- DIFERENÇA EM %
- DIMENSÃO DA DIFERENÇA:

  PEQUENA (ATÉ 10%): não requer muita atenção

  MÉDIA (DE 11% A 25%): requer uma boa explicação

  GRANDE (> 25%): requer atenção e ação imediata para contornar o desvio!

Mais uma vez, a família Soares nos ajudará a verificar a diferença. Mais especificamente, vamos observar seu *Orçamento COLETIVO*. No orçamento da esquerda (fundo preto), a família preencheu o Orçamento Familiar *Percebido*. O da direita (fundo cinza) contém as informações das Fichas de Pagamentos da família após 30 dias de anotações, compondo o Orçamento Familiar *Anotado*:

COLETIVO NA PONTA DO LÁPIS

CALCULADORAS DE ORÇAMENTO PESSOAL & FAMILIAR
PERCEBIDO & PLANEJADO

MÊS = JANEIRO — ANO = 2010	EVENTUAL SÓ DE VEZ EM QUANDO		FREQUENTE TODO MÊS TEM UM OU MAIS		PLANEJADO P/ O MÊS
SOBRENOME DA FAMÍLIA: **FAMÍLIA SOARES**	(A) VALOR " CHEIO " DO RECEB. OU PAGTO. EVENTUAL	(B) DISTRIBUÍDO PARA O PRAZO DE QUANTOS MESES ?	(C) VALOR UNITÁRIO DO RECEB. OU PAGTO. FREQUENTE	(D) QUAL A FREQUÊNCIA NO MÊS DO RECEB. OU PAGTO. ?	(A) / (B) OU (C) X (D)
RECEBIMENTOS FREQUENTES					
RECEBIMENTOS EVENTUAIS					
SUPERMERCADO			350	2 VEZES	700
SACOLÃO / FEIRA / FRUTARIA			60	4 VEZES	240
PADARIA			10	25 VEZES	250
AÇOUGUE / AVÍCOLA			50	4 VEZES	200
LATICÍNIO			15	10 VEZES	150
LAVANDERIA			45	4 VEZES	180
ALIMENTAÇÃO FAMILIAR FORA DE CASA			80	4 VEZES	320
VIAGENS / PASSEIOS FAMILIARES	6.000	12 MESES			500
CLUBE RECREATIVO FAMILIAR			80	1 VEZES	80
PET - ALIMENTAÇÃO			50	1 VEZES	50
PET - VETERINÁRIO / REMÉDIOS / PETSHOP			15	4 VEZES	60
PLANO OU SEGURO SAÚDE FAMILIAR			340	1 VEZES	340
MÉDICOS / FARMÁCIA / REMÉDIOS			120	1 VEZES	120
DOAÇÕES & OFERTAS A TERCEIROS			1.200	1 VEZES	1.200

RECEBIMENTOS =		PAGAMENTOS =	4.390	SALDO =	-4.390

SMARTCALCS® *por* PROF. MARCOS SILVESTRE *para* 12 MESES PARA ENRIQUECER

Metodologia PROF® Programa de Reeducação e Orientação Financeira V.1008020929

COLETIVO NA PONTA DO LÁPIS

CALCULADORAS DE ORÇAMENTO PESSOAL & FAMILIAR

ANOTADO & CONTROLADO

MÊS = JANEIRO	ANO = 2010	COMPARAÇÕES:		PERCEBIDO & PLANEJADO	X	ANOTADO & CONTROLADO
SOBRENOME DA FAMÍLIA: **FAMÍLIA SOARES**		(A) VALOR PLANEJADO	(B) VALOR ANOTADO NAS FICHAS DE PAGTO.	(C) = (A)-(B) DIFERENÇA (EM R$)	(C) = (A)-(B) DIFERENÇA (EM %)	DIMENSÃO DA DIFERENÇA *PEQUENA*, *MÉDIA*, OU *GRANDE*
RECEBIMENTOS FREQUENTES						
RECEBIMENTOS EVENTUAIS						
SUPERMERCADO		700	834	134	19%	*MÉDIA*
SACOLÃO / FEIRA / FRUTARIA		240	189	-51	-21%	*MÉDIA*
PADARIA		250	236	-14	-6%	*PEQUENA*
AÇOUGUE / AVÍCOLA		200	187	-13	-6%	*PEQUENA*
LATICÍNIO		150	178	28	19%	*MÉDIA*
LAVANDERIA		180	180			
ALIMENTAÇÃO FAMILIAR FORA DE CASA		320	450	130	41%	*GRANDE*
VIAGENS / PASSEIOS FAMILIARES		500		-500		
CLUBE RECREATIVO FAMILIAR		80	80			
PET - ALIMENTAÇÃO		50	50			
PET - VETERINÁRIO / REMÉDIOS / PETSHOP		60	60			
PLANO OU SEGURO SAÚDE FAMILIAR		340	340			
MÉDICOS / FARMÁCIA / REMÉDIOS		120	86	-34	-28%	*GRANDE*
DOAÇÕES & OFERTAS A TERCEIROS		1.200	1.200			

RECEB. =			PAGTOS. =	4.070	-7%	SALDO =	-4.070	-7%

SMARTCALCS® *por* PROF. MARCOS SILVESTRE *para* 12 MESES PARA ENRIQUECER

Metodologia PROF® Programa de Reeducação e Orientação Financeira V.1008020929

A diferença entre o que imaginamos gastar e o que de fato desembolsamos é sempre muito grande. A nossa tendência é esquecer alguns gastos, principalmente aqueles frequentes, de valor unitário pouco expressivo, mas que, como já vimos, acabam tendo um grande peso no orçamento familiar. As compras realizadas a prazo também são muitas vezes esquecidas nos meses subsequentes.

No caso da família Soares, atente para a linha relativa a compras de supermercado: a diferença entre a percepção da família, em um primeiro momento, e o que foi de fato anotado (durante os 30 dias corridos) foi grande, apresentando um desvio a mais de 37%.

Provavelmente as compras de supermercado foram mais frequentes do que aquelas duas vezes que eles haviam imaginado, ou então o valor unitário de cada compra deve ter sido maior. Agora, caberá aos membros da família Soares encontrar a explicação correta para um desvio tão preocupante, e buscar a solução em termos de um enxugamento inteligente desse gasto, para evitar que ele tenha de ser coberto com dívidas emergenciais de custo elevado.

Atente para o fato de que as calculadoras já classificam, automaticamente, as diferenças entre o imaginado e o anotado em *pequena* (até 10% de desvio), *média* (entre 11% e 25% de desvio) ou *grande* (acima de 25% de desvio). Essa classificação deverá ajudá-los bastante a identificar os piores desvios de desembolsos, para que sejam tomadas providências imediatas de enxugamento, a fim de manter o orçamento em contínuo e saudável equilíbrio.

NÃO CONFUNDA PAGAMENTOS COM MEIOS DE PAGAMENTOS

Antes de prosseguir, deixe-me fazer uma observação sobre as Fichas de Pagamentos: elas contêm colunas para outro tipo de informação, que deverá ser anotada ao longo dos 30 dias corridos. Pela metodologia aqui proposta, tal informação não deverá ser transposta para os orçamentos, mas é muito interessante de ser analisada.

Estou me referindo às colunas de **MEIOS DE PAGAMENTOS**: batendo o olho nessas colunas nas fichas preenchidas ao longo do mês, ficará fácil identificar quais meios foram mais utilizados por cada membro da família para a realização de desembolsos.

Uma coisa são seus *pagamentos*, aqueles desembolsos que lhe proporcionarão a qualidade de vida que você quer ter no presente e no futuro. Outra coisa são os diversos meios de pagamentos existentes para você movimentar seu dinheiro rumo a suas *necessidades do dia a dia* e mesmo a seus *grandes sonhos*. Não permita que a abundância de meios de pagamento induza você a gastar mais dinheiro do que tem, e mais que o necessário para ter uma vida verdadeiramente boa.

Os diversos meios de pagamento não aumentam, por si só, seu poder aquisitivo efetivo. Dispor de meios de pagamento alternativos pode ser algo muito prático e útil, mas trata-se apenas de formas de movimentar o dinheiro, não de multiplicá-lo: é você que terá de "alimentar" esses meios com o dinheiro de seu trabalho.

PARA BUSCAR O EQUILÍBRIO DESEJADO TRACE SEU ORÇAMENTO PLANEJADO

Agora eu recomendo que você pegue uma cópia novinha em folha do *Orçamento – Arquivo Matriz*. Lembre-se de que eu não me refiro ao *arquivo original* que vem no CD, mas àquele *arquivo matriz* que você preparou logo no início do processo e que contém os orçamentos particulares pertinentes e as categorias de gastos adequadas à realidade da sua estrutura de despesa, porém ainda não conta com quaisquer anotações de valores nas células dos orçamentos, que ainda permanecem em branco.

De posse desse *arquivo matriz*, você e sua família deverão discutir, juntos, linha por linha (categoria por categoria) de cada orçamento particular que integra seu Orçamento Familiar, sempre à luz dos dois exercícios que já foram feitos até o momento (Orçamento *Percebido* e Orçamento *Anotado*), e sempre buscando formas inteligentes de enxugar seus pagamentos, liberando poder aquisitivo para itens que lhes agreguem mais qualidade de vida.

Enfim, trata-se de planejar aquele *toma lá dá cá do dinheiro* que já pudemos discutir anteriormente, buscando também equilibrar seus pagamentos totais com seus recebimentos, ou seja, balancear seus desembolsos com seus ganhos mensais. Quais são os *pagamentos frequentes* que devem ser trocados por outros de *menor valor unitário*, ou cuja *frequência* no mês deva ser *reduzida*? E quanto aos *pagamentos eventuais*, quais deverão ser alvo de enxugamentos inteligentes? Quais terão seu *valor cheio diminuído*, e quais sofrerão um *alongamento no prazo* de meses para os quais o valor deve ser distribuído?

Esse momento é o mais desafiador entre as quatro fases do processo de organização do *Orçamento Pessoal e Familiar* que lhe proponho neste livro. Isso porque, não é nada fácil tomar decisões responsáveis de enxugamentos de gastos, decisões realistas, passíveis de serem realmente colocadas em prática, decisões maduras com as quais cada um dos membros da família irá de fato se comprometer depois, no dia a dia.

É fundamental que essas decisões sejam fruto do *consenso* de todos na família. É natural que nenhum dos membros queira "perder verba" para os pagamentos que lhe interessam diretamente, ou perder a aparente comodidade de poder gastar sem qualquer controle, mas, nesse momento, o espírito deve ser de união. A família deve se unir no esforço de atribuir uma destinação mais equilibrada para os pagamentos da *família como um todo*, uma destinação mais focada em seus verdadeiros objetivos de qualidade de vida e, ainda por cima, compatível com sua renda mensal.

Exercitem ao máximo sua criatividade e sua força de vontade, e vocês ficarão positivamente surpresos com as boas sacadas em termos de enxugamentos que podem ser feitos para liberar poder aquisitivo de qualidade de vida dentro do seu próprio orçamento, sem necessariamente ficarem na dependência de aumentar seus ganhos para conseguirem viver melhor, uma das formas mais eficazes e acessíveis de enriquecimento rápido.

EM UM CASAL, QUEM DEVE ARCAR COM QUAIS PAGAMENTOS

O sucesso de qualquer processo de organização de orçamento familiar depende essencialmente da busca de entendimento financeiro pelo casal. Por exemplo: quanto à definição de quem deverá arcar com quais despesas, ou seja, a definição do peso financeiro do marido e da esposa no casamento.

Mesmo na hipótese de serem casados com separação total de bens, é inegável que, no dia a dia, os cônjuges tenham uma vida conjunta e, como é natural, despesas conjuntas.

A minha sugestão é que o casal faça uma conta bancária conjunta e cada um deposite, no início de cada mês, o valor necessário para bancar todos os desembolsos mensais. A partir daí, o responsável pelas "contas a pagar" da família fará todos os pagamentos somente com os recursos dessa conta.

Quanto cada um deverá depositar nessa conta conjunta? Essa é uma decisão inteiramente do casal. Mas uma coisa é óbvia: somando "o dele" com "o dela", os depósitos devem atingir 100% daquele mínimo necessário para bancar os pagamentos mensais da família.

Costuma dar certo o seguinte: quem ganha um salário maior, depositará proporcionalmente uma quantia maior na conta conjunta, e quem tem um rendimento menor, fará um depósito proporcionalmente menor. Não lhes parece razoável uma divisão nessa base? Isso é puro bom senso financeiro, e costuma funcionar muito bem.

Se por acaso surgir algum dissenso nesse sentido, cuidado com essa história de discutir os ganhos individuais x a contribuição de cada um para as despesas conjuntas do casal. Ocorre que a renda mensal apurada por cada um dependerá de uma série de fatores, tais como o setor que escolheu para atuar, o momento econômico que o setor atravessa, a trajetória profissional que cada um construiu nos últimos anos. De nada adianta o cônjuge que ganha mais culpar o que ganha menos, afirmando que, se ele ou ela tivesse um salário maior, o outro não precisaria se sacrificar tanto. Bobagem. Lembre-se: também do ponto de vista financeiro – e muito especialmente desse ponto de vista – um casal deve ser mais que a simples soma de dois indivíduos.

Em um orçamento bem planejado, quanto deve sobrar no fim do mês?

Uma pergunta muito comum a essa altura do campeonato é a seguinte: "Quanto deve sobrar no orçamento no fim do mês?". Minha resposta só pode ser: "Nada!".

Em um orçamento familiar bem planejado, cada centavo estará alocado de forma equilibrada entre os pagamentos mais importantes: seus gastos, contas e compras, suas boas dívidas, seus seguros, suas aplicações/investimentos. Além de suas doações, é lógico. E tudo isso estará perfeitamente compatível com seus rendimentos mensais, deixando "zero" de sobra financeira não alocada para coisa alguma.

Elaborar o *Orçamento Planejado* numa família muitas vezes demanda diversas conversas, durante semanas. Não há problema: é bom dar tempo ao tempo e não passar batido por essa fase, porque ela é fundamental para o êxito do esforço de boa autogestão do que vem pela frente. Se essa "lição de casa" for benfeita, o sucesso será garantido.

Assim que esse exercício do *Orçamento Planejado* for concluído, recomendo-lhe a gravar novamente seu *Orçamento – Arquivo Matriz*, agora já contendo todas as informações dos valores de pagamentos planejados. A partir de agora, você deverá sempre trabalhar com cópias desse arquivo, uma para cada mês, pois isso será importante na anotação dos pagamentos contratados de forma parcelada para os meses futuros, conforme registrados nas *Fichas de Pagamentos*.

PLANEJAR SÓ TEM SENTIDO SE FOR PARA EXECUTAR E PERSEVERAR

Tendo fechado seu *Orçamento Planejado*, o próximo e último desafio do nosso processo de organização do orçamento familiar em quatro etapas será apurar, mensalmente, seu Orçamento Familiar *Controlado*.

Como o nome sugere, este é o orçamento que apresenta, na prática, seus gastos, contas e compras totalmente enxutos, suas boas dívidas e parcelamentos sendo pagos pontualmente em dia, bem como seus seguros protetores.

Mais que isso: esse orçamento traz todas aquelas economias necessárias para que você e sua família continuem bancando cada uma de suas aplicações planejadas, conforme seus vários planos de investimentos. Enfim, trata-se do orçamento familiar sob saudável controle e em perfeito equilíbrio.

GERAL - PAGAMENTOS

CALCULADORAS DE ORÇAMENTO PESSOAL & FAMILIAR
PERCEBIDO & PLANEJADO

MÊS =	JANEIRO	ANO =	2011	% DO TOTAL	VALOR PLANEJADO P/ O MÊS
SOBRENOME DA FAMÍLIA: FAMÍLIA SOARES					
PAGTOS. INDIVIDUAIS				33%	6.607
PAGTOS. COLETIVOS				22%	4.390
PAGTOS. IMÓVEIS				10%	2.116
PAGTOS. VEÍCULOS				7%	1.514
PAGTOS. DÍVIDAS				16%	3.252
PAGTOS. INVESTIMENTOS				12%	2.400
GERAL - PAGTOS.				100%	20.279

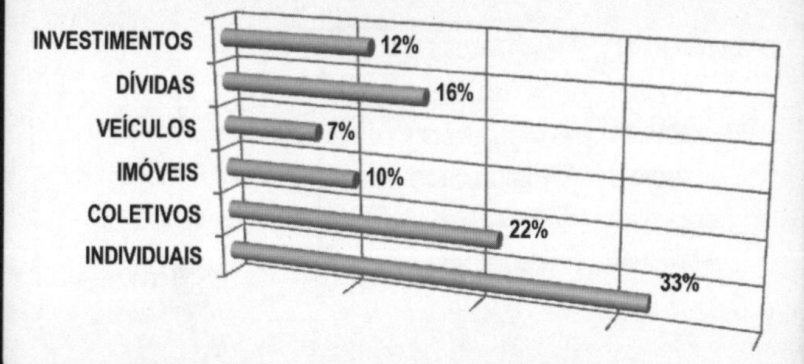

SMARTCALCS® *por* PROF. MARCOS SILVESTRE *para* 12 MESES PARA ENRIQUECER
Metodologia PROF® Programa de Reeducação e Orientação Financeira V.1008020929

GERAL - PAGAMENTOS

CALCULADORAS DE ORÇAMENTO PESSOAL & FAMILIAR
ANOTADO & CONTROLADO

MÊS =	JANEIRO	ANO =	2011	COMPARAÇÕES:		PERCEBIDO & PLANEJADO	X	ANOTADO & CONTROLADO
SOBRENOME DA FAMÍLIA: FAMÍLIA SOARES				(A) VALOR PLANEJADO	(B) VALOR ANOTADO NAS FICHAS DE PAGTO.	(C) = (A)-(B) DIFERENÇA (EM R$)	(C) = (A)-(B) DIFERENÇA (EM %)	DIMENSÃO DA DIFERENÇA *PEQUENA*, *MÉDIA*, OU *GRANDE*
PAGTOS. INDIVIDUAIS			31%	6.607	6.265	-342	-5%	PEQUENA
PAGTOS. COLETIVOS			20%	4.390	4.070	-320	-7%	PEQUENA
PAGTOS. IMÓVEIS			10%	2.116	1.979	-137	-6%	PEQUENA
PAGTOS. VEÍCULOS			10%	1.514	2.082	568	38%	GRANDE
PAGTOS. DÍVIDAS			16%	3.252	3.252			
PAGTOS. INVESTIMENTOS			12%	2.400	2.400			
GERAL - PAGTOS.			100%	20.279	20.048	-231	-1%	PEQUENA

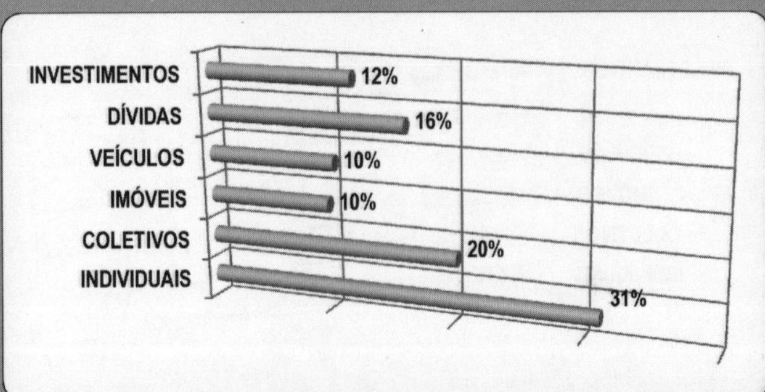

SMARTCALCS® *por* PROF. MARCOS SILVESTRE *para* 12 MESES PARA ENRIQUECER
Metodologia PROF® Programa de Reeducação e Orientação Financeira V.1008020929

Esse orçamento deve ser providenciado exatamente da mesma forma que o Orçamento *Anotado*, com a diferença de que, ao finalizar cada mês de anotações, você deverá se valer do *arquivo matriz* acima, conforme acabei de explicar no item anterior.

Então, de posse do Orçamento *Controlado*, já com as transposições dos valores das *Fichas de Pagamentos* da família para o mês em questão, será a hora de reunir a família para analisar as **COMPARAÇÕES**, usando sua criatividade para encontrar enxugamentos inteligentes, costurando acordos familiares para novas destinações de pagamentos, colocando boas decisões financeiras para funcionar na prática do dia a dia, já a partir do próximo mês.

Vamos nos recordar exatamente do que estamos comparando: o *planejamento* da família para seus desembolsos (Orçamento *Planejado*), com a *realidade* de um mês qualquer, registrado na ponta de nosso afiado lápis (Orçamento *Controlado*)!

Reparem lá no orçamento da *direita* (*fundo cinza*), as colunas de comparação entre o Orçamento *Planejado* e o Orçamento *Controlado*:

- DIFERENÇA EM R$
- DIFERENÇA EM %
- DIMENSÃO DA DIFERENÇA:
  PEQUENA (ATÉ 10%): não requer muita atenção
  MÉDIA (DE 11% A 25%): requer uma boa explicação
  GRANDE (> 25%): requer atenção e ação imediata para contornar o desvio!

Observe agora como ficou o Orçamento GERAL – PAGAMENTOS da família Soares. O da esquerda (fundo preto) é aquele que a família preencheu quando elaborou o Orçamento Familiar *Planejado*, enquanto o da direita (fundo cinza) é aquele que a família preencheu com as informações das Fichas de Pagamentos após 30 dias de anotações, compondo o Orçamento Familiar *Controlado*:

Ao analisar os possíveis desvios com relação às metas de valores estipuladas no *Orçamento Planejado*, seu bom senso dirá se cada desvio registrado naquele mês se trata verdadeiramente de um desvirtuamento ou se é apenas um sinal de que o planejamento daquele item específico não havia sido feito de forma realista.

Pode ocorrer, também, de a realidade mudar. Isso deve levá-lo a readaptar as metas de valores inicialmente planejadas. Por exemplo: o desembolso com o item farmácia / medicamentos no *Orçamento Coletivo* havia sido planejado com R$ 100 mensais, mas um dos membros da família agora sofre de uma doença crônica e terá de tomar um remédio que custa R$ 70 a caixa e dura sete dias. Assim, além dos R$ 100 no *Orçamento Coletivo*, entrarão mais R$ 280 (R$ 70 por semana x 4 semanas no mês) no Orçamento Individual desse membro.

A vida muda e seu planejamento financeiro deve acompanhar as novidades e os imprevistos. Nesse caso, é melhor reconhecer prontamente o novo gasto e adaptar-se a ele. Mas não trato aqui apenas de notícias ruins. Um membro da família pode ter obtido alta de um tratamento complexo e não precisará mais dos medicamentos no valor de R$ 280 por mês, liberando essa verba para outros pagamentos que adicionem qualidade de vida à família (uma forma de enriquecer sem aumentar o salário).

O que não vale, porém, é mudar o planejamento sob qualquer pretexto e a toda hora, porque aí vira bagunça, e o propósito de ter um orçamento familiar bem planejado e controlado acaba se perdendo. As necessárias atualizações do planejamento devem ser feitas de forma muito organizada, tendo bom senso e flexibilidade, mas sem abusar da falta de disciplina. Na verdade, o mais comum será enquadrar a prática dos pagamentos no dia a dia ao que foi planejado, em vez de ajustar o planejado à prática cotidiana.

Cuidar bem do dinheiro deve transformar-se, a partir de agora, em um *hábito* para você e sua família. A coisa funciona mais ou menos como arrumar seu armário bagunçado. Você passa um fim de semana inteirinho organizando tudo, tirando um monte de roupas, colocando de volta somente o necessário. Dá um certo trabalho, mas fica bem legal.

Será que todo esse esforço de organização terá valido a pena se você resolver relaxar a partir da segunda-feira seguinte, tirando roupas do cabide sem pendurá-las de volta, colocando o sapato dentro da gaveta e a calça no lugar do sapato, desdobrando quinze camisetas para escolher aquela que vai usar no dia?

Não. Planejar-se e se organizar só tem sentido se for para executar e perseverar. Isso é o que fará a diferença em seu *Plano da Virada*.

E vamos adiante: se você não possui dívidas preocupantes, talvez não precise da próxima seção deste livro. Mas, até para saber identificar se seus débitos presentes são ou não preocupantes, eu sugiro sua leitura. Uma forma eficaz de enriquecer é parar de empobrecer, e isso sempre pode ser feito reorganizando suas dívidas, eliminando as mais graves e liberando, assim, o dinheiro outrora desperdiçado em juros pagos para ser gasto em coisas que agreguem mais a sua vida. Para isso, irei lhe ensinar técnicas, bem como disponibilizar ferramentas, para que você possa entender e lidar com as dívidas de forma mais eficiente, potencializando os resultados positivos de seu *Plano da Virada*.

Fonte III

Dívidas mais prudentes

Planeje-se para sair do sufoco e nunca mais voltar

Capítulo 12

Quando as dívidas dominam, adeus qualidade de vida!

Há muita gente que, embalada pela onda consumista e amparada por uma inconsequente relação com as dívidas, se esquece de que o crédito para a pessoa física tem de ser combinado com altas doses de bom planejamento e eficaz autogestão financeira para dar certo. Só assim pode funcionar efetivamente como uma alavanca para a plena qualidade de vida plena.

Em sua vida financeira, quando você permite que o imediatismo domine seus hábitos de compra & consumo, não tem outro jeito: você acaba apelando para as dívidas emergenciais, improvisadas, mal contratadas, quando o mais indicado seriam dívidas e parcelamentos bem planejados.

Quando as más dívidas dominam seu orçamento, não sobra o suficiente para bancar aqueles gastos, contas e compras que podem lhe trazer qualidade de vida no presente. Não há, também, fundos para custear seus seguros protetores, tampouco sobra para sustentar os investimentos frequentes que lhe trarão qualidade de vida no futuro, muito menos disponibilidade para prestar ajuda financeira a terceiros. É o verdadeiro caos no seu bolso e, se as coisas continuarem assim, pode dar adeus aos anseios de uma plena qualidade de vida!

Nos últimos anos, nós brasileiros pudemos observar em nosso país um processo econômico muito interessante: crescimento do emprego e da renda, com ampliação e desenvolvimento do mercado consumidor. O brasileiro nunca teve acesso a tanta coisa boa na vida. Isso chegou combinado à grande expansão da oferta de crédito pessoal, em suas diferentes modalidades. Se tudo isso for bem planejado e tocado de forma competente no dia a dia, ótimo. Caso contrário, aquilo que parecia a bonança material transforma-se numa bola de neve de dívidas, acarretando sua desgraça financeira num futuro próximo.

Para que isso não ocorra, coloque já em prática tudo o que aprendeu até aqui sobre como planejar melhor seus gastos e evitar as más dívidas. Mas, se você já estiver enrolado com dívidas preocupantes, o que fazer? A presente seção é dedicada a esse tema espinhoso. Você precisará de conhecimento, ação e perseverança para sair do enrosco financeiro em que se encontra, pois não há milagre financeiro que possa tirá-lo do fundo poço das dívidas de uma hora para a outra. A boa notícia é que isso é perfeitamente possível de ser resolvido.

Lembre-se: *dívidas mais prudentes* podem ser uma excelente fonte multiplicadora de dinheiro, pois liberam parte do poder aquisitivo de seus ganhos mensais, outrora empatada em enormes juros pagos, permitindo redirecionar esse dinheiro para gastos que interessam mais ou, melhor ainda, para investimentos que lhe renderão juros sobre juros.

"Parar de perder" é sinônimo de "ganhar": justamente por isso, dívidas mais prudentes são sinônimo de *mais dinheiro* no seu bolso! Se você tem dívidas preocupantes, saiba que não há *Plano da Virada* que funcione sem uma completa reorganização de seus débitos, pelo menos dos mais graves. Então, mãos à obra!

TOMAR DINHEIRO EMPRESTADO SIGNIFICA "ALUGAR" DINHEIRO

Poucos atentam para isso, mas pedir dinheiro emprestado equivale a "alugar" esse dinheiro. Imagine que você precisa de R$ 4 mil para fazer uma cirurgia plástica. Você não tem esse montante agora e não tem perspectivas de juntá-lo tão cedo. Mas você tem um limite no cheque especial que lhe dá possibilidade de usar essa soma. É tentador.

Você terá de devolver os R$ 4 mil ao seu legítimo proprietário, o banco. Enquanto não providenciar tal restituição, ou seja, enquanto seguir se utilizando de um valor que não é seu – é alugado – você deverá realizar o pagamento mensal dos juros do cheque especial. Quer dizer, deverá fazer o pagamento de R$ 336 por mês, uma vez que a taxa de juros do seu especial é de 8,40% ao mês sobre o valor emprestado (8,40% x R$ 4 mil = R$ 336 mensais).

Esse aluguel podia ser ainda maior: se contratar esse valor no crédito rotativo do cartão de crédito, os juros serão de 12% ao mês (12% x R$ 4 mil = R$ 480 mensais)! Excetuando-se situações de extrema e inescapável necessidade – que costumam ser bastante incomuns – só há um perfil de devedor que seguiria por um caminho desses à toa: o "desplanejador" financeiro!

Mas por que essas pessoas não enxergam o absurdo que estão fazendo? Parte da explicação está na própria natureza do dinheiro. Um imóvel alugado não é do inquilino, mas do locador, e isso está mais do que claro para todos os envolvidos na história. No entanto, quando se trata de dinheiro alugado, os recursos entram na conta do "inquilino", misturam-se com aquele outro tanto que é verdadeiramente dele e isso lhe dá a – falsíssima – impressão de que é tudo dinheiro próprio. Então, por que tem de devolver ao banco? E por que precisa pagar aluguel enquanto não o devolver? Trata-se de dinheiro alugado.

Fazer dívida é alugar dinheiro. Pagar juros é pagar aluguel de dinheiro. Que seja por uma boa causa.

POR QUE SE EMPRESTA TÃO POUCO, MAS SE FICA DEVENDO TANTO ASSIM?

É comum escutar o seguinte: "O banco (ou financeira, ou administradora do cartão de crédito) está me pedindo um valor absurdo para quitar minha dívida! Eu não posso estar devendo isso! Jamais fiz uso desse valor todo aí, apenas de uma pequena parte disso!".

Entender o porquê não é difícil: pagando uma taxa de juros de 8,40% ao mês (cheque especial), ou 12% ao mês (crédito rotativo do cartão), o que se poderia esperar que acontecesse? Pelo princípio dos juros compostos – que você já conhece e domina – uma dívida não quitada (rolada) no cheque especial dobrará de valor em menos de *nove meses*, somente por conta dos juros compostos. Veja a conta certa em nossa *Calculadora de Matemática Financeira – Número de períodos (n)*:

n NÚMERO DE PERÍODOS				
PV	-R$ 100,00	PMT	R$ 0,00	
i	8,40%	FV	R$ 200,00	
n	8,6 períodos	FIM END	X	COMEÇO BEG

Pelo princípio dos juros sobre juros, uma dívida pendurada (não paga) no crédito rotativo do cartão não leva mais que *seis meses* para dobrar de valor. E mais seis meses para *quadruplicar*. E mais seis meses para *octuplicar*. Enfim, em apenas dois anos (n = 24,5 meses) sendo continuamente rolada, a dívida acumulada chega a dezesseis vezes seu valor original. Para cada R$ 100 de que eventualmente tenha se servido no rotativo, você terá de pagar R$ 1.600 após dois anos.

Veja a seguir a conta certa feita quatro vezes, uma para cada prazo de rolagem da dívida no rotativo do cartão: 6, 12, 18 e 24 meses. Repare o resultado no campo Valor Futuro (FV), ou seja, quando se terá de desembolsar no momento futuro, ao fim de cada período, para quitar tal dívida:

n NÚMERO DE PERÍODOS				
PV	-R$ 100,00	PMT	R$ 0,00	
i	12,00%	FV	R$ 200,00	
n	6,1 períodos	FIM END	X	COMEÇO BEG

n
NÚMERO DE PERÍODOS

PV	-R$ 100,00	PMT	R$ 0,00
i	12,00%	FV	R$ 400,00
n	12,2 períodos	FIM END / X	COMEÇO BEG /

n
NÚMERO DE PERÍODOS

PV	-R$ 100,00	PMT	R$ 0,00
i	12,00%	FV	R$ 800,00
n	18,3 períodos	FIM END / X	COMEÇO BEG /

n
NÚMERO DE PERÍODOS

PV	-R$ 100,00	PMT	R$ 0,00
i	12,00%	FV	R$ 1.600,00
n	24,5 períodos	FIM END / X	COMEÇO BEG /

Como você sabe, o princípio dos juros compostos, que é o "fermento" da bola de neve, vale para as dívidas, mas também para os investimentos. Você é quem decide de que lado pretende estar.

POR QUE NÃO POSSO INTERPRETAR UMA DÍVIDA COMO UM INVESTIMENTO?

O cuidado com as dívidas deve ser sempre grande, jamais se deve perder a perspectiva correta sobre elas. Tem gente que contra-argumenta, por exemplo, que um financiamento imobiliário não seria uma dívida, mas, pelo contrário, um investimento.

Quem defende essa tese costuma apresentar dois argumentos para interpretar a coisa desta forma amenizada: 1) o financiamento imobiliário tem um propósito nobre, que é o aumento do seu patrimônio pessoal/familiar, por meio da aquisição de um imóvel; e 2) para imóveis, os juros são extremamente mais baixos que os praticados em outras modalidades de crédito à pessoa física.

Até dá para concordar que a dívida de um financiamento imobiliário não é uma dívida qualquer, dado o seu lastro imobiliário/patrimonial. Mas que é uma *dívida*, disso não há dúvida.

Em primeiro lugar, vamos analisar o argumento do juro baixo. De fato, as taxas para financiamentos imobiliários hoje são as mais baixas cobradas no mercado de crédito brasileiro. Trata-se, porém, de taxas de juros *cobrados* (pagos) e não de juros *recebidos* (ganhos), o que já caracteriza indiscutivelmente uma dívida. Ademais, a taxa pode ser baixa, mas quando *o prazo é longo*, os juros sobre juros se acumulam no decorrer dos meses e anos de uma forma que pode resultar em uma pequena fortuna de juros pagos no cômputo geral do financiamento.

Como exemplo, vejamos o caso de um imóvel de R$ 100 mil (PV) adquirido por financiamento. Se for pago em 25 anos, ou 300 meses (n), com taxa de juros anual de 10,50%, ou mensal de 0,84% (i), haverá 300 prestações de R$ 914,35 (PMT), o que dará praticamente R$ 1 mil mensais, incluindo-se aí Imposto Sobre Operações Financeiras e seguro de vida. Veja a conta certa:

PMT PAGAMENTO PERIÓDICO				
PV	R$ 100.000,00	PMT	-R$ 914,35	
i	0,84%	FV	R$ 0,00	
n	300,0 períodos	FIM END	X	COMEÇO BEG

Como os R$ 1 mil serão pagos por 300 meses, pode-se dizer que você financiará R$ 100 mil e pagará quase R$ 300 mil, o que dá simplesmente três vezes o valor original financiado. Não se esqueça de que tais parcelas ainda serão reajustadas por algum índice de inflação qualquer, pois o banco não deseja sofrer perdas no poder aquisitivo do que vai recebendo ao longo dos meses. Então, estamos falando de R$ 300 mil em valores reais.

De outro lado, vamos imaginar o contrário de uma dívida, ou seja, um plano de investimentos: você aplicará R$ 914,35 todos os meses em títulos do Tesouro Direto, por exemplo, ganhando 0,35% de rentabilidade líquida real (descontando todas as taxas, impostos e inflação). Assim, bastarão 92,8 meses (sete anos e nove meses) ou, arredondando, oito anos, para que você acumule os R$ 100 mil necessários, atualizados em valores da época, que é para poder acompanhar a alta do preço do imóvel (o qual naturalmente terá encarecido até lá, conforme a inflação). Veja a conta certa:

n NÚMERO DE PERÍODOS				
PV	R$ 0,00	PMT	-R$ 914,35	
i	0,35%	FV	R$ 100.000,00	
n	92,8 períodos	FIM END	X	COMEÇO BEG

Com essa conta fica claro que, com o mesmo volume de sacrifício financeiro mensal (R$ 914,35 por mês), ao optar pelo plano de investimentos e não pela dívida do financiamento, você comprará o mesmo imóvel nada menos que dezessete anos antes que no caso do financiamento em 25 anos! Sim: dezessete anos mais cedo. Parece mágica, mas é só a realidade financeira, tal como ela é.

Você há de lembrar que, optando pelo financiamento (dívida), já seria possível sair do aluguel, o que é uma vantagem, e tem um inegável impacto de mais dinheiro no bolso. Então, vamos refazer essa conta: dos R$ 914,35 de sacrifício mensal, você gastará R$ 350 por mês para alugar esse mesmo imóvel e sobrarão outros R$ 564,35 de mensalidade para seu plano de investimentos. Ainda assim, você terá os R$ 100 mil atualizados em valores da época em 138,1 meses, ou seja, num prazo de apenas onze anos e meio. Isso ainda é menos do que a metade do prazo do financiamento imobiliário, previsto para 25 anos.

n NÚMERO DE PERÍODOS	PV	R$ 0,00	PMT	-R$ 564,35
	i	0,35%	FV	R$ 100.000,00
	n	138,1 períodos	FIM END X	COMEÇO BEG

Portanto, taxa baixa por taxa baixa, compensa bem mais investir do que ficar devendo.

Em um plano de investimentos (como vimos anteriormente na seção Fonte I – Investimentos Mais Dinâmicos) é você quem define livremente o quanto irá aplicar por mês, de acordo com suas verdadeiras possibilidades orçamentárias de realizar um maior ou menor esforço poupador. Tendo traçado seu plano, você realizará o pagamento das mensalidades de forma sempre voluntária, jamais compulsória. Enquanto segue poupando e aplicando, você ganhará juros. E quando tiver com a bolada em mãos, poderá usá-la livremente, para o que bem entender, inclusive para comprar o tal imóvel à vista e com desconto, se assim ainda lhe aprouver na ocasião.

No período em que estiver fazendo seus investimentos frequentes, se ocorrer um eventual desemprego, você não se preocupará, como ocorreria se tivesse um financiamento a pagar. Em vez disso, contará com a segurança de ter em mãos uma boa grana, com liquidez imediata, uma reserva que poderá ser bastante útil para reequilibrar suas finanças na hipótese de um desemprego mais longo que o imaginado.

Com uma dívida, é bem diferente: está em geral atrelada à aquisição de um bem específico, no caso do financiamento imobiliário, o imóvel. Uma vez contraída, é compulsória, e envolve o pagamento de juros compostos. Se atrasar muito, você corre o risco de perder o imóvel: de onde você acha que vem aquela lista enorme de imóveis para leilão no jornal?

A ideia não é assustá-lo ou desestimulá-lo no seu projeto de aquisição da casa própria. Muito pelo contrário: o ideal é que você a adquira o quanto antes, completamente quitada, com escritura no seu nome e certidão averbada em cartório de registro de imóveis. Porém, há quem embarque nessa de financiar um imóvel – muitas vezes um imóvel bastante fora de suas verdadeiras possibilidades – e que depois tem sérios problemas para pagá-lo lá na frente. Eu não lhe desejo isso: desejo-lhe a compra à vista ou, no mínimo, uma boa entrada no financiamento.

POR QUE AS TAXAS DIFEREM TANTO DE UM TIPO DE CRÉDITO PARA OUTRO?

Diferentes modalidades de empréstimos à pessoa física envolvem a cobrança de diferentes taxas de juros, como é natural de esperar. No entanto, olhando bem de perto, podemos observar que as diferenças entre as taxas praticadas no Brasil são muito acentuadas:

- Crédito pessoal de financeira: 15% ao mês = 435% ao ano
- Crédito rotativo – cartão de crédito: 12% ao mês = 290% ao ano
- Cheque especial: 8% ao mês = 152% ao ano
- Crédito pessoal de banco (correntistas): 4% ao mês = 60% ao ano
- Crediários (taxa efetiva embutida): 4% ao mês = 60% ao ano
- Financiamento de automóvel usado: 2,49% ao mês = 34% ao ano
- Crédito cooperativo ou consignado: 2% ao mês = 27% ao ano
- Financiamento de automóvel novo: 1,49% ao mês = 19% ao ano
- Financiamento imobiliário: 1% ao mês = 13% ao ano

Por que tamanha disparidade nas taxas? Excetuando-se o crédito cooperativo – que não visa lucros e tem função social – as demais modalidades de empréstimos apresentam diferenças expressivas em três principais aspectos: 1) a facilidade e rapidez com que o tomador consegue embolsar a grana, 2) as garantias reais exigidas de quem pede emprestado, e 3) a probabilidade de se configurar inadimplência, ou seja, as chances de a instituição financeira levar calote do tomador.

Pense no cheque especial ou no crédito rotativo dos cartões de crédito: existe coisa mais prática do que recorrer a essas modalidades de empréstimo pessoal? Rapidez e facilidade são a marca desses dois tipos de dívidas, que não pedem garantia específica em contrapartida e costumam ser – não sem motivo – as que apresentam maior nível de inadimplência. Pronto: está aí boa parte da explicação para taxas tão elevadas.

De outro lado, pense em um financiamento imobiliário: aquela papelada toda exigida para aprovar o crédito, o tempo que demora, a garantia real que o seu financiador exige de você (seu próprio imóvel) e a baixíssima probabilidade de o devedor sequer pensar em deixar de pagar as prestações do teto que cobre a cabeça de sua família. Por isso tudo, a taxa de juros cobrada de quem toma dos bancos para comprar sua casa própria acaba sendo a menor do mercado de crédito no país.

POR QUE OS JUROS DAS DÍVIDAS PESSOAIS SÃO TÃO ELEVADOS NO BRASIL?

Historicamente – e isso já há mais de vinte anos, pelo menos – o Brasil é recordista no mundo desenvolvido, na comparação com as dez maiores economias do globo, em termos de taxas de juros reais praticados para o consumidor pessoa física. Existem duas grandes vertentes de explicações para essa lamentável realidade, uma mais técnica e outra mais mercadológica, sendo que ambas se complementam.

Tecnicamente, os "juros da praça", aqueles que são efetivamente desembolsados nas várias modalidades de crédito pelo devedor pessoa física no país não caem por seis principais motivos:

1. A **taxa básica de juros** (taxa Selic) ainda é muito elevada no Brasil, pressionando o custo de captação para bancos e financeiras aqui estabelecidos. Para captar recursos dos investidores, e assim emprestar tais recursos a seus correntistas nas várias modalidades de crédito à pessoa física existentes, os bancos emitem CDBs – Certificados de Depósito Bancário. Caso não ofereçam uma remuneração nos CDBs compatível com a taxa Selic (juros básicos brasileiros, pagos pelo governo em seus títulos de dívida pública – LFTs), os bancos perderão competitividade para o próprio governo na atração de recursos financeiros, o que dificultará sua atividade comercial. É por isso que as várias instituições financeiras do país acabam sendo pressionadas pela Selic elevada a pagar mais nos seus CDBs. Resultado: o dinheiro que será emprestado aos correntistas já chegará aos bancos custando mais "caro". Pronto: foi lançada a bola de neve dos juros altos, uma gigantesca esfera que está apenas começando a se formar.

2. Os **depósitos compulsórios** que os bancos são obrigados, por lei, a manter junto ao Banco Central, de parte do que captam no mercado para realizar empréstimos, ainda são muito elevados no Brasil, restringindo a liquidez das instituições financeiras e, mais uma vez, elevando seu custo de captação que será repassado no crédito oferecido.

3. Os **impostos** sobre as operações de crédito ainda mordem feio, pois o governo não abre mão de ser um "grande sócio" dos bancos e das financeiras, pelo menos na partilha dos ganhos (aliás, ele o faz com todas as grandes empresas estabelecidas no país, qualquer que seja o ramo).

4. Os **custos administrativos** das instituições financeiras – que têm de ser repassados para seus clientes, embutidos nas taxas dos empréstimos – ainda são bastante onerosos, apesar dos enxugamentos e racionalizações administrativas das últimas décadas.

5. A **inadimplência** continua muito elevada. Uma parte considerável dos bancos e das financeiras ainda empresta dinheiro "a rodo", sem promover uma criteriosa análise prévia à concessão do crédito, averiguando se o indivíduo de fato terá capacidade de honrar com cada nova dívida. Ocorre que, como a demanda por crédito pessoal é grande, fica até fácil repassar para as taxas cobradas nos empréstimos o ônus de não pagamentos individuais, forçando assim os bons pagadores a arcar com o calote dos maus, na forma de taxas mais elevadas pagas no crédito por quem *de fato* as paga.

6. As **margens de lucro** das operações de crédito à pessoa física no Brasil ainda são bastante altas (porque ainda se empresta proporcionalmente pouco, a escala de operação é muito baixa, alegam os bancos), contribuindo para inflar os juros da praça aos elevadíssimos patamares em que se encontram há décadas.

Essa é a explicação técnica, agora, vou lhe contar a mercadológica.

Dentre as várias leis que regulam o comportamento dos mercados verdadeiramente mercantis (não manipulados), a mais antiga e irrevogável é, sem dúvida, a velha e (normalmente) boa, lei da oferta e da procura.

Essa lei reza que, quando muitos consumidores desejam/demandam um determinado bem ou serviço, mesmo que a oferta seja expressiva, o preço tenderá a ficar em patamares mais altos.

Pois é isso o que ocorre com a atividade de aluguel de dinheiro no nosso país hoje. O que explica a aparentemente irracional magnitude dos juros do crédito à pessoa física no Brasil, no fundo, é um movimento que, de irracional, não tem nada, porque a sua razão está bem clara: a total preponderância da demanda sobre a oferta no mercado de crédito nacional, elevando demais o preço do aluguel do dinheiro.

Os juros da praça ainda são exageradamente elevados no Brasil simplesmente porque os devedores brasileiros continuam concordando em pagá-los; apesar das taxas elevadas, continuam demandando dinheiro alugado. E, enquanto for assim, nada mudará nesse sentido, como não mudou nas últimas duas décadas, apesar de flutuações acentuadas nos juros básicos, que se encontram próximo aos patamares mais baixos que já tiveram no país.

Capítulo 13

Calcule o peso em seu bolso dos diversos tipos de crédito

Até aqui, você já percebeu que "colecionar" dívidas de forma indiscriminada não vai lhe trazer benefício algum, pelo contrário. Porém, em certas circunstâncias, contrair uma dívida pode ser uma boa decisão. Como saber quando? Algumas perguntas são muito comuns e podem lhe ajudar a jogar luz sobre a polêmica decisão de se endividar:

- Qual é a modalidade de dívida que lhe pede menos juros?
- Qual é o valor máximo que se deve tomar em cada tipo de dívida?
- Qual é o impacto que o pagamento dos juros da dívida terá no meu bolso?

Com todos esses conceitos sobre dívidas pessoais frescos em sua mente, gostaria de lhe apresentar nossa SMARTCALCS (ferramenta eletrônica integrante da metodologia PROF).

Essa calculadora está disponível no CD que acompanha este livro. Trata-se de um arquivo de Microsoft Excel 2003, sob o nome *Ferramenta Eletrônica 4 – Calculadora de Dívidas – Principais Modalidades.* Você não precisa ter conhecimentos desse programa para utilizar a calculadora (basta seguir as instruções aqui apresentadas), embora precise tê-lo instalado em seu computador.

A utilidade dessa calculadora é a seguinte: antes de colocar em prática qualquer decisão de tomar dinheiro emprestado, seja a que pretexto for, na modalidade de crédito que for, a boa prática do planejamento financeiro recomenda fazer as contas na ponta do lápis para avaliar quanto esse dinheiro emprestado lhe custará. Com os cifrões dos juros corretamente calculados, ficará mais fácil avaliar se cada dívida verdadeiramente compensará o sacrifício que ela representa para seu bolso, ou não.

Sempre que for solicitada uma taxa de juros na calculadora, insira a taxa do CET – Custo Efetivo Total – informada pela instituição financeira. Desde 2009 é obrigatório o fornecimento pelos bancos e financeiras dessa importantíssima informação para o devedor.

Diferentemente da simples taxa de juros de contrato, que é sempre mais baixa, a taxa do CET envolve todos os custos efetivamente pagos pelo tomador do crédito, como eventuais seguros e tarifas bancárias embutidos na operação. Essa taxa é a que interessa a quem vai tomar emprestado, pois é exatamente ela que impactará seu bolso.

DÍVIDA DO CRÉDITO PESSOAL FINANCEIRA X BANCO

Qualquer região de comércio no centro das grandes cidades está abarrotada de financeiras. Dinheiro rápido e fácil, muitas vezes sem comprovação de renda, é a promessa desse pessoal. Tudo muito prático, ágil e... caro!

Imagine que você deseja ou precisa de um empréstimo emergencial de R$ 1 mil (PV). Se for a uma dessas financeiras, é quase certo que consiga o crédito da quantia desejada em dinheiro vivo, em poucos minutos. De pronto, cobram-lhe uma tarifa inicial de R$ 100 (valor que deve ser acrescido ao PV quando for incorporado ao empréstimo) e mais 15% de juros ao mês (i), para parcelamento em 12 meses (n). Como resultado, você pagará 12 x R$ 203 (PMT).

DÍVIDAS NA PONTA DO LÁPIS

CALCULADORA DE DÍVIDAS: PRINCIPAIS MODALIDADES

CRÉDITO PESSOAL DE FINANCEIRA (+ CARO) OU BANCO (+ BARATO)	VALOR CONCEDIDO	100%	DEVIDO POR MÊS	
	TARIFA COBRADA	0%	PRINCIPAL	
	PRAZO	(n)	JUROS EMBUTIDOS	
	TAXA DE JUROS	(i)		
CRÉDITO ROTATIVO DO CARTÃO	FATURA ($)	100%	DEVIDO NO FINAL	
	PAGTO. FEITO	0%	PRINCIPAL	
	MESES DE ROLAGEM	(n)	JUROS ACUMULADOS	
	TAXA DE JUROS	(i)		
CHEQUE ESPECIAL	LIMITE ($)	(PV)	DEVIDO NO FINAL	
	DISPONÍVEL	POR: 30 dias / mês	PRINCIPAL	
	USO TOTAL (DIAS)	(n)	JUROS ACUMULADOS	
	TAXA DE JUROS	(i)		
CRÉDITO COOPERATIVO	EMPRÉSTIMO CONCEDIDO	100%	DEVIDO POR MÊS	
	PRAZO	(n)	PRINCIPAL	
	TAXA ENCARGOS	(i)	ENCARGOS ADICIONADOS	
AUTOMÓVEL, CREDIÁRIO OU IMÓVEL FINANCIAMENTO	VALOR DO BEM	100%	DEVIDO POR MÊS	
	ENTRADA	0%	PRINCIPAL	
	PRAZO	(n)	JUROS EMBUTIDOS	
	TAXA DE JUROS	(i)		

$

SMARTCALCS® *por* PROF. MARCOS SILVESTRE *para* 12 MESES PARA ENRIQUECER

Metodologia PROF® Programa de Reeducação e Orientação Financeira V.1008020929

A princípio, esses R$ 203 por mês não lhe parecem grande coisa, e certamente são muito menos – apenas um quinto – do que o valor de R$ 1 mil de que precisa. Mas pense bem: R$ 1 mil divididos por 12 meses, se fossem para devolução sem juros, resultariam em R$ 83 mensais. Isso quer dizer que, se você está pagando R$ 203 por mês, a diferença de R$ 120 (R$ 203 – R$ 83) é juro puro! Do total da parcela, a menor parte, de 41%, equivale à devolução do principal da dívida (o que você realmente havia tomado emprestado), enquanto outros 59% correspondem aos juros acumulados sobre juros.

Veja essa conta na nossa *Calculadora de Dívidas – Crédito Pessoal*, e aproveite para "brincar" com essa ferramenta e fazer suas próprias contas:

CRÉDITO PESSOAL DE FINANCEIRA (+ CARO)						
VALOR CONCEDIDO	100%	R$ 1.000	DEVIDO POR MÊS	(PMT)	R$ 203	
TARIFA COBRADA	+10%	R$ 100	PRINCIPAL	41%	R$ 83	
PRAZO	(n)	12 meses	JUROS EMBUTIDOS	59%	R$ 120	
TAXA DE JUROS	(i)	15,00 % AO MÊS		(i) ACM.	144%	NO TOTAL

Os bancos também concedem crédito pessoal rápido e fácil, embora às vezes seja necessário convencer o gerente e, quando menos esperar, terá de comprar um seguro ou um título de capitalização qualquer. (Isso está sendo combatido pelos bancos, mas, infelizmente, ainda acontece aqui e acolá.)

Nessa caso, a taxa cobrada pelos bancos, apesar de não ser exatamente pequena, é menor do que a das financeiras.

Para tomar os mesmos R$ 1 mil (PV) no banco, pelo mesmo prazo de 12 meses (n), só que com juros de 4% ao mês (i), a conta da mensalidade ficará em apenas R$ 177 (PMT), portanto R$ 86 ou 42% a menos que no crédito contraído junto à financeira, uma economia de R$ 1.032 (R$ 86 x 12 meses) no total dessa operação de empréstimo.

Observe como fica essa conta:

CRÉDITO PESSOAL DE BANCO (+ BARATO)						
VALOR CONCEDIDO	100%	R$ 1.000		DEVIDO POR MÊS	(PMT)	R$ 117
TARIFA COBRADA	+10%	R$ 100		PRINCIPAL	71%	R$ 83
PRAZO	(n)	12 meses		JUROS EMBUTIDOS	29%	R$ 34
TAXA DE JUROS	(i)	4,00 %	AO MÊS		(i) ACM.	41% NO TOTAL

Sendo assim, por que tem gente que ainda aluga dinheiro em financeira? Para os completamente atolados no lamaçal das dívidas, aqueles devedores verdadeiramente desesperados, cuja consciência financeira se encontra completamente amortecida, a facilidade da "não comprovação de renda" tem seu valor. No fundo, o dinheiro servirá apenas como mais "corda para se enforcar", mas, na hora de botar a mão nele, parece um alívio. Em raríssimas situações o é verdadeiramente.

DÍVIDA DO CRÉDITO ROTATIVO DO CARTÃO DE CRÉDITO

São mais de 500 milhões de cartões de crédito em uso hoje no Brasil. Boa parte desses cartões foi parar nas mãos da classe média emergente brasileira, e três quartos das reclamações referentes a cartões de crédito são de cobrança indevida. Isso não quer dizer que as administradoras costumem errar na preparação da fatura, o que, aliás, é raro, porque seus sistemas informatizados de controle de informações são muito avançados e organizados.

Muitas vezes são os próprios clientes – ainda despreparados para fazer bom uso desse interessante meio de pagamento – que erram na leitura e interpretação das informações da fatura, tomando decisões prejudiciais para si a partir desse entendimento equivocado. Tem gente que ainda acredita, por exemplo, que não "precisa" pagar mais que o mínimo da fatura. O quê? É mágica? Muita ingenuidade...

Preocupadas com o mau uso do cartão, e temerosas da inadimplência descontrolada que pode resultar daí, as operadoras vêm se prontificando a não incentivar o pagamento de apenas o mínimo da fatura em seus comerciais. Algumas empresas mais arrojadas vêm, inclusive, investindo em programas de educação financeira para seus clientes.

Assim funciona o cartão de crédito: pagou o mínimo, ou pagou qualquer valor menor que o total da sua fatura, o saldo restante será considerado automaticamente rolado por 30 dias, ou seja, terá seu pagamento postergado até o vencimento da próxima fatura. Essa rolagem será feita com a incidência de uma taxa de juros que raramente fica abaixo dos 10% ao mês. Se não pagar inclusive o mínimo da fatura, a taxa vai para a categoria de multa e pode inclusive chegar a dobrar! Mesmo em condições normais, chega-se fácil aos 15% ao mês. Daí fica a pergunta: o que se pode esperar de uma taxa dessas?

Imagine que a fatura do seu cartão de crédito tenha vindo no valor de R$ 1.200. Sendo "pego de surpresa" por esse valor, você decide pagar somente o mínimo especificado, de R$ 240 (20%). Como consequência, automaticamente serão rolados os R$ 960 da diferença (80%).

Considerando uma taxa de juros de 12% ao mês, daqui a um mês, mesmo que você não tenha feito qualquer outra despesa no cartão nos últimos 30 dias, já estará devendo, não só os R$ 960 rolados do mês passados, mas também R$ 115,20 (R$ 960 x 12%) de juros do período. Portanto, sua dívida será de R$ 1.075,20 no total.

Só que a coisa nunca evolui exatamente desse modo, porque você tem outros diversos gastos no cartão durante os próximos 30 dias, além da dívida pendurada do mês passado. Suponha que tais desembolsos tenham sido de R$ 1 mil. Então, a nova fatura terá vindo em R$ 2.075,20 (R$ 1.075,20 da dívida + R$ 1 mil dos gastos do último mês).

Sentindo-se pressionado pelo novo valor, você resolve pagar apenas os R$ 1 mil, e fica devendo R$ 1.075,20 para a próxima fatura. Passados mais 30 dias, esse valor voltará com juros de R$ 129,02 (R$ 1.075,20 x 12%), fazendo sua dívida atingir o total de R$ 1.204,22 (R$ 1.075,02 + R$ 129,02).

Esse é o valor que abre a próxima fatura, mas ainda deve ser somado a ele todos os novos desembolsos que você tenha realizado nos últimos 30 dias. Você simplesmente não aguenta arcar com esses valores todos e, mês após mês, vai seguindo a tática de pagar as compras/gastos do mês, e rolar a dívida do cartão "com a barriga".

Eu fiz a conta certa: no decorrer de 12 meses (n) dessa situação, aquela sua dívida original de R$ 960 (PV), considerando juros cumulativos de 12% (i) ao mês, terá virado um rombo de R$ 3.740 (FV), ou seja, praticamente quatro vezes o valor original que você havia tomado.

Do total devido ao fim de um ano, apenas 26% (R$ 960) serão correspondentes ao principal da dívida – aquele dinheiro inicial que você "alugou" do cartão – enquanto outros 74% (R$ 2.780) terão se acrescentado a essa triste história financeira simplesmente por conta dos juros acumulados sobre juros.

Veja essa conta na *Calculadora de Dívidas – Crédito Rotativo do Cartão*. Se você se encontra com um problema parecido, faça já seu cálculo, não deixe para depois (porque o bicho pega!):

CRÉDITO ROTATIVO DO CARTÃO							
FATURA ($)	100%	R$ 1.200		DEVIDO NO FINAL	(FV)	R$ 3.740	
PAGTO. FEITO	20%	R$ 240		PRINCIPAL	26%	R$ 960	
MESES DE ROLAGEM	(n)	12 meses		JUROS ACUMULADOS	74%	R$ 2.780	
TAXA DE JUROS	(i)	12,00 %	AO MÊS		(i) ACM.	290%	NO TOTAL

DÍVIDA DO CHEQUE ESPECIAL

Outrora "queridinho" dos tomadores de crédito no Brasil, o cheque especial vem perdendo espaço para o crédito rotativo do cartão. Prova de que, infelizmente, a maior parte dos brasileiros ainda não sabe (ou não quer) fazer a conta certa. Não que utilizar o cheque especial seja barato, mas é menos oneroso que o rotativo do cartão (apesar de ser igualmente prático e sedutor).

Imagine que você vai sair em férias por um mês e quer levar consigo R$ 1 mil para ajudar nas despesas com alimentação, compras e pequenos gastos no local de destino. Você está se lembrando de que nem todo lugar aceita cartão de crédito, então é bom levar algum dinheiro vivo no bolso ou, pelo menos, carregar cheques. Só que, exatamente agora, você não tem esses R$ 1 mil. O que você faz? Como tem um limite de R$ 3 mil no cheque especial, não pensa duas vezes.

Assim, durante a viagem, mesmo sabendo que sua conta-corrente está virtualmente zerada, você solta diversos cheques e faz saques no valor agregado de R$ 1 mil. Como sua conta se encontra praticamente zerada, tais débitos serão compensados pelo limite de crédito do seu cheque especial.

Passam-se 30 dias e você volta das férias.

Após um mês, você continuará devendo os R$ 1 mil para o banco e ainda deverá, adicionalmente, juros de R$ 80 (R$ 1 mil x 8%). No total, você estará dependente em R$ 1.080 no especial. Isso não chega a lhe preocupar tanto porque, como seu limite é de R$ 3 mil, ainda dá para empurrar a situação para a frente.

Pois bem, após 12 meses (n) rolando uma dívida inicial de R$ 1 mil (PV), financiada a juros de 8% ao mês (i), você estará devendo ao banco R$ 2.518: serão R$ 1 mil de principal (dívida original, equivalente a apenas 40% do total devido após um ano) e mais R$ 1.518 de juros acumulados no período (a maior parte do total devido, nada menos que 60%!).

No final das contas, você terá de pagar, somente de juros, o equivalente a 152% daquilo que havia tomado emprestado! Não há como escapar da conclusão de que fez mau uso dessa modalidade de crédito e, com isso, você se impingiu um triste empobrecimento.

Observe como fica a conta na *Calculadora de Dívidas – Cheque Especial*:

CHEQUE ESPECIAL					DEVIDO NO FINAL	(FV)	R$ 2.518	
	LIMITE ($)	(PV)	R$ 1.000		PRINCIPAL	40%	R$ 1.000	
	DISPONÍVEL	POR:	30 dias / mês		JUROS ACUMULADOS	60%	R$ 1.518	
	USO TOTAL (DIAS)	(n)	360 dias			(i) ACM.	152%	NO TOTAL
	TAXA DE JUROS	(i)	8,00 %	AO MÊS				

DÍVIDA DO CREDIÁRIO

Certo dia, você passa por uma loja e vê a nova TV HD 3D de 40 polegadas, top de linha, lançamento (e absoluta sensação) do momento, anunciada por R$ 2.999 ou doze vezes R$ 249,90 "sem juros". Aparentemente, uma grande oportunidade de levar para casa, de forma suave, um objeto de desejo tão cobiçado. Mas fica a pergunta: dá para acreditar que é sem juros?

Não, provavelmente não é, e nem poderia ser. O preço verdadeiro dessa TV não é R$ 3 mil, mas R$ 2.350. Você descobre isso porque faz uma extensa pesquisa de mercado e encontra uma loja que lhe entrega exatamente a mesma TV, da mesma marca, bonitinha na caixa, com nota fiscal, garantia e tudo o mais, com desconto de R$ 650 para pagamento à vista, ou seja, a TV é sua por R$ 2.350.

Então, esses R$ 2.350 são *o verdadeiro preço* da TV. Os R$ 650 pagos a mais por quem compra em doze vezes "sem juros" equivalem precisamente aos juros embutidos disfarçadamente nessa esperta jogada comercial da loja. Tudo bem, a loja tem de vender, você é que precisa ver direito como vai comprar. Mas jamais tome sua decisão sem antes fazer a conta certa na ponta do lápis.

Utilizando nossa calculadora específica para crediário, você verá que, para financiar pelo CDC – Crédito Direto ao Consumidor um bem no valor de R$ 2.350 (PV), pelo prazo de 12 meses (n), com juros de 4% ao mês (i), deverá pagar mensalidades de R$ 250 (PMT).

Desses R$ 250, R$ 196, ou 78% de cada parcela, correspondem ao principal da dívida (veja só como bate direitinho: R$ 196 x 12 = R$ 2.350), enquanto R$ 55 ou 22% de cada prestação equivalem aos juros embutidos.

No cômputo geral dessa compra parcelada no crediário, R$ 650 serão pagos de juros acumulados, o que dá 28% do valor total da compra. Com essa grana, que você terá lamentavelmente desperdiçado ao optar pelo financiamento em doze vezes "sem juros", daria para comprar um superaparelho de Blu-ray, ou um belíssimo *home theater* para fazer par com a nova TV, ou ainda uma completa coleção de filmes em DVD. Originais.

Acompanhe essa conta na *Calculadora de Dívidas – Crediário*:

CREDIÁRIO	VALOR DO BEM	100%	R$ 2.350		DEVIDO POR MÊS	(PMT)	R$ 250	
	ENTRADA	0%	R$ 0		PRINCIPAL	78%	R$ 196	
CDC - CRÉDITO DIRETO AO CONSUMIDOR	PRAZO	(n)	12 meses		JUROS EMBUTIDOS	22%	R$ 55	
	TAXA DE JUROS	(i)	4,00 %	AO MÊS		(i) ACM.	28%	NO TOTAL

DÍVIDA DO CRÉDITO COOPERATIVO

No crédito cooperativo, que não é uma operação financeira comercial, pois não visa ao lucro, não se costuma falar de *juros*, mas *encargos*. A vantagem é que tais encargos estão entre os mais baixos que se pode encontrar no mercado de crédito, e parte deles ainda servirá para remunerar o capital investido pelos próprios cooperados em sua cooperativa.

Pois para tomar aqueles mesmos R$ 1 mil (PV) que você havia imaginado alugar da financeira, pelo mesmo prazo de 12 meses (n), mas com juros favorecidos de 2% ao mês (i), a conta da mensalidade ficará apenas em R$ 95 (PMT), contra os R$ 203 pedidos pela financeira.

De cada prestação paga, apenas R$ 11 ou 12% corresponderão aos encargos, enquanto o grosso, R$ 83 ou 88%, lhe será cobrado por conta da devolução do principal. Precisando mesmo de dinheiro, não deixe de recorrer a uma dessas cooperativas, se a empresa em que você trabalha tiver uma delas (se não lhe for dito nada a respeito, pergunte ao ser admitido).

Veja a conta certa em nossa *Calculadora de Dívidas – Crédito Cooperativo*:

CRÉDITO COOPERATIVO				DEVIDO POR MÊS	(PMT)	R$ 95	
	EMPRÉSTIMO CONCEDIDO	100%	R$ 1.000	PRINCIPAL	88%	R$ 83	
	PRAZO	(n)	12 meses	ENCARGOS ADICIONADOS	12%	R$ 11	
	TAXA ENCARGOS	(i)	2,00 % AO MÊS		(i) ACM.	13%	NO TOTAL

DÍVIDA DE CARRO NOVO X USADO (CDC – CRÉDITO DIRETO AO CONSUMIDOR)

Digamos que você vá comprar um novo carro, um modelo 0 km no valor de R$ 40 mil. Eis que encontra uma proposta tentadora: um financiamento com zero de entrada (embora lhe seja pedida uma tarifa de R$ 600 pelo serviço) para um veículo de R$ 40 mil (PV = R$ 40 mil + R$ 600 = R$ 40.600), em quatro anos ou 48 meses (n), com taxa de juros efetiva de 1,49% ao mês (i), resultando em 48 parcelas de R$ 1.190 (PMT).

Mesmo que essa parcela caiba no seu orçamento, lembre-se de que, dos R$ 1.190 desembolsados mensalmente para conquistar esse carro zero, apenas R$ 846 ou 71% corresponderão ao principal da dívida, enquanto nada menos que 29% ou R$ 344 por mês serão despendidos por conta dos juros embutidos. Agrada-lhe a ideia de pagar R$ 344 de juros durante longos quatro anos? Você fica satisfeito sabendo que pagará 41% a mais do que o valor original do carro só por conta dos juros cobrados sobre juros?

Confira a conta certa em nossa *Calculadora de Dívidas – Financiamento de Automóvel*:

AUTOMÓVEL NOVO (ZERO KM) CDC - CRÉDITO DIRETO AO CONSUMIDOR								
	VALOR DO BEM	100%	R$ 40.600		DEVIDO POR MÊS	(PMT)	R$ 1.190	
	ENTRADA	0%	R$ 0		PRINCIPAL	71%	R$ 846	
	PRAZO	(n)	48 meses		JUROS EMBUTIDOS	29%	R$ 344	
	TAXA DE JUROS	(i)	**1,49 %**	AO MÊS		(i) ACM.	**41%**	NO TOTAL

Agora atente para o seguinte: se esse mesmo automóvel de R$ 40 mil fosse um modelo seminovo ou usado, você até encontraria um financiamento em condições similares de entrada (zero) e prazo (quatro anos), porém com taxa de juros mais alta: 2,49% ao mês. As financeiras alegam que esse tipo de automóvel – o usado – é uma garantia mais frágil para o financiamento em questão e que, portanto, têm de cobrar mais nesse tipo de operação.

Nesse caso, a prestação subiria de R$ 1.190 para R$ 1.459, ou seja, R$ 269 adicionais por mês, além dos R$ 344 que já estaria pagando de juros. Quase metade (42%) dessa nova prestação de R$ 1.459 corresponderiam a juros embutidos, de R$ 613 mensais, enquanto somente 58% (R$ 846) equivaleriam à devolução do principal. No cômputo geral do financiamento, você pagaria 72% de juros sobre o principal, quase R$ 30 mil, o suficiente para adquirir outro carro zero.

Veja a conta certa refeita para essa última situação:

AUTOMÓVEL USADO CDC - CRÉDITO DIRETO AO CONSUMIDOR								
	VALOR DO BEM	100%	R$ 40.600		DEVIDO POR MÊS	(PMT)	R$ 1.459	
	ENTRADA	0%	R$ 0		PRINCIPAL	58%	R$ 846	
	PRAZO	(n)	48 meses		JUROS EMBUTIDOS	42%	R$ 613	
	TAXA DE JUROS	(i)	**2,49 %**	AO MÊS		(i) ACM.	**72%**	NO TOTAL

DÍVIDA DE FINANCIAMENTO DE IMÓVEL: ENTRADA MAIS BAIXA X MAIS ALTA

Talvez a dívida que se contrate hoje no Brasil com as menores taxas de juros de mercado seja a do financiamento imobiliário. Infelizmente, isso não quer dizer que você deixará de pagar uma pequena fortuna em juros acumulados ao longo do tempo. É natural: alugue o dinheiro por mais tempo, pague mais de aluguel.

Pensemos em um imóvel de R$ 500 mil, dando R$ 50 mil de entrada, com saldo a financiar de R$ 450 mil (PV), em vinte anos ou 240 meses (n), com taxa de 0,84% ao mês (equivalente a 10,50% ao ano). Nesse caso, a prestação ficará em R$ 4.366 (PMT, valor que ainda deverá ser corrigido periodicamente por algum índice de inflação).

Acompanhe como fica essa conta na *Calculadora de Dívidas - Financiamento de Imóvel*:

IMÓVEL: ENTRADA MAIS BAIXA	VALOR DO BEM	100%	R$ 500.000		DEVIDO POR MÊS	(PMT)	R$ 4.366	
	ENTRADA	10%	R$ 50.000		PRINCIPAL	43%	R$ 1.875	
	PRAZO	(n)	240 meses		JUROS EMBUTIDOS	57%	R$ 2.491	
FINANCIAMENTO	TAXA DE JUROS	(i)	**0,84 %**	AO MÊS		(i) ACM.	**133%**	NO TOTAL

Talvez você queira ou precise adquirir um imóvel por meio de financiamento imobiliário. A decisão é pessoal, mas não deixe de fazer a conta certa para avaliar quanto pagará de juros. Dos R$ 4.366 da prestação, apenas 43% ou R$ 1.875 seriam devidos por conta do *principal*, enquanto nada menos que 57% ou R$ 2.491 mensais responderiam pelo pagamento de *juros*. Na soma total do financiamento, você pagaria 133% de juros acumulados sobre o principal, o que dá quase R$ 600 mil, outro imóvel de padrão superior ao seu.

A explicação para essa realidade financeira, como você já sabe, está no mecanismo dos juros sobre juros: mesmo que a taxa mensal seja aparentemente pequena, quando o prazo é longo, você dará oportunidade para o princípio dos juros compostos atuar paulatinamente.

Uma forma de atenuar esse tipo de dívida é tentar dar uma entrada maior. Em vez de "apenas" R$ 50 mil, pense em acumular previamente quatro vezes isso para dar de entrada: R$ 200 mil. Assim, o saldo a financiar cairá para "apenas" R$ 300 mil (PV).

Note que a proporção de juros embutidos em cada parcela não necessariamente diminuirá (afinal o prazo e a taxa não terão caído), mas seu valor absoluto se reduzirá de R$ 2.491 por parcela para R$ 1.661, poupando-lhe R$ 830 de juros por mês durante longos 240 meses, uma economia de R$ 199.200 no total, o que dá para comprar outro bom imóvel!

Observe como fica essa conta refeita em nossa calculadora:

IMÓVEL: ENTRADA MAIS ALTA	VALOR DO BEM	100%	R$ 500.000		DEVIDO POR MÊS	(PMT)	R$ 2.911	
	ENTRADA	40%	R$ 200.000		PRINCIPAL	43%	R$ 1.250	
	PRAZO	(n)	240 meses		JUROS EMBUTIDOS	57%	R$ 1.661	
FINANCIAMENTO	TAXA DE JUROS	(i)	**0,84 %**	AO MÊS		(i) ACM.	**133%**	NO TOTAL

Qualquer que seja a dívida que você tenha ou pretenda fazer, jamais deve deixar de fazer a conta certa para apurar o quanto de juros estará pagando, conforme as diversas modalidades de crédito. Só assim será possível avaliar corretamente o impacto que o pagamento dos juros da dívida terá em seu bolso, julgando o que vale ou não a pena conforme o benefício proporcionado em cada situação. Jamais se esqueça: dívidas imprudentes empobrecem seu bolso e achatam seu poder aquisitivo de qualidade de vida. Para quem deseja enriquecer, é como acelerar o carro na contramão.

Capítulo 14

Para quem tem sonhos qualificados, crédito qualificado!

Em nossa vida financeira, não há como falar em conquista da verdadeira riqueza sem avançar rumo aos nossos grandes sonhos de compra e consumo. Como já discutimos, a melhor forma de fazer isso é traçar bons planos de investimentos, economizar e aplicar nossas economias, para assim formar reservas financeiras estratégicas, com as quais será possível bancar nossos grandes sonhos, pagando-os à vista e com desconto. Um bom plano de investimentos sempre levará você mais longe que uma dívida.

No entanto, há momentos em que devemos dar um passo para trás (contrair uma dívida), a fim de avançar dois passos (conquistar algo importante que desejamos). Há ocasiões em que uma dívida pode ser boa para sua vida financeira, desde que não seja um crédito qualquer, contratado de forma emergencial e não planejada, para socorrer um rombo imprevisto no orçamento familiar. A dívida é especialmente boa quando se trata de um *crédito qualificado*, tema sobre o qual falaremos a seguir, e que deve estar contemplado em seu *Plano da Virada*.

UMA CORDA FORTE PARA ESCALAR SONHOS QUALIFICADOS

Um dos exemplos didáticos que mais gosto de utilizar é o da corda. Uma boa corda é ferramenta indispensável para qualquer alpinista de sucesso. As maiores montanhas do mundo só puderam ser escaladas e conquistadas por esportistas que contavam com a ajuda providencial de uma boa corda. É lógico que, nesses casos, nós estamos falando de gente que sabia muito bem como escolher e utilizar a tal da corda, para ajudá-lo a chegar aos mais altos cumes. O crédito pessoal funciona de forma similar.

Agora, dependendo da presente situação de sua vida financeira, talvez hoje você não esteja sequer enxergando montanha alguma. Pelas circunstâncias do destino, talvez se encontre enfiado em um buraco tão fundo que mal consiga enxergar um tiquinho de céu... Tudo bem: também nesse caso uma "boa corda" poderá lhe ser útil para sair desse buraco. Depois, chegando lá no alto – já fora do buraco das dívidas –, você possa começar a escalar a tal da montanha, iniciando seus planos de investimentos.

É verdade que, se o indivíduo não tiver conhecimento adequado de como escolher e usar a corda, ela pode simplesmente acabar servindo para ele descer ainda mais fundo no buraco. Chegando lá, bem no fundo do poço, bate aquele desespero danado, e muitos acabam usando a corda para se enforcar! Mais crédito para quem não sabe utilizá-lo é sinônimo de *danação*, não de salvação.

Vamos então enxergar o *crédito concedido à pessoa física* como essa corda de que estamos falando. A princípio, crédito pessoal é bom. Se for bem utilizado, ele pode lhe ajudar a sair do buraco, livrando-o de dívidas mais preocupantes e, assim, possibilitar maior liberdade no relacionamento com o dinheiro.

O crédito pessoal bem gerenciado também pode ajudá-lo a "escalar importantes montanhas" na sua vida financeira, possibilitando conquistar bens e fazer seu patrimônio crescer, reforçando seu caminho rumo à prosperidade. Mas, cuidado, o oposto também é verdadeiro: o uso mal planejado e pouco consciente do crédito pessoal pode acabar minando e destruindo seu processo de enriquecimento contínuo!

Bem, entre as várias opções de crédito pessoal disponíveis no país, o *crédito cooperativo* e o *crédito consignado* despontam como as mais adequadas "cordas" para o pequeno tomador de empréstimos no Brasil. São baratos, descomplicados e, desde que aliados a um planejamento competente de seus gastos, contas e compras, desde que focados em sonhos verdadeiramente qualificados, podem ajudá-lo a escalar novos patamares de qualidade de vida, e devem ser parte importante de seu *Plano da Virada*.

TEM DÍVIDAS PREOCUPANTES? USE O COOPERATIVO OU O CONSIGNADO

Do ponto de vista do consumidor consciente, o *crédito cooperativo* e o *crédito consignado* podem ser opções de *crédito pessoal* verdadeiramente *qualificadas*. São créditos simples de se obter: você toma certa quantia em mãos (à vista), e divide o pagamento em determinadas parcelas prefixadas, normalmente corrigidas por uma taxa que, não raro, fica próxima (ou abaixo) de 2% ao mês.

A partir daí, as parcelas mensais têm data certa para serem descontadas diretamente do seu salário, o que dá uma boa garantia de recebimento para o credor – a cooperativa ou o banco – possibilitando à instituição financeira ou sociedade cooperativa praticar juros/encargos bem mais razoáveis para o devedor.

Se por acaso se encontra hoje atolado na traiçoeira cova das dívidas mal planejadas, o crédito cooperativo e o crédito consignado, sem bem utilizados, podem perfeitamente ser a corda que irá tirá-lo desse buraco.

Para ilustrar, vamos imaginar que você já tenha recebido a próxima fatura do seu cartão de crédito. O valor total é de R $1 mil e você já está ciente de que, considerando sua atual situação financeira, não haverá dinheiro para pagar mais do que o mínimo permitido de 10% da fatura, ou seja, R$ 100. A saída mais óbvia, em um caso como esse, é optar pelo uso do crédito rotativo do cartão. Pode até ser muito rápido e prático, é verdade, só que ele lhe cobrará uma taxa de juros de cerca de 11% ao mês.

Ao optar por essa via, você pagará R$ 100 no ato (10% = *mínimo*) e financiará R$ 900 (90% = *saldo*) no rotativo do cartão, com 11% de juros ao mês. Mesmo que não gaste *um centavo a mais* nesse cartão nos próximos 30 dias, no mês que vem a fatura retornará com o valor praticamente idêntico de R$ 1 mil, já que serão aqueles mesmos R$ 900 que havia ficado devendo do mês anterior, e mais R$ 99 de juros do período de um único mês (é isso que dá 11% sobre R$ 900).

Agindo dessa forma, você não sairá desse buraco jamais: mesmo pagando juros elevados todo mês, sua dívida continuará *intacta* como o passar do tempo, pois sempre deverá os mesmos R$ 1 mil!

Uma saída inteligente será tomar na cooperativa de crédito, ou pedir para o pessoal do RH de sua empresa a liberação de um crédito consignado no valor dos R$ 900 (PV) que estão faltando. Supondo encargos totais de 2% ao mês (i), e parcelamento em doze mensalidades iguais (n), quanto você terá de pagar de parcela (PMT)? Bem, vamos nos valer de nossa *Calculadora de Matemática Financeira – Pagamento Periódico* (PMT) para fazer essa conta:

PMT	PV	R$ 900,00	PMT	-R$ 85,10		
PAGAMENTO	i	2,00%	FV	R$ 0,00		
PERIÓDICO	n	12,0 períodos	FIM END	X	COMEÇO BEG	

Você pagará por essa nova dívida apenas 12 parcelas de R$ 85,10. Assim, nos próximos 12 meses, pagará um valor mensal até bem inferior ao que pagaria de faturamento mínimo do cartão (R$ 15 a menos todo mês, o que dá R$ 180 a menos no total das 12 parcelas), e após um ano já estará totalmente livre de qualquer dívida. Essa troca terá sido quase um "milagre" financeiro, com grande impacto enriquecedor efetivo sobre seu poder de compra, que deixa de ser aviltado pela dívida do cartão.

Porém, tenha cuidado: jamais utilize a conveniência e a facilidade do socorro proporcionado pelo crédito cooperativo ou consignado como argumento para relaxar na hora de contratar uma nova dívida daquelas mais caras (tipo cheque especial ou cartão), ou então vacilar na hora de efetuar uma nova compra parcelada sem planejamento!

TEM UM SONHO E NÃO TEM A GRANA? VÁ DE CRÉDITO QUALIFICADO!

Em sua vida, pode bem acontecer de você se deparar com oportunidades de agregar qualidade de vida para as quais não tenha disponível, *naquele exato momento*, o dinheiro necessário. Nessas horas, é importante saber recorrer à fonte certa para colher tais oportunidades imprevistas sem medo de ser feliz.

Vamos imaginar que um grupo de amigos seus vá viajar para o Nordeste, passando uma semana nas paradisíacas praias de Fortaleza. Uma amiga sua, que já comprou seu pacote de viagem, fez o acerto de pagar à operadora de turismo 12 parcelas de R$ 200. Você está sem grana no momento, não quer fazer dívida à toa, mas também não gostaria de perder a chance de viajar com amigos tão legais para um lugar tão maravilhoso.

Logo você pensa em fazer o mesmo parcelamento que sua amiga realizou, mas imediatamente se lembra de que, antes de tomar uma decisão importante como essa, é melhor fazer a conta certa na ponta do lápis, ponderando o que será realmente mais vantajoso, diante das opções efetivamente disponíveis.

Pagar à vista, com desconto, é sempre a melhor prática do ponto de vista financeiro, você sabe. Então você vai à agência de turismo e consegue negociar o pagamento do pacote com R$ 400 de desconto sobre o preço de tabela, que é de R$ 2.400, diminuindo o valor da viagem para apenas R$ 2 mil. Mas isso, naturalmente, só valerá se o pagamento for feito à vista.

Como não tem essa quantia de R$ 2 mil (PV) disponível, você resolve tomá-la emprestada na *cooperativa de crédito* da qual faz parte na empresa em que trabalha, ou então resolve levantar a grana num *empréstimo consignado*, pagando em 12 parcelas (n), com encargo de 2% ao mês (i). Em quanto ficará a mensalidade (PMT)? Vamos fazer a conta certa:

PMT	PV	R$ 2.000,00	PMT	-R$ 189,12
PAGAMENTO	i	2,00%	FV	R$ 0,00
PERIÓDICO	n	12,0 períodos	FIM END X	COMEÇO BEG

Você pagará 12 parcelas de R$ 189 e fará uma economia de R$ 11 em cada parcela, em comparação à divida feita por sua amiga (R$ 200 – R$ 180 = R$ 11). Como são 12 parcelas no total, você economizará 12 x R$ 11 = R$ 132.

Você pode argumentar que é muito pouco, mas, em se tratando de uma grana que consegue economizar sem esforço algum, apenas tendo o bom senso de recorrer a um *crédito qualificado*, em vez de entrar de cara em um parcelamento qualquer com juros embutidos bem maiores, não se trata de pouco dinheiro!

Com esse "dinheirinho", poderá comprar lembrancinhas da sua viagem, ou então gastá-lo em um restaurante legal, ou, ainda, direcionar essa "verbinha" para um passeio bacana no local de destino dessa sua viagem paradisíaca. Qualquer dessas alternativas terá muito mais impacto enriquecedor sobre sua qualidade de vida do que pagar juros embutidos desnecessários.

QUER FAZER SEU PATRIMÔNIO CRESCER? O CRÉDITO QUALIFICADO PODE AJUDAR!

Quem não sonha com a *casa própria*? Ou uma casa na praia, um sítio... O uso qualificado do crédito cooperativo ou consignado pode ajudá-lo a concretizar esse objetivo.

Imagine que você vá comprar um *terreno para construir*. O valor do terreno é R$ 75 mil, mas a incorporadora oferece parcelamento em 48 vezes de R$ 2.100, o que dará R$ 100.800 no total. Se estiver disposto a pagar à vista, a incorporadora lhe dá o desconto de R$ 15 mil, um abatimento de 20% que não é muito difícil de se conseguir em situações como esta. Nesse caso, o preço final do terreno para pagamento à vista fica em R$ 60 mil.

Se tomar esses R$ 60 mil (PV) na cooperativa de crédito da qual participa, ou pegar a grana num empréstimo consignado, com juros de 2% ao mês (i), pagará 48 parcelas (n) de que valor? É só fazer a conta certa:

PMT PAGAMENTO PERIÓDICO				
PV	R$ 60.000,00	PMT	-R$ 1.956,11	
i	2,00%	FV	R$ 0,00	
n	48,0 períodos	FIM END	X	COMEÇO BEG

Você pagará 48 parcelas de R$ 1.956, ou seja, pagará R$ 93.888 no total (48 x R$ 1.956), a bagatela de R$ 6.912 a menos (R$ 100.800 – R$ 93.888) do que na hipótese de financiar o terreno diretamente com a incorporadora.

Ao optar por essa via, além dos R$ 7 mil de economia, há outra vantagem: você quitará seu terreno no ato e passará imediatamente a escritura desse imóvel para o seu nome. Não importa o que aconteça com a incorporadora – até mesmo em caso de falência – sua propriedade já estará garantida. Já quando a compra do imóvel é parcelada, a escritura só vem depois da última parcela. O que lhe parece mais conveniente para seus anseios de qualidade de vida?

Capítulo 15

Dívidas descontroladas: calcule o tamanho do rombo

Em suas finanças pessoais, uma eventual situação de endividamento crônico requer ação, e ação imediata. Quanto mais você deixar rolar a bola de neve das dívidas nocivas, mais ameaçadora ela se tornará para o atendimento de suas necessidades cotidianas e a realização de seus sonhos de compra & consumo, pois muito dinheiro bom será gasto com a dívida ruim.

Há três tipos de posturas que jamais devem ser assumidas pelo devedor crônico: indiferença, desespero ou derrotismo. Qualquer uma delas – ou uma perigosa alternância das três – poderá induzi-lo à imobilidade em relação às dívidas, certamente o pior caminho para defender sua qualidade de vida diante da grave ameaça de um indesejado acúmulo de dívidas preocupantes. Pois saiba que elas só ficarão piores a cada dia em que não fizer nada contra elas! Então, não deixe de contemplar essa situação em seu *Plano da Virada*.

O principal motivo que leva o devedor crônico a assumir uma postura equivocada com relação a suas dívidas é o *desconhecimento* de como elas funcionam e de sua verdadeira situação como devedor. Então, o quanto antes você arregaçar as mangas e buscar conhecer melhor suas dívidas, para poder replanejá-las uma a uma, botando as piores para correr em definitivo, tanto melhor para interromper o processo de empobrecimento contínuo precipitado pelas más dívidas.

O QUE PODE SER PENHORADO? PODEM LHE TIRAR SUA CASA E SEU CARRO?

Um dos temores mais comuns dos endividados crônicos é a *penhora*, ou seja, a perda de patrimônio em função de dívidas não pagas. Principalmente quando a dívida é cobrada via escritórios de cobrança (e não diretamente pelo credor), é comum ouvir por telefone a seguinte ameaça: "Um oficial de justiça irá até sua casa para penhorar seus bens (inclusive o próprio imóvel!) para serem leiloados em pagamento da dívida". Não é bem assim.

No caso do imóvel, a Lei n. 8.009, de 29 de março de 1990, determina que:

> Art. 1º. O imóvel residencial próprio do casal, ou da entidade familiar, é impenhorável e não responderá por qualquer tipo de dívida civil, comercial, fiscal, previdenciária ou de outra natureza, contraída pelos cônjuges ou pelos pais ou filhos que sejam seus proprietários e nele residam, salvo nas hipóteses previstas nesta lei.

O imóvel único de família até poderá ser penhorado, mas somente nos casos específicos que a lei determina, como, por exemplo, de dívidas diretamente pertinentes ao próprio imóvel (por exemplo, financiamento imobiliário, condomínio, IPTU, hipoteca), dívidas que receberam o imóvel em garantia escrita e assinada (por exemplo, fiança em locação de terceiros), pensão alimentícia não paga ou dívidas com trabalhadores domésticos da própria residência. Afora essas hipóteses, você não perderá a casa.

Já o carro está sob maior risco, principalmente porque a maior parte dos contratos de financiamento prevê a busca e apreensão do veículo após um período de atrasos consecutivos que varia de três a seis meses. Confira essa informação no contrato do financiamento que você assinou.

É VERDADE QUE UMA DÍVIDA CADUCA AUTOMATICAMENTE APÓS CINCO ANOS?

No auge do desespero, muitos devedores crônicos costumam procurar por soluções mágicas, escapatórias mirabolantes que possam livrá-los de seu enorme aperto financeiro de uma hora para a outra. Lamento informar-lhe, mas é importante que você saiba: essas "saídas espertas" simplesmente não existem.

Talvez você tenha ouvido dizer por aí que basta esperar cinco anos por uma dívida não paga que ela "desaparecerá" automaticamente. Bom – e fácil – demais para ser verdade, não? Agora, existem, sim, informações importantes relacionadas a esse período "mágico" dos cinco anos, e eu quero colocá-las para você de forma bem clara.

Para começar, é bom lembrar que o Novo Código Civil brasileiro dispõe que o direito de cobrança judicial de uma dívida prescreve em cinco anos:

> Art. 206. Prescreve:
>
> § 5o Em cinco anos:
>
> I – a pretensão de cobrança de dívidas líquidas constantes de instrumento público ou particular

Dessa forma, está assegurado em lei que uma dívida não cobrada na Justiça em até cinco anos da data do seu vencimento (data em que deveria ter sido paga e não foi), terá seu direito de cobrança prescrito, ficando o devedor livre da obrigação. O credor poderá até tentar cobrar tal obrigação amigavelmente (por carta ou telefone, sem qualquer constrangimento do devedor) após esse prazo, mas não poderá acionar a Justiça contra o devedor.

É comum uma determinada dívida ser "vendida" ou "cedida" pelo seu credor original a outra pessoa ou empresa. É praxe em grandes empresas negociar suas dívidas com pequenos escritórios de *factoring* (vários deles – não todos – atuando simplesmente como agiotas travestidos de instituição financeira). Isso é até permitido por lei, mas não muda nenhuma das características da sua dívida.

Mesmo em caso de transferência da dívida a terceiros, o prazo de cinco anos para a prescrição do direito de cobrança da dívida na Justiça só deve contar uma única vez, a partir da data em que você deixou de pagar tal dívida (data efetiva do vencimento da dívida), independentemente dos "n" credores sucessivos que venham a assumi-la.

Porém, fique atento: essa prescrição do prazo de cobrança de uma dívida em cinco anos não deve ser interpretada como grande alívio para quem tem dívidas em aberto, porque dificilmente o credor deixará de fazer uso das vias judiciais para reaver o valor no tempo hábil, principalmente no caso de dívidas de valor mais expressivo.

É FATO QUE SEU NOME SÓ PODERÁ FICAR NEGATIVADO POR CINCO ANOS?

Quando você não paga uma determinada dívida, seu credor ganha o direito de enviar seu nome/CPF para registro nos chamados serviços de proteção ao crédito. Como consequência, você provavelmente não conseguirá mais comprar a prazo, não terá seus cheques aceitos por aí e não poderá mais contrair financiamentos em bancos e instituições financeiras em geral.

Mesmo para um típico "cara de pau", essa situação traz efeitos colaterais incontroláveis e indesejáveis. Muitas empresas, ao selecionar profissionais para suas vagas de emprego, levantam a situação dos candidatos junto a tais serviços de proteção ao crédito e simplesmente vetam os "anotados". Já pude observar também a situação de profissionais liberais que até poderiam ser contratados para realizar determinados trabalhos, mas são preteridos quando informam à potencial empresa cliente que não têm conta em banco para o contratante poder fazer os depósitos dos pagamentos a eles devidos.

Esse registro negativo ali permanecerá, para livre consulta dos lojistas ou instituições financeiras, até a devida quitação da dívida e subsequente baixa no cadastro. Ou até o prazo máximo de cinco anos a contar da data do não pagamento, devendo, a partir de então, ser retirado do cadastro negativo, mesmo que a dívida não tenha sido paga, independentemente de haver processo em aberto na Justiça ou não.

Entenda bem: após cinco anos, caso o seu credor tenha recorrido a um processo judicial, você continuará com a obrigação de quitar a dívida deixada em aberto, mas seu nome terá de ser obrigatoriamente retirado das anotações nos serviços de proteção ao crédito, de acordo com o que estipula o Código de Defesa do Consumidor:

> Art. 43. O consumidor terá acesso às informações existentes em cadastros, fichas, registros e dados pessoais e de consumo arquivados sobre ele, bem como sobre as suas respectivas fontes.
>
> § 1° Os cadastros e dados de consumidores devem ser objetivos, claros, verdadeiros e em linguagem de fácil compreensão, não podendo conter informações negativas referentes a período superior a cinco anos.

O parágrafo 5º desse mesmo artigo do Código de Defesa do Consumidor também dispõe que, se já estiver prescrito o direito de cobrança da dívida devido ao decurso do prazo de caducidade de que tratamos no item anterior, não poderão mais ser fornecidas informações negativas pelos cadastros de restrição ao crédito:

> § 5° Consumada a prescrição relativa à cobrança de débitos do consumidor, não serão fornecidas, pelos respectivos Sistemas de Proteção ao Crédito, quaisquer informações que possam impedir ou dificultar novo acesso ao crédito junto aos fornecedores.

Se a dívida for protestada em cartório e/ou incluída novamente em órgãos de restrição ao crédito após os cinco previstos de prescrição, o consumidor/devedor deverá buscar a defensoria pública, ou um advogado de sua confiança, para entrar com processo na Justiça exigindo a imediata exclusão dos cadastros e pedindo, inclusive, indenização por danos morais resultantes do cadastro indevido.

Aqui cabe uma ressalva: se você, em algum momento nesse período de cinco anos, fizer um acordo formal (registrado documentalmente) com seu credor, a dívida anterior ficará extinta do ponto de vista legal, criando-se, em substituição a ela, uma *nova* dívida.

Isso remete à imediata exclusão do seu nome dos cadastros negativos (após o pagamento comprovado da primeira parcela), o que é obviamente bom para você. No entanto, lembre-se de que uma nova dívida foi criada: se, em algum momento, ela não for paga, começará a contar novo prazo integral de cinco anos para a sua caducidade.

Outro esclarecimento: a tentativa de baixar seu nome dos cadastros negativos de crédito em função de uma dívida regularizada de nada adiantará se o seu nome também estiver registrado por causa de outra(s) dívida(s) não quitada(s). Para "zerar" seu nome, será importante a quitação de *todas* as dívidas que implicaram registros negativos.

Por fim, é importante ressaltar que, no caso de dívidas parceladas, como crediários, financiamentos e empréstimo pessoal, o prazo de cinco anos vale para cada parcela, que pode ser cadastrada independentemente das demais.

Numa dívida de 48 meses, por exemplo, que você parou de pagar a partir do 25º mês, e assim sucessivamente, deixando de quitar todas as demais 24 prestações, a contagem dos cinco anos começará a partir da prestação mais nova, a 48ª. Isso, a menos que o contrato porventura preveja, em caso de não quitação de uma parcela qualquer, o *vencimento antecipado* integral da dívida, hipótese em que os cinco anos serão contados a partir da *primeira* parcela não paga (e não da última).

COMO SABER SE SEU NOME ESTÁ "ANOTADO"

Uma coisa é fato: para "limpar seu nome na praça", você terá que quitar suas dívidas legalmente devidas, obrigatoriamente. Além disso, deverá ter o cuidado de adotar os procedimentos necessários para retirar seu nome dos cadastros de proteção ao crédito (em alguns casos isso é feito de forma automática; em outros, não).

As informações abaixo foram extraídas (em 22 de junho de 2010) do site da Serasa Experian (www.serasaexperian.com.br), maior empresa do setor de serviços de proteção ao crédito no país. Consulte o também tradicional SPC Brasil (www.spcbrasil.org.br). Importante: antes de tomar qualquer providência efetiva, convém sempre consultar as informações atualizadas nos sites das respectivas instituições, porque tais procedimentos são dinâmicos e podem sofrer alterações com o passar do tempo.

Para consultar seu CPF, basta encaminhar uma carta para a Serasa Experian, localizada à rua Antonio Carlos, 434 – CEP 01309-010 – Cerqueira César – São Paulo – SP. Os seguintes dados são necessários:

- Detalhar na carta as informações desejadas.
- Assinar e identificar com número de CPF e RG.
- Informar endereço completo para resposta.
- Encaminhar, com a carta, cópia autenticada de CPF e RG ou obter reconhecimento de firma da assinatura aposta na carta.

Deu erro? Para retirar a anotação do seu nome junto aos serviços de proteção ao crédito, você deverá proceder de acordo com as seguintes orientações.

No caso da Serasa Experian, siga as instruções abaixo, coletadas do site da instituição.

Para recebimento de carta-comunicado e dívidas vencidas: ao receber uma carta-comunicado, regularize a situação com a loja ou empresa que lhe concedeu crédito e aguarde. O próprio estabelecimento enviará o comando de regularização da pendência para a Serasa Experian por meio eletrônico. O mesmo vale para dívidas vencidas.

Cheque sem fundos: se você emitir um, siga estes procedimentos:

- Procure a agência do banco indicado como apresentador da ocorrência de cheque sem fundos.
- Solicite ao banco informações sobre o número, o valor e a data do cheque que foi reapresentado.
- Em seguida, verifique nos canhotos de cheques em seu poder para quem foi emitido o cheque, procure a pessoa ou empresa para regularizar o débito e recuperar o cheque.
- De posse do cheque, prepare uma carta seguindo a orientação do gerente do banco da sua conta, que informou a ocorrência. Junte o original do cheque recuperado, recolha as taxas bancárias pela devolução do cheque e protocole uma cópia dos documentos entregues no banco para regularização no Cadastro de Emitentes de Cheques sem Fundos (CCF).

- Para a regularização no CCF, o correntista deve acompanhar e obter o protocolo da comunicação de regularização emitida por seu banco para o Banco do Brasil, encarregado pelo Banco Central de processar a atualização do CCF.
- A regularização de cheques sem fundos só ocorre após o Banco do Brasil enviar comando específico para a Serasa Experian, por meios magnéticos.

Caso conste protesto em seu nome ou CPF, siga estes procedimentos:

- Dirija-se ao cartório que registrou o protesto e solicite uma certidão, para obter os dados de quem o protestou.
- Comunique-se com quem o protestou, regularize o débito e peça uma carta, indicando que a dívida foi regularizada.
- Reconheça firma da pessoa/empresa, retorne ao cartório onde consta o registro do protesto e solicite o seu cancelamento.
- A baixa do protesto ocorrerá pelo comando do cancelamento de protesto pelo respectivo cartório.
- Necessitando resolver a situação com urgência, encaminhe a certidão para o seguinte endereço: rua Antonio Carlos, 434 – CEP 01309-010 – Cerqueira César – São Paulo – SP.

No caso de ações judiciais (execuções de dívida ou busca e apreensão), recuperação judicial, extrajudicial ou falências, para a regularização desse tipo de anotação:

- Certifique-se de que o processo já tenha sido julgado e se encontra arquivado ou extinto.
- A certificação é obtida por meio de cópia do despacho do juiz ou de certidão emitida pela vara cível onde o processo foi distribuído.
- Nos casos de falência, deverão constar também os CPFs dos sócios na certidão e na carta.
- Depois, encaminhe à Serasa Experian a comprovação da existência de embargos à execução, penhora, extinção do processo ou a existência de acordo entre as partes com homologação em juízo. Envie tudo para o endereço: rua Antonio Carlos, 434 – CEP 01309-010 – Cerqueira César – São Paulo – SP.

AJUDE A QUEM PUDER, PORÉM JAMAIS EMPRESTE SEU DINHEIRO OU SEU NOME

Uma das situações mais difíceis por que passamos é quando um parente ou um amigo vem nos pedir algo emprestado. Infelizmente, essa história muito raramente acaba em final feliz.

Em duas décadas, já pude testemunhar muita "gente boa" por aí tomando e dando calote em amigo e parente, o que inevitavelmente acaba resultando em rompimento de preciosas relações, que, do contrário, poderiam perfeitamente ser mantidas por toda uma vida.

Já assisti a graves desentendimentos entre pais e filhos, homéricas brigas entre namorados, entre noivos, altos quebra-paus entre colegas de trabalho, confusão envolvendo gente de todas as classes sociais e faixas etárias. Tudo por causa de um pedido de empréstimo que só foi feito – e só foi atendido – porque havia um laço de proximidade pessoal e cumplicidade entre as partes.

Essas confusões são tão frequentes e desagradáveis, que eu não posso deixar de ser até um pouco radical na orientação que vou lhe passar: jamais empreste dinheiro a quem quer que seja, e tenha cuidado redobrado com gente próxima. Quanto mais próximo de você, maior o perigo. Acontece que essa proximidade acaba gerando no devedor uma irresistível tentação de afrouxar seu compromisso para com o credor. Quem emprestou acabará levando a pior: além de sair financeiramente lesado, também há de se sentir traído no nível pessoal. Enquanto o "caloteiro", de seu lado, também se põe de amuado, pois esperava mais "flexibilidade" do parente/amigo.

Não estou dizendo para você não ajudar os necessitados, muito pelo contrário. Em vez de *emprestar*, é melhor simplesmente *dar*, sem qualquer expectativa de devolução. Dê o que puder, quando puder, se puder. Mas não empreste.

Se você deseja efetivamente ter para poder dar, planeje-se financeiramente para isso, inclua as doações como um item regular de seu orçamento, digno do mesmo respeito que merecem outros itens também importantes para a sua qualidade de vida como um todo. Eu e minha mulher fazemos isso, e recomendamos a pessoas de qualquer classe social.

Em tempo: tão ruim quanto emprestar dinheiro é, como se diz por aí, "emprestar o nome". É muito arriscado. Alguns poderão criticá-lo, chamando-o de sovina, pão-duro, mão-de-vaca, sem coração. Se você tem a consciência tranquila de que vem ajudando a quem pode, com o que pode, mas da maneira correta – que é dando, e não emprestando –, durma sossegado. Levar calote de gente próxima é um mal que jamais há de lhe corroer os ossos, ou o bolso.

Capítulo 16

Livre-se já das dívidas mais preocupantes!

Já disse e repito: em sua vida financeira, uma situação de endividamento crônico requer ação, e ação imediata! O quanto antes você arregaçar as mangas, replanejar sua situação de endividamento como um todo e botar as piores dívidas para correr em definitivo, tanto melhor.

Agora que já conhece um pouco melhor suas dívidas, o nível de desespero deve ter se reduzido, por um lado, e a vontade de fazer alguma coisa, de não permanecer indiferente (na prática) deve ter aumentado, por outro. É hora de agir, acionando esta parte importantíssima de seu *Plano da Virada*: livrar-se das dívidas imprudentes!

Quatro são os passos para eliminar suas dívidas mais preocupantes.

- Identificar as dívidas que possui.
- Avaliar o grau de gravidade de cada uma.
- Identificar os bens que possui.
- Negociar e eliminar as dívidas, uma por uma.

1. FAÇA UM LEVANTAMENTO COMPLETO DE TODAS AS DÍVIDAS FAMILIARES

Comece anotando todas as dívidas pessoais que você e sua família tenham hoje. Estude detalhadamente todas as condições em que cada dívida foi contraída. É comum as pessoas contratarem novas dívidas, não importa de que modalidade sejam, sem primeiro ler os contratos que regem suas obrigações enquanto devedor.

Por vezes, o contrato acaba nem sendo fornecido pelo credor no momento da contratação da dívida e, como o devedor também não o solicita, a coisa fica por isso mesmo. Só que, na hora de renegociar suas dívidas, os contratos serão o indispensável ponto de partida. Se ainda não tem algum deles, solicite, corra atrás, e não sossegue até obtê-lo.

A "lição de casa" de ler e entender cada contrato de suas dívidas não foi feita antes? Pois faça isso agora, com agilidade e precisão. Se possível, consulte um advogado, um economista ou, no mínimo, amigos bem intencionados e experientes para auxiliá-lo nesse processo de esquadrinhamento de suas dívidas. Não desista diante da natural complexidade da linguagem utilizada nos contratos, pois é neles que você encontrará as informações para dar o passo seguinte.

2. AVALIE O GRAU DE GRAVIDADE DE CADA UMA DE SUAS DÍVIDAS

Preste atenção a esses dez principais fatores que determinam a gravidade de uma dívida, comparativamente às demais dívidas que você pode ter em sua "coleção".

Analise e classifique cada dívida isoladamente do ponto de vista dos seguintes fatores, atribuindo a cada um deles uma nota de intensidade (gravidade), indo de 0 (nada) a 10 (máxima).

Em seguida, some as dez notas atribuídas aos dez critérios da dívida e divida por 100, para obter a nota média, que deverá ficar em algum ponto entre 0 e 10: quanto mais alta a nota, mais grave a dívida.

1. Poder de sedução da modalidade de crédito na qual esta dívida em particular se encaixa, podendo induzir a novos e maiores endividamentos na mesma modalidade. As dívidas muito "práticas", aquelas para as quais você não precisa de autorização de ninguém para contrair – feito cheque especial e crédito rotativo do cartão – costumam levar nota alta neste perigoso quesito.

2. Nível de taxa de juros que incide sobre o valor devido.

3. Possibilidade de **alta futura na taxa de juros** que comanda a dívida. Por exemplo: em uma dívida com juros prefixados, como é o caso dos financiamentos em geral, essa possibilidade é menor (a menos que a inflação que corrige os contratos apresente o risco de disparada). Já no caso da taxa do cheque especial, basta os juros básicos da economia serem alterados para cima, para se esperar alta na taxa cobrada no cheque especial.

4. Valor em reais da **parcela mensal** (mensalidade) e seu **peso no orçamento familiar** (percentual). Qualquer parcela de centenas ou milhares de reais, e/ou parcelas que ultrapassem 5% da renda familiar mensal, deve receber nota alta neste critério (passou de 10%, a nota só poder ser 10!).

5. Valor do **saldo devedor a vencer** comparado com o **valor atual do bem adquirido** por meio dessa dívida. Mesmo que o bem adquirido não tenha sido dado como garantia real direta da dívida, para você ele representa, sim, uma garantia, um lastro: no aperto, ele poderá ser vendido para fazer caixa. Nesse sentido, o financiamento de um automóvel recebe nota alta (apesar de um carro ser um bem muito líquido), porque o veículo se desvaloriza rapidamente. Já um financiamento de imóvel recebe nota baixa, uma vez que o imóvel tende a se valorizar com o passar do tempo (mesmo que seja apenas para acompanhar a inflação), o que dá melhor sustentação ao seu lastro.

6. Valor do **saldo devedor eventualmente em atraso**, comparado com o **saldo devedor a vencer**. À medida que você começa a atrasar uma proporção cada vez maior daquilo que deve no total, seu credor fica mais propenso a buscar as vias judiciais para reaver o dinheiro que lhe é devido e não está sendo pago. (Simplesmente deixe esse critério de fora da pontuação se a dívida estiver em dia.)

7. Porcentagem da **multa + juros de mora + correção monetária** por eventual atraso no pagamento. Mesmo com a dívida em dia, ela deve ser considerada tanto mais grave quanto maior for a penalização financeira prevista em contrato para a hipótese de atraso.

8. **Garantia real exigida** pela dívida, ou seja, o bem/direito que se perde – ou, pelo menos, se põe em risco de perda – em função do não pagamento da dívida.

9. Possibilidade de **coação social e moral** por parte do credor, em caso de não pagamento. Uma dívida com seu chefe, por exemplo, pode se tornar bastante grave se não for devidamente quitada.

10. Possibilidade de **eventual retaliação de natureza física** da parte de quem lhe emprestou o dinheiro, na hipótese de atraso. Parece grotesco falar disso, mas, infelizmente, trata-se de uma ameaça real no caso de empréstimos contraídos junto a agiotas (mais um bom motivo para fugir dessa escória financeira a qualquer custo!).

Feita a análise de gravidade de cada dívida, ordene todas as suas dívidas pela nota média apurada, da mais grave (nota mais alta) para a menos nociva (nota baixa). Essa ordem pode ser um excelente ponto de partida para as providências de quitação que você tomará a seguir.

Para facilitar esse passo, veja agora nossa SMARTCALC (ferramenta eletrônica que integra a metodologia PROF).

Essa calculadora está disponível no CD que acompanha este livro. Trata-se de um arquivo de Microsoft Excel 2003, sob o nome *Ferramenta Eletrônica 5 – Calculadora de Dívidas – Grau de Gravidade.* Você não precisa ter conhecimentos desse programa para utilizar a calculadora (basta seguir as instruções aqui apresentadas), embora precise tê-lo instalado em seu computador.

DÍVIDAS NA PONTA DO LÁPIS

CALCULADORA DE DÍVIDAS: GRAU DE GRAVIDADE

REGISTRE ABAIXO A DÍVIDA SOB ANÁLISE E PONTUE DE 0 A 10 OS CRITÉRIOS QUANTO AO GRAU DE GRAVIDADE: **NOTA MAIS ALTA = DÍVIDA MAIS GRAVE**	*PODER DE SEDUÇÃO*	*TAXA DE JUROS*	*ALTA FUTURA NA TAXA*	*PESO DA PARCELA NO ORÇAMENTO FAMILIAR*	*SALDO DEVEDOR ATUAL X VALOR ATUAL DO BEM*	*SALDO DEVEDOR EM ATRASO X SALDO DEVEDOR A VENCER*	*MULTA + JUROS + CORREÇÃO*	*GARANTIA REAL EXIGIDA*	*COAÇÃO SOCIAL E MORAL*	*EVENTUAL RETALIAÇÃO FÍSICA*	*GRAU DE GRAVIDADE*
EXEMPLO: DÍVIDA COM O AGIOTA	10	10	10	8	10	5	10	0	10	10	**8,3**
MÉDIAS PARA AS DÍVIDAS LISTADAS											

SMARTCALCS® *por* PROF. MARCOS SILVESTRE *para* 12 MESES PARA ENRIQUECER

Metodologia PROF® Programa de Reeducação e Orientação Financeira V.1008020929

3. Levantamento de seus bens e disponibilidades de maior liquidez

Faça uma lista de tudo o que você tem hoje, seja em termos de bens materiais, seja em aplicações financeiras, quaisquer recursos que eventualmente poderiam lhe colocar algo no bolso para ajudar a saldar suas dívidas.

Para cada bem material, pergunte-se: "Se eu colocasse à venda, quanto tempo demoraria para vender e quanto – realisticamente falando – eu poderia apurar de valor líquido na venda?". Para cada aplicação financeira, pergunte-se: "Se eu desse ordem de baixa hoje, quanto tempo demoraria para entrar na minha conta-corrente e quanto – realisticamente falando – eu poderia apurar em termos líquidos com a baixa?".

Ter a coragem de se fazer essas assustadoras perguntas não significa que você já terá tomado a decisão definitiva de se desfazer de qualquer item do seu patrimônio, mas está apenas considerando hipóteses de forma planejada e realista para, então, tomar suas melhores providências concretas para a eliminação de suas dívidas mais graves e preocupantes.

4. Sua liquidez financeira x quitação total/parcial das dívidas

Diz o ditado que "é melhor perder os anéis do que os dedos". Pois essa pérola da sabedoria popular se aplica com muita propriedade a uma situação de endividamento crônico. Convém considerar essa possibilidade, de forma planejada e negociada.

Vender bens e resgatar aplicações para "matar" suas dívidas, por mais indesejável que pareça, pode ser o caminho menos doloroso e mais seguro para desencavar-se do profundo do poço das más dívidas e estancar o empobrecimento que elas lhe causam.

Imagine que você tem um veículo que vale R$ 20 mil. Se vendê-lo hoje mesmo, consegue levantar a disponibilidade financeira líquida de R$ 20 mil. Esse montante pode ser parcialmente utilizado, por exemplo, para quitar dívidas acumuladas de R$ 10 mil no cheque especial. Ainda sobrarão outros R$ 10 mil para servir como depósito inicial de um bom plano de investimentos para comprar outro carro no futuro próximo.

Parece desagradável ter de vender um carro, ou qualquer outro bem que você tenha conquistado nessa vida, simplesmente para poder pagar uma dívida. No entanto, se você não tomar essa atitude agora, e preferir esperar "um tempinho" – digamos uns dez meses – para tomar essa mesma decisão, sua situação financeira será muito pior.

Até lá, o carro já não valerá mais o que vale hoje: você conseguirá cerca de R$ 18 mil ou R$ 19 mil com sua venda. Por outro lado, considerando juros de 8% ao mês, as dívidas do cheque especial terão dobrado de valor nesse meio-tempo, atingindo R$ 20 mil. Isso, considerando que você não tenha usado um centavo a mais do cheque especial nesse período: a multiplicação de sua obrigação por dois será mero fruto da atuação do princípio dos juros compostos sobre seu saldo devedor.

Assim, fica fácil perceber que, agindo com rapidez e coragem, tomando já a atitude de trocar um determinado bem por uma boa dose de tranquilidade financeira, você ainda ficará com R$ 10 mil no bolso. Se esperar tão somente dez meses – menos de um ano –ainda terá que desembolsar um valor adicional de R$ 1 mil a R$ 2 mil para quitar exatamente a mesma dívida. A conta certa não me deixa mentir: o sacrifício pode ser grande, mas compensa. E fica o aprendizado.

SE NÃO PODE "MATAR O BICHO", TENTE CONVIVER COM UMA VERSÃO LIGHT DELE

Analisando o passo a passo sugerido no item anterior, você pode pensar: "E se eu não tiver nada para vender, nem aplicação financeira para baixar. O que fazer?".

Nesse caso, você terá de depender somente de seu salário para livrar-se das dívidas. Com isso, há duas medidas práticas: 1) renegociar e parcelar suas dívidas; 2) realizar um superenxugamento no orçamento para fazer caber as parcelas renegociadas (como discutimos na seção Fonte II – Gastos Mais Econômicos).

Para renegociar uma dívida, peça ao credor que lhe apresente uma posição do saldo devedor, incluindo todas as parcelas vencidas e vincendas não pagas, mais eventual multa, juros de mora e correção monetária. Em seguida, parta para a negociação de um eventual desconto sobre esse total. Pode dar certo. É sempre bom pedir uma proposta por escrito do novo parcelamento do valor devido – com a incidência de juros, claro.

Duas condições são importantes para o novo parcelamento: 1) as novas parcelas têm de caber no orçamento, e 2) não devem trazer embutidas nelas uma taxa mais alta que a anteriormente cobrada, apresentando de preferência uma taxa até mais baixa.

Imagine que você atrase o pagamento de parcelas de um crédito pessoal que havia contraído em condições aparentemente favoráveis (pois foi um programa especial do banco para a empresa), pelo prazo de 36 meses, com juros de 3% ao mês: você pagou 18 parcelas e, então, parou bem no meio.

Solicitando ao credor uma posição de saldo devedor, você recebe a informação de que precisaria ter R$ 6.397,15 para quitar sua obrigação. Depois de negociar bastante, o valor caiu para R$ 5.200.

Por tudo isso, você tem a noção de que poderia pagar uma nova prestação de R$ 300 mensais e pede ao banco que lhe faça uma proposta de parcelamento para a quitação dos R$ 5.200 (PV).

A proposta que lhe vem é a seguinte: 24 prestações (n) de R$ 372,83. Veja a conta certa em nossa *Calculadora de Matemática Financeira – Pagamento periódico* (PMT):

PMT PAGAMENTO PERIÓDICO	PV	R$ 5.200,00	PMT	-R$ 372,83		
	i	4,89%	FV	R$ 0,00		
	n	24,0 períodos	FIM END	X	COMEÇO BEG	

Como o valor ainda é alto demais para o seu bolso, há duas saídas, uma mais interessante para o banco e outra mais interessante para você.

Na primeira opção, adotada em geral pelas pessoas financeiramente menos bem informadas, você entra em contato com o banco, reclama do valor da parcela, e eles prontamente lhe propõem o parcelamento em 36 meses (novo n), fazendo a parcela cair para perto dos R$ 300, ficando, na realidade, em R$ 309,83 (novo PMT).

PMT PAGAMENTO PERIÓDICO				
PV	R$ 5.200,00	PMT	-R$ 309,83	
i	4,89%	FV	R$ 0,00	
n	36,0 períodos	FIM END	X	COMEÇO BEG

Se você não soubesse fazer conta e parasse por aí, tudo estaria resolvido – para a "sorte" do banco. Na primeira hipótese, de 24 parcelas, o banco receberia R$ 8.947,92 pela dívida de R$ 5.200. Na segunda hipótese, de prazo mais esticado (36 meses), o banco ganharia R$ 11.153,88 pela mesma dívida de R$ 5.200, ou seja, R$ 2.205,96 a mais que na primeira hipótese, uma diferença de quase 60% a mais de juros (R$ 3.747,92 x R$ 5.953,88) com esse pequeno artifício de jogar o prazo de 24 para 36 meses.

E não é para menos: embora a taxa permanecesse a mesma (o que nem sempre acontece, pois é comum a taxa subir com o prazo!), seria dado mais tempo para o princípio dos juros compostos atuar a favor do banco. Mas, fazendo as contas, você descobre que, em ambos os casos, a taxa de juros pedida está, na realidade, em 4,89% ao mês.

i TAXA DE JUROS				
PV	R$ 5.200,00	PMT	-R$ 372,83	
i	4,89%	FV	R$ 0,00	
n	24,0 períodos	FIM END	X	COMEÇO BEG

i TAXA DE JUROS				
PV	R$ 5.200,00	PMT	-R$ 309,83	
i	4,89%	FV	R$ 0,00	
n	36,0 períodos	FIM END	X	COMEÇO BEG

De posse dessa informação, você tenta nova negociação: insiste com o gerente do banco para segurar, no novo parcelamento, a taxa original de 3% de juros ao mês. Isso fará com que, mesmo mantendo o prazo de 24 meses (melhor, a dívida passará mais rápido), você consiga quitá-las com parcelas mensais de R$ 307,05, perfeitamente compatíveis com seu orçamento.

No cômputo geral, você pagará R$ 7.369,20 (24 x R$ 307,05), o que dará "apenas" R$ 2.169,20 de juros, o equivalente a menos de 60% da primeira opção, e pouco mais de um terço da segunda opção. Portanto, uma troca interessante.

PMT PAGAMENTO PERIÓDICO	PV	R$ 5.200,00	PMT	-R$ 307,05
	i	3,00%	FV	R$ 0,00
	n	24,0 períodos	FIM END X	COMEÇO BEG

Enfim, tanto para eliminar como para renegociar suas dívidas mais preocupantes, o importante é que você se planeje corretamente e parta logo para a ação. Acione imediatamente, em seu *Plano da Virada*, a fonte abundante das *dívidas mais prudentes*, e seu processo de enriquecimento contínuo será tremendamente facilitado. Seu sono, idem.

Conclusão

Quer mesmo a virada? Comece já! Mas sem atropelos...

Como mencionei logo na introdução deste guia utilitário de finanças pessoais, com base em minha experiência de atendimento como planejador financeiro pessoal, você levará cerca de *um ano* para organizar e implementar seu *Plano da Virada*, visando "ajeitar o bolso" de ponta a ponta.

É lógico que a velocidade de transformação de sua vida financeira rumo ao enriquecimento contínuo e a prosperidade duradoura dependerá de onde você se encontra hoje, do *tamanho dos desafios* em seu ponto de partida. Porém, dependerá ainda mais do seu *empenho* a partir daqui.

Se estiver bem motivado neste momento, ótimo! Só não vá com tanta sede ao pote a ponto de confundir "enriquecimento *instantâneo*" com "engajar-se *de imediato* em um saudável processo de enriquecimento contínuo".

Se conseguir colocar tudo em prática em prazo inferior a esses 12 meses, que maravilha! Já vi gente conseguir virar o bolso do avesso em apenas seis meses, mesmo em situações complicadas. Com isso, não quero dizer que em poucos meses os problemas estavam todos definitivamente resolvidos, porém já se encontravam devidamente encaminhados. Tudo dependerá de sua proatividade a partir de agora.

Apenas tome cuidado para não ser exigente demais consigo mesmo e com sua família, querendo que tudo se resolva e melhore subitamente. É melhor levar um pouquinho mais de tempo, porém fazer tudo de forma organizada e bem sedimentada, transformando *de fato e para sempre* sua vida financeira, do que se precipitar, desanimar e acabar perdendo o rumo.

Enriquecer é um *processo contínuo*, e nos próximos 12 meses seu desafio será aparar as arestas e aproveitar melhor as oportunidades disponíveis em sua vida financeira, para poder *engrenar* nesse processo de enriquecimento constante rumo à verdadeira riqueza com muita solidez, e sem volta!

A partir daí, a coisa toda andará praticamente sozinha, porque os hábitos financeiros saudáveis que lhe propus assumir neste livro já estarão implementados e solidificados. Você saberá quase instintivamente tomar boas decisões financeiras no dia a dia, da mesma forma que escova os dentes, toma banho e se alimenta todos os dias.

Portanto, o que lhe recomendo agora é um pouco de tolerância consigo e com sua família, muita proatividade e incansável perseverança na implementação do seu *Plano da Virada*: os resultados virão da forma mais rápida e impactante que você pode imaginar. Tente. Experimente. Mude sua vida daqui para a frente!

Agradecimentos

A Deus – Jesus Cristo meu senhor e salvador – pela importante missão que me entregou em mãos como educador e planejador financeiro pessoal, pela força, capacitação e fartas oportunidades de honrá-Lo com meu trabalho a serviço da educação financeira popular.

"Temos diferentes dons, de acordo com a graça que nos foi dada... Se o seu dom é servir, sirva; se é ensinar, ensine." Bíblia Sagrada - Livro de Romanos, Capítulo 12:6-7

A Atilio & Lúcia – amados pais – por me ensinarem 90% do que eu sei de bom desta vida (Amo Vocês!).

Todos os que me conhecem ou me conheceram têm sua parcela de contribuição para a bagagem que trago neste livro. Para com alguns tenho, no entanto, dívidas pessoais impagáveis, e a eles ofereço meus mais sinceros agradecimentos. A seguir, pela ordem alfabética pela absoluta impossibilidade de desempatar na base da importância:

Alexandre Silvestre & Família – irmão, ex-sócio "guerreiro" e companheiro de todas as horas, as piores e as melhores – por tudo.

André Luiz Costa & Família Bandnews FM – brilhantes jornalistas e amigos – pela longa caminhada de respeito, colaboração e admiração mútua.

Antonio Carlos Salgueiro & Família Almap BBDO – gênios da comunicação e amigos – pelos ricos projetos que impactarão de forma tão positiva a educação financeira popular brasileira.

Artur Leal Coelho – talentoso contador e amigo – pelo suporte, porque, quando eu não sei, o Artur sabe!

Caio Fonseca & Família Ínsula/Neogamabbh – "magos" das mídias digitais – pelo importante espaço inovador aberto para a educação financeira popular no País (esse pessoal bola cada coisa!).

Douglas Cirilo & Família Coopercredi A.C.S.C. – clientes e amigos – pela receptividade e incentivo constantes.

Drayton de Melo & Família – queridos amigos-irmãos – pelos papos, orientações e orações.

Edison Lins & Família Unicamp – parceiros e amigos – por terem me acolhido em seu fértil berço de produção intelectual.

Elaine Saad & Família Right do Brasil – clientes e amigos – pelo longo caminhar e evolução conjunta.

Fábio & Alessandra Marques & Família – sócios e amigos-irmãos – pela bonita amizade e projetos conjuntos no caminhar cristão.

João Saad & Família Grupo Bandeirantes de Comunicação – parceiros e amigos – por tudo de bom que já fizemos e ainda faremos juntos.

Francisco Ráo & Família Crediconsumo – clientes e amigos – pelo respeito, carinho e irrestrito apoio desde sempre.

Graziella Maria Comini – brilhante colega de faculdade e amiga de sempre – pelos alegres encontros para estudar matemática financeira (aposto que ela não se lembra...).

Gustavo Cerbasi – genial escritor e amigo – por estimular-me a colocar minha experiência no papel e assim poder dividi-la com um maior número de pessoas.

Lana Harari – talentosa psicóloga financeira e amiga – pela contínua troca de experiências e vivência profissional.

Liana Gottlieb – experiente educomunicadora e amiga – pelo respeito e valorização da delicadeza.

Louis Frankenberg – colega de profissão e amigo – sempre aberto e acolhedor, o grande patrono das Finanças Pessoais no Brasil.

Marcio Recco & Família – amigos-irmãos – porque sempre acreditou e acolheu, mesmo quando duvidei.

Marco Antonio Rossi & Família Grupo Bradesco – clientes e amigos – pelo apoio no reconhecimento da educação financeira neutra e equilibrada como fonte transformadora do bem estar da sociedade brasileira.

Marilza Nóbrega Angelini – eterna mestra e amiga – a quem devo o interesse pela Ciência Econômica, em primeiro lugar.

Meus Clientes Particulares – gente demais para nominar, todos amigos – com quem aprendi nos últimos 20 anos tudo o que sei como profissional da área.

Pedro Almeida & Família Leya – meu Editor e demais amigos – pelo talento, habilidade e infinita paciência para destrinchar minha inexperiente alma de escritor.

Pr. Olney Basílio Silveira Lopes & Família IBVM/IBMA – amado pastor e demais queridos amigos – pelo respeito, estímulo e instrução nas coisas de DEUS.

Pr. William Fawcett & The Calvary International Family –dedicated pastor and dear friends – for the wonderful Christian benchmarks you are, for the continuous guidance and prayers.

Duvidas, comentários, outras informações e para receber boletins de Marcos Silvestre sobre finanças e investimentos entre no site: WWW.OPLANODAVIRADA.COM.BR

Lá é possível baixar também as calculadoras que estão no cd, para o caso de perda do cd ou se quiser utilizá-las a qualquer momento sem a necessidade da mídia.

Este livro foi composto em Helvetica Neue e Minion Pro para a Texto Editores, em novembro de 2010